L'ITALIANO PER GLI AFFARI

Nicoletta Cherubini

L'ITALIANO PER GLI AFFARI

corso comunicativo di lingua e cultura aziendale

2ª edizione

Bonacci editore

FONTI

La settimana enigmistica: pp. 18, 28, 63, 79, 82, 85, 87, 104, 106, 107, 108, 115, 119, 150, 164, 175, 176, 185, 187, 217

La Gazzetta di Arezzo: 25-31/3/1991 p. 19

Management: marzo 1991 pp. 21-24, 39-41, 70, 93, 136, 171, 173, 174

Uomo manager: marzo 1991 pp. 52, 59-62, 85, 95-96, 137, 158, 165

Panorama: 7/4/91 pp. 186, 188

L'Espresso: 7/4/91 p. 166; 12/6/88 p. 187; 20/1/91 p. 189

La Repubblica: 18/10/1988 p. 38

Il Venerdì di Repubblica: 8/3/1991 p. 96, 183

Costruire 92: gennaio 1991 p. 167

Segretaria club: aprile 1991 p. 43

Bonacci editore
Via Paolo Mercuri, 8 - 00193 Roma
(ITALIA)
Tel. 06/68.30.00.04 Fax 06/68.80.63.82

ISBN 88-7573-247-7

Legenda dei simboli

Lingua

Commento

Cultura d'azienda

Corrispondenza

Grammatica

UNITÀ	LINGUA	CORRISPONDENZA	CULTURA	GRAMMATICA
Parte 1				
UNITÀ 1 **Selezionare le offerte d'impiego**	Linguaggio e struttura delle "Offerte d'impiego": gergo, verbi, composti di sintesi. Come scrivere un annuncio. Anglicismi degli affari.	Il memorandum.	Il mercato della ricerca di personale manageriale in Italia.	Forma attiva e passiva del verbo.
UNITÀ 2 **Domande d'impiego** Come scrivere una domanda d'impiego	Linguaggio e struttura della domanda d'impiego: cosa scrivere e come scriverlo. Griglia selettiva delle espressioni utili. Anglicismi degli affari.	Lettera di domanda d'impiego presso ditte italiane in Italia e all'estero.	I candidati ideali della ricerca di personale manageriale in Italia.	Connettivi sintattici: congiunzioni e locuzioni congiuntive. Preposizioni causali in forma esplicita e implicita. I verbi "avendo" ed "essendo" + pronome.
UNITÀ 3 **Curriculum vitae** Compilare un curriculum vitae	Linguaggio e struttura del curriculum: cosa scrivere e come scriverlo. Modelli di curriculum vitae.	Lettera di accompagnamento/domanda d'impiego (vedi Unità 2).	La formazione del personale nel Mercato unico europeo. Guida all'istruzione in Italia.	Comparativi di maggioranza, minoranza, uguaglianza.
UNITÀ 4 **Referenze** Richiedere e fornire referenze	Il linguaggio delle referenze: cosa scrivere e come scriverlo.	Lettera di richiesta di referenze. Lettere di referenza positive e negative.	Settori e funzioni manageriali più ricercati in Italia.	Prefissi di negazione "-in" e "-im". Superlativo relativo e assoluto.
UNITÀ 5 **Colloquio selettivo** Condurre un colloquio selettivo come candidato e come selettore	Descrivere i propri studi. Descrivere la propria carriera: esperienza professionale passata (mansioni, trasferimenti, promozioni) e attività professionale attuale (funzioni, mansioni). Descrivere le proprie motivazioni professionali e i benefit.	Lettera di convocazione a un colloquio selettivo. Lettera di risposta alla convocazione.	Donne dirigenti in Italia. Lo stipendio del manager.	Forma attiva e passiva del verbo. Accordo del passato prossimo con l'imperfetto indicativo. Accordo del congiuntivo con l'indicativo presente e il condizionale presente.
Parte 2				
UNITÀ 6 **Presentazioni** Le presentazioni negli incontri di lavoro	Presentarsi: presa di contatto formale, situazione formale, situazione informale. Presentare fra loro persone che non si conoscono: situazione formale, situazione informale, come e quando passare dal "lei" al "tu". Dare informazioni su di sé e su altri colleghi.		Rapporti spaziali: la stretta di mano in Italia, il linguaggio dello spazio. Rapporti interpersonali: darsi del "tu" e darsi del "lei", chiamarsi per nome.	Sostantivi maschili in "-e".
UNITÀ 7 **Appuntamenti d'affari** Fissare appuntamenti per lettera e per telefono	Telefonare: iniziare o chiudere un contatto telefonico, uso del canale, lasciare e raccogliere messaggi telefonici, richiedere informazioni al centralino, lasciare messaggi a una segreteria telefonica. Dare direttive al proprio personale e rispondere alle direttive.	Lettera di richiesta di appuntamento. Lettera di concessione di appuntamento. Lettera di conferma di appuntamento.	Il telefono in Italia, come funziona e come si usa: informazioni, tariffe, servizi. Lista di prefissi telefonici delle maggiori città italiane. Orari commerciali, festività e ferie in Italia. Orari più indicati per appuntamenti d'affari. Puntualità. Banche dati internazionali.	Il verbo "fare" + infinito, con pronomi personali diretti, indiretti e combinati. L'imperativo di "fare" + pronome.

UNITÀ	LINGUA	CORRISPONDENZA	CULTURA	GRAMMATICA
UNITÀ 8 **Prenotazioni** Fare e ricevere prenotazioni	Prenotare un volo: giorno, ora, tariffe. Prenotare un albergo e altri servizi alberghieri: tipi di sistemazione, servizio di interpretariato, apparecchiature per riunioni, tariffe. Prenotare un'auto a noleggio: condizioni e tariffe.	Lettera di prenotazione alberghiera. Lettere di risposta positive e negative.	Il codice stradale in Italia: segnali stradali, regole e accorgimenti per chi guida. Ore in ventiquattresimi. Come scandire parole al telefono. Alberghi.	Futuro semplice. Condizionale presente e composto.
UNITÀ 9 **Incontri d'affari** Gli affari come forma di comportamento culturale	Descrivere un'azienda: origini, organizzazione aziendale, fatturato, dipendenti, produzione e mercato. Descrivere il proprio lavoro: organigrammi aziendali, responsabilità, funzioni e competenze.		L'etichetta degli affari in Europa: comunicazione d'impresa, comportamenti, stereotipi.	Discorso diretto e indiretto (parte I): parti del discorso che cambiano nel passaggio dal discorso diretto al discorso indiretto.
UNITÀ 10 **Descrizione di prodotti e procedimenti** Il prodotto e la sua immagine	Descrivere un prodotto: caratteristiche fisiche, prestazioni, settori di applicazione, caratteristiche ecologiche; prezzi all'acquisto, contrattazioni, sconti; costi di produzione, andamento delle vendite, pubblicizzazione del prodotto. Descrivere un procedimento; come suddividere un processo in fasi schematiche.		Pubblicità e sponsorizzazioni.	Discorso diretto e indiretto (parte II): tempi e modi dei verbi dipendenti nel passaggio dal discorso diretto al discorso indiretto.
Introduzione alla corrispondenza commerciale La lettera commerciale in Italia	Impostazione tipografica della lettera commerciale: intestazione, data, indirizzo del destinatario, distribuzione, riferimenti, oggetto, formule iniziali, corpo della lettera, frasi di chiusura, firma, allegati, sigle. Modelli di impostazione tipografica: "blocco" e "classico". Intestare una busta. Uso della maiuscola. Punteggiatura. Sillabazione: consonanti, vocali, prefissi, numeri, preposizioni articolate. Lista delle più comuni abbreviazioni commerciali.	Richiesta di listini, cataloghi e campioni. Invio di listini, cataloghi e campioni. Ordinazioni. Ricevimento di ordinazioni. Ricevimento della merce. Ricevimento del pagamento. Richiesta di informazioni su un'azienda. Risposta con informazioni favorevoli. Risposta con informazioni sfavorevoli. Reclami per irregolarità nella fornitura. Reclami per ritardi di consegna. Richiesta di trasporti con noleggio. Richiesta di assicurazione della merce. Esecuzione dell'assicurazione. Domande di rappresentanza. Offerte di rappresentanza.	Il servizio postale italiano, come funziona e come si usa: regolamenti, accorgimenti, raccomandate, espressi, via aerea, servizi celeri. Lista dei codici postali e sigle delle maggiori città italiane.	Pronomi personali. Aggettivi e pronomi possessivi. Numerali. Percentuali.

Manuale di corrispondenza commerciale

INTRODUZIONE

PREMESSA

L'essenza de *L'italiano per gli affari* è duplice: sociolinguisticamente, il testo presenta gli affari come una forma di comportamento non solo linguistico, ma anche culturale, ponendo le premesse qualitative che determinano il successo della comunicazione d'impresa su scala internazionale; metodologicamente, l'approccio comunicativo adottato facilita lo sviluppo integrato delle due competenze — cultura aziendale e linguaggio degli affari — guidando lo studente nei contesti autentici che è destinato ad incontrare per mezzo dei suoi rapporti con il mondo italiano del lavoro e degli affari.

AVVERTENZA PER L'INSEGNANTE

L'obiettivo globale del testo

Il testo si propone di colmare una lacuna nell'ambito dei manuali di italiano per stranieri, di solito destinati ad un pubblico di studenti i cui interessi non sono settoriali. Esiste infatti un crescente bisogno di comunicazione aziendale a livello internazionale, che si riflette nei nuovi bisogni linguistici derivanti dalla caduta di numerose barriere politiche, economiche e commerciali nell'Europa occidentale e nei Paesi dell'Est, nelle statistiche relative al crescente flusso di emigrazione in Italia proveniente dai Paesi extra-europei e infine nella delicata ricerca di nuove strategie di comunicazione interaziendale fra etnie diverse.

I materiali

I materiali del presente corso sono stati studiati per rispondere a tali nuovi bisogni linguistici settoriali dell'italiano come lingua seconda. Si prestano all'insegnamento in Italia o all'estero e possono funzionare in classi monolingui o monoculturali, plurilingui o pluriculturali formate da studenti la cui competenza linguistica dell'italiano è a livello intermedio o avanzato.

I contenuti linguistici

Trattandosi di un approccio comunicativo settoriale, sono state operate delle scelte di carattere semi-arbitrario nella selezione delle nozioni e funzioni linguistiche del linguaggio d'azienda, contemplato solo in minima parte nel noto repertorio di Nora Galli de' Paratesi (*Livello soglia per l'insegnamento dell'italiano come lingua straniera*) a cui attingono i testi didattici comunicativi a carattere non specificamente settoriale. Tuttavia, i criteri di selezione degli argomenti non si discostano da quelli di manuali simili a questo già presenti nel mercato per altre lingue straniere. Vorremmo qui auspicare che future ricerche nel campo generale della didattica dei linguaggi settoriali dell'italiano come lingua seconda possano precisare con crescente rigore anche il settore particolare dell'italiano per gli affari.

Struttura delle unità

Ognuna delle dieci unità è formata da tre sezioni: **Lingua**, **Cultura d'azienda** e **Grammatica**. Una quarta sezione di **Corrispondenza** è presente in alcune unità che lo richiedono, e si ricollega al *Manuale di corrispondenza commerciale* che completa il corso.

Le sezioni di **Lingua** forniscono modelli di dialoghi e di documenti scritti, all'interno dei quali sono indicati in grassetto vari richiami lessicali, funzionali o culturali. Tali richiami sono riportati, nell'ordine in cui compaiono, in sottosezioni denominate **Commento**, destinate all'approfondimento critico. Il docente potrà così estrapolare dai testi e ritrovare con immediatezza nel commento i rimandi e le osservazioni che sceglierà di sviluppare nella presentazione dei materiali in classe, oppure potrà sfruttare i rimandi utilizzandoli come stimoli all'approfondimento individuale o di gruppo attraverso la produzione scritta o la discussione. Gli esercizi, di cui è fornita la chiave in appendice, si orientano verso la produzione e la comprensione orale e scritta.

Le sezioni di **Cultura d'azienda** presentano letture e documenti autentici corredati da esercizi di comprensione scritta e di produzione orale, in cui gli studenti vengono incoraggiati ad esprimere le proprie opinioni e valutazioni. Per uno sfruttamento ottimale delle letture, si consiglia di ricorrere al lavoro individuale sui testi brevi e al lavoro di gruppo sui testi più lunghi, da accorciare o suddividere modularmente in paragrafi a seconda del numero di studenti e del tempo disponibile per ciascuna attività. Anche degli esercizi di questa sezione è fornita la chiave in appendice.

Le sezioni di **Grammatica**, infine, sono subordinate agli obiettivi comunicativi delle rispettive unità. I contenuti grammaticali sono presentati attraverso scatole o schemi auto-esplicativi corredati da spiegazioni minime, che possono essere sfruttate come punto d'arrivo o di partenza a seconda degli approcci metodologici adottati.

Flessibilità

Il testo è studiato per permettere la massima flessibilità e varietà di usi da parte dell'insegnante, che vi troverà non solo un'ampia scelta di materiali già pronti per l'uso, ma anche vari documenti autentici didattizzabili a suo piacimento.

AVVERTENZA PER LO STUDENTE

Il testo è destinato a studenti, professionisti e dirigenti stranieri che hanno una conoscenza di base dell'italiano e devono comunicare in reali situazioni d'uso nel mondo italiano del lavoro e degli affari. I materiali possono essere utilizzati sia in classe a livello intermedio e avanzato, sia nello studio individuale da parte di professionisti autodidatti a livello avanzato.

Obiettivi

La Parte prima, dedicata al **lavoro**, è una guida alla definizione della propria immagine professionale attraverso il curriculum vitae, la domanda d'impiego e il colloquio selettivo in contesti autentici.

La Parte seconda, incentrata sugli **affari**, promuove un'acquisizione integrata del linguaggio degli affari e della cultura d'azienda italiana, dalle presentazioni alla descrizione del proprio lavoro, dalla descrizione di aziende, prodotti e processi produttivi, al know-how nella pianificazione di incontri di lavoro, viaggi, prenotazioni di alberghi, appuntamenti, ecc.

La Parte terza è costituita da un chiaro e sintetico **Manuale di corrispondenza commerciale**, che presenta schematicamente il formato, lo stile e il contenuto della lettera commerciale e contiene modelli di lettere in appendice.

Cultura d'azienda

La cultura d'azienda viene costantemente richiamata attraverso osservazioni e suggerimenti che permettono di comportarsi con sicurezza in ambiente socio-professionale.

Materiali autentici

Numerosi materiali autentici difficilmente reperibili all'estero permettono a chi viaggia in Italia o agisce dal proprio paese di familiarizzarsi con le poste, il telefono, il codice stradale ed altri servizi italiani fondamentali per la vita aziendale.

N.C.

PRIMA PARTE

UNITÀ

1 OFFERTE D'IMPIEGO

LINGUA

Il linguaggio delle offerte d'impiego

CULTURA D'AZIENDA

Selezione manageriale: "cacciatori di teste"

GRAMMATICA

Forma attiva del verbo

Forma passiva del verbo con "si"

Verbi e composti di sintesi negli annunci

Il linguaggio delle offerte d'impiego

Le **fonti di reclutamento** del personale in Italia possono essere esterne o interne.

Fra le fonti esterne all'azienda troviamo:
- — uffici provinciali del lavoro
- — università
- — istituti professionali
- — istituti di perfezionamento e di riqualificazione professionale
- — annunci pubblicitari sulla stampa
- — agenzie di ricercatori di dirigenti ad alto livello

Fra le fonti interne all'azienda troviamo:
- — spostamenti di mansione
- — promozioni

In questa unità ci occuperemo di due **fonti esterne** di reclutamento del personale a disposizione degli stranieri che ricercano un impiego in Italia o presso aziende italiane all'estero:
- — gli annunci pubblicitari sulla stampa, o "Offerte di lavoro"
- — le agenzie di ricerca di dirigenti ad alto livello.

Nel primo caso si tratta di impieghi di livello non dirigenziale quale impiegato, corrispondente, traduttore, consulente, segretario, accompagnatore turistico, ecc., mentre nel secondo caso si tratta di impieghi a livello dirigenziale, che generalmente non vengono ricercati attraverso il canale della stampa ma attraverso altri canali privati di cui ci occuperemo nella sezione Cultura d'azienda di questa unità.

Le lettere contenenti delle domande d'impiego, che studieremo nell'Unità 2, spesso vengono scritte dai candidati sulla base di annunci pubblicitari pubblicati su quotidiani o su apposite riviste sotto la voce "**Offerte di lavoro**", "**Ricerche di collaboratori**" o "**Ricerche di personale**".

Il **linguaggio** degli annunci pubblicitari è molto particolare, tecnico, ricco di parole non comuni o frequenti nel linguaggio d'ogni giorno, che al lettore straniero possono parere alquanto misteriose. Egli dovrà quindi familiarizzarsi con questo linguaggio per poter fare un'accurata selezione delle offerte di lavoro a sua disposizione.

In una **offerta di lavoro** si possono distinguere tre tipi di dati:

1. cosa si cerca 2. cosa si offre 3. cosa si richiede

Leggi attentamente le offerte di lavoro che seguono e prendi nota del lessico, che è distribuito su tre colonne, rispettivamente:

2	RICERCHE DI COLLABORATORI

IMPIEGATI 2.1

A anche primo impiego offriamo addestramento su computer. Garanzia di assunzione regolata da contratto. 15 posti disponibili. Milano 67.09.406.

SOSTANTIVI E AGGETTIVI	VERBI	AVVERBI E CONGIUNZIONI
primo impiego	offriamo	anche
addestramento		
assunzione		
contratto		
posti disponibili		

Aziende leader settore abbisogna assumere 10 funzionari 25/50 anni, solo non occupati, studi preferibilmente umanistici, ottima presenza, intraprendenti ambiziosi, creativi, inserimento immediato settore commerciale, fisso, retribuzione annua non inferiore a 24.000.000 addestramento a carico azienda. Per appuntamento telefonare 02/29.51.20.46-22.10.22.

azienda/e	abbisogna assumere	solo
funzionario/i		
non occupati		preferibilmente
studi		
ottima presenza		
inserimento immediato		
retribuzione		
non inferiore a	telefonare	
appuntamento		

A due elementi femminili con ottima presenza e cultura, società commerciale offre lavoro. È richiesta disponibilità immediata ed età minima 24 anni. Telefonare 83.21.839 Milano.

elementi femminili	offre	
disponibilità immediata		
età minima		

A Garzanti Editore S.p.A. per ampliamento proprie strutture commerciali necessitano 6 ambosessi disponibili subito, buona presenza, buona cultura. Si offre training retribuito e la possibilità di essere avviati ad una carriera manageriale. Per appuntamento telefonare al n. 02/46.96.828.

ampliamento strutture	necessitano	
ambosessi		subito
carriera manageriale		

A multinazionale direzione Milano necessita assumere 9 ambosessi 22/30 enni liberi immediatamente pubbliche relazioni ambienti professionali. Richiedesi presenza cultura offresi fisso 2.000.000 incentivi carriera. Colloquio selettivo telefonare oggi 9/18. 02/33.60.03.63-33.60.03.60.

multinazionale		
direzione	necessita assumere	immediatamente
pubbliche relazioni	richiedesi	
presenza		
cultura	offresi	
fisso		
colloquio selettivo		

A New Brief necessita assumere tre diplomati/e o cultura equivalente nella sede di Milano. Offronsi 1.500.000 mensili nette, inquadramento. Per informazioni e colloquio selettivo telefonare solo se non occupati. 02/84.37.845.

diplomato/a/i/e	offronsi	
cultura equivalente		
sede di		solo se

AZIENDA metalmeccanica ricerca segretaria per assunzione presso la sua sede di Milano. Sono richiesti i seguenti requisiti: disponibilità ad effettuare lavoro straordinario, ottima conoscenza della stenodattilografia, buona conoscenza delle lingue inglese e tedesco parlate e scritte, volontà e precisione. Purché in possesso dei requisiti richiesti, si esamineranno anche le domande di candidate alla prima esperienza lavorativa. Corriere 858-E - 20100 Milano.

metalmeccanica	ricerca	
segretaria	sono richiesti	
requisiti		
lavoro straordinario		
conoscenza		purché
stenodattilografia		anche
prima esperienza		

PRESTAZIONI TEMPORANEE 2.1

UFFICIO brevetti in Milano ricerca traduttori esterni dall'inglese e dal tedesco per campi tecnici e chimici. Corriere 969-P - 20100 Milano.

prestazioni temporanee
traduttori

CAPOCONTABILE cerca società commerciale italiana filiale di multinazionale francese. Richiedesi documentata esperienza contabilità generale e clienti con recupero crediti, servizio banche, abitudine a lavorare con terminale, disponibilità a breve. Si offre lavoro autonomo in ambiente fortemente motivato e professionale, stipendio sicuramente interessante e comunque commisurato alle reali capacità dimostrate. Copigraph Italia S.p.A. - Settimo Milanese, tel. 02-32.81.204.

capocontabile	cerca	
filiale		
documentata esperienza		
clienti		
abitudine a		
disponibilità		a breve
lavoro autonomo	si offre	
stipendio		sicuramente
reali capacità		

GRUPPO internazionale stampa litografica e legatoria con sede Trezzano sul Naviglio cerca cittadino-a U.S.A. con conoscenza italiano come corrispondente per coordinatore ufficio produzione e vendite. Richiedesi precedente esperienza nel settore. Inviare curriculum a Corriere 683-ZP - 20100 Milano.

gruppo	cerca
cittadino/a	
corrispondente	
coordinare	
ufficio produzione	
ufficio vendite	inviare
curriculum	

SONY MICROSYSTEM ITALIA cerca per la propria sede di Agrate Brianza una/o esperto/a contabile pratica nella gestione o terminale della contabilità generale e di magazzino, di operazioni import-export e con una buona conoscenza dell'inglese. Telefonare al 039/63.86.71.

uno/a esperto/a
contabile
pratica
buona conoscenza

RICERCHE 3.2

INGEGNERI meccanici o elettronici o cultura equivalente per traduzioni domicilio due ore giornaliere cercasi. Corriere 915-P - 20100 Milano.

ingegnere/i
domicilio

ESERCIZIO 1

I dati di questo annuncio sono stati mescolati. Ricomponilo.

— dall'inglese
— traduttore qualificato
— ricerca
— purché
— ufficio esportazioni
— madrelingua
— per corrispondenza estero
— Milano città
— telefonare 02-87.65.43

Annuncio

- -
- -
- -
- -

ESERCIZIO 2

Il tuo direttore del personale sta cercando una persona esperta in pubbliche relazioni e ti ha consegnato questa bozza per un annuncio da pubblicare sul giornale. Cancella tutte le parole inutili.

"Noi siamo una nota azienda metalmeccanica di Torino che cerca un esperto/a in pubbliche relazioni che parli inglese, francese e tedesco perfetto e che abbia disponibilità a fare viaggi all'estero. Richiedesi dinamicità e una bella presenza. Offresi uno stipendio molto interessante. Telefonare al numero (011) 79.27.21".

ESERCIZIO 3

Scrivi la versione corretta dell'annuncio dell'esercizio 2 sul seguente tagliando da inviare a una rivista specializzata in annunci pubblicitari.
Compila il tagliando in tutte le sue parti e calcola il costo di pubblicazione dell'annuncio.

Tagliando da ritagliare e spedire a

«LA PULCE»

via Montanini, 28 Siena
via Mazzini, 119 Grosseto

Tipo di annuncio — Prezzo massimo 25 parole

- ☐ **PULCE gratis**
- ☐ PULCE neretto lire 10.000
- ☐ PULCE riquadrato neretto lire 20.000
- ☐ PULCE garantito lire 6.000
- ☐ PULCE riquadrato lire 15.000
- ☐ PULCE annuncio con foto lire 35.000

I prezzi sopra indicati si intendono per privati.
Per le **aziende** i prezzi sono: Pulce garantito **L. 15.000** Pulce neretto **L. 20.000** Pulce riquadrato **L. 28.000** Pulce piccola pubblicità garantito **L. 20.000** Pulce piccola pubblicità neretto **L. 25.000** Pulce piccola pubblicità riquadrato **L. 30.000**

Fate una crocetta sul tipo di annuncio prescelto

Per favore scrivere una parola per casella

				suppl. lire 1.000
				suppl. lire 2.000
				suppl. lire 3.000

ESERCIZIO 4

Tu lavori nella redazione di un quotidiano. Correggi le bozze degli annunci da stampare cambiando le frasi nel linguaggio degli annunci pubblicitari (vedi Grammatica).

Es. Richiediamo un'ottima conoscenza della lingua araba.
Si richiede ottima conoscenza lingua araba.
Richiedesi ottima conoscenza lingua araba.

1. Offriamo inquadramento professionale a uomini e donne.

2. Richiediamo la laurea in ingegneria.

3. Cerchiamo corrispondenti in lingue estere.

4. Richiediamo volontà e precisione.

5. Cerchiamo stilista di moda a tempo pieno che abbia già fatto il militare.

6. Offriamo stipendio molto interessante.

7. Offriamo addestramento su computer e portafoglio clienti.

— Ti prego, Agnese! Non l'ha ancora avuto, quel posto di fattorino!

ESERCIZIO 5

Tu lavori in una televisione privata di New York, la Channel 5 International. Il tuo direttore ti ha lasciato sulla scrivania il seguente memorandum con l'incarico di scrivere l'annuncio.

"Per cortesia scriva un annuncio al Corriere della Sera di Milano per cercare un DJ per i nostri programmi musicali in lingua italiana.
Deve essere di madrelingua italiana e con esperienza.
Noi offriamo un ottimo stipendio e garanzie di carriera. Dica di telefonare o mandare un fax qui in sede per la domanda d'impiego. Grazie".

Annuncio

- -
- -
- -
- -

ESERCIZIO 6

In quali di questi annunci si dimostrano preferenze per personale femminile o maschile?

PERSONALE FEMMINILE
ANNUNCI N. __________

PERSONALE MASCHILE
ANNUNCI N. __________

1

AZIENDA PLURIMANDATARIA
cerca tecnico venditore quale responsabile area Firenze - Prato - Siena e Arezzo per vendita macchine utensili CN ed impianti. Richiesta provenienza tempi e metodi o settore commerciale.
Trattamento Enasarco. Tel. 010/383655.

2

AZIENDA MILANESE LEADER
nel proprio settore seleziona ambosessi anche prima esperienza, da inserire nei propri organici di vendita per PE - CH - TE - AP - MC e provincie.
Offresi inquadramento di legge, certezza di affermazione ai massimi livelli: 1.200.000 fisso mensile + spese + provvigioni. Telefonare 0733/775244

3

ORGA *selezione* s.r.l.

AVON

La famosa casa cosmetica operante in 32 paesi nel mondo ricerca una **DIRETTRICE DI ZONA**
per ASCOLI PICENO-S. BENEDETTO DEL TRONTO-FERMO

LA PERSONA da selezionare è una giovane donna in possesso di una cultura a livello medio superiore o universitario che abbia maturato una anche breve esperienza nel campo delle vendite e voglia affermarsi in una posizione impegnativa e stimolante.

LA POSIZIONE comporta la responsabilità del reclutamento, addestramento e guida di addetti alla vendita.

LE CONDIZIONI offerte sono di sicuro interesse: assunzione con inquadramento al livello C del CCNL chimici, stipendio su 14 mensilità e provvigioni, rimborso spese, auto aziendale.
Per la candidata prescelta è previsto un periodo di addestramento specifico a carico della Società.

Inviare dettagliato curriculum indicando un recapito telefonico e citando chiaramente anche sulla busta 1373 alla:
ORGA Selezione S.r.l. - 20124 MILANO - Via Vittor Pisani 22

4

LINEA 2
necessita inserire in proprio ufficio pubblicitario 5 diplomati/e automuniti, età massima 32 anni.
OFFRONSI: 1.700.000 mensili nette, inquadramento.
RICHIEDONSI: disponibilità immediata, presenza.
Per informazioni telefonare 0541/783976-783986

5

S.p.A. leader
settore servizi

cerca operaio installatore possibilmente libero subito, disponibile per attività esterna.

Telefonare per appuntamento:
011/2734595
2734084

6

SOCIETA' LEADER

nel settore servizi **RICERCA** per la pria sede di Ancona N° 1 Collaboratore/trice da inserire nel proprio organico. **SI RICHIEDE** * auto propria * età minima 20 anni SI OFFRE compenso minimo fisso di L. 1.000.000 mensile oltre provvigioni sulle acquisizioni.
Telefonare ore ufficio **071/20.66.36**

CULTURA D'AZIENDA

Secondo un recente sondaggio svolto per conto di una nota rivista d'affari italiana, in Italia cresce sempre di più il numero dei direttori del personale che ricorrono all'esterno, a società specializzate nella "caccia" ai dirigenti di alto livello per le loro esigenze di gestione delle risorse umane.

Le grandi aziende commerciali, industriali e finanziarie preferiscono infatti mantenere l'anonimato e non uscire a mezzo stampa quando ricercano personale dirigente.

La tendenza a ricercare candidati esterni, definita reclutamento estroverso, è comune nei mercati ad altro reddito nazionale come il mercato americano. La tendenza inversa, o reclutamento introverso, tipica del Giappone, ridistribuisce invece dall'interno dell'azienda le cariche dirigenziali, ed è comune nei mercati a basso reddito nazionale.

Nell'articolo che segue, sono gli stessi direttori del personale di grandi aziende italiane a spiegare questo interessante fenomeno della cultura d'azienda italiana e mondiale: la selezione manageriale per mezzo dei cosiddetti "cacciatori di teste".

M
CARRIERA E FORMAZIONE
EXECUTIVE SEARCH/1 - IL MERCATO

Caccia grossa anzi grossissima

Quasi il 57 per cento delle grandi aziende italiane fa ricorso ai cosiddetti cacciatori di teste quando deve trovare un dirigente di alto livello. E la percentuale è destinata ulteriormente a crescere. Il motivo è spiegato in questa inchiesta dagli stessi direttori delle risorse umane

di Mario Bendin

Fanno incontrare aziende e dirigenti, talvolta invece li separano. Discretamente, anzi con assoluta riservatezza, come è nelle regole degli executive searcher o ricercatori di dirigenti di alto livello. Tranne quando sono altri a rompere il silenzio: solo allora, costretti a infrangere la ferrea deontologia professionale, gli executive searcher rivendicano sui giornali la paternità di operazioni fino allora top secret. Una delle ultime, rimbalzata sui quotidiani qualche mese fa, è quella della separazione di Emilio Fossati dal gruppo di Carlo De Benedetti per approdare alla Benetton. L'agenzia giornalistica Reuter voleva ascrivere il merito alla Korn/Ferry, una delle più prestigiose società di executive search.

Ma Adolfo Mantegazza, amministratore delegato della Ihr (International human resources), aveva allora tuonato sul settimanale finanziario *Milano Finanza*: "La verità è una sola: Benetton aveva incaricato più società di cacciatori di teste di trovare l'uomo giusto, compresa la mia società. Noi abbiamo contattato Fossati, noi l'abbiamo presentato a Luciano Benetton". Punto sul vivo, il discretissimo head hunter si era sentito autorizzato a chiosare: "Fossati aveva altre offerte provenienti dall'interno del gruppo De Benedetti e da società esterne. Ha concluso con Benetton per le prospettive di lavoro, di espansione che l'azienda di Ponzano Veneto gli offre".

Ma incidenti a parte, quali sono i vantaggi nel contattare gli head hunter? Servono davvero e in quali occasioni? Cha cosa spinge le aziende a delegare in parte o in tutto una ricerca di dirigenti e di top manager che spesso si rivela lunga e costosa? A quali rischi si può andare incontro e come tutelarsi? Per rispondere a questi interrogativi *Management* ha svolto un'inchiesta fra i direttori risorse umane delle principali aziende che ricorrono a società di ricerca e selezione manageriale.

Quando la scelta diventa difficile. Trovare i vincenti, i numeri uno capaci

di cogliere le sfide della qualità totale e dell'innovazione richiede esperienza, un fiuto particolare ma anche una grande capacità di superare i limiti dei propri punti di vista. Dove pescare infatti quelli con un largo background internazionale e un curriculum di successo? Oppure come attirare i dirigenti giusti ma con un'esperienza specifica e magari nell'azienda leader del proprio settore? E come ridurre i rischi di una scelta sbagliata dopo ripetute delusioni nel campo della fedeltà aziendale? Le aziende hanno i loro buoni motivi per ricorrere a società specializzate nella caccia di risorse manageriali. Ma ovviamente la ricerca parte prima dall'interno ed è l'azienda stessa a condurla.
"Per tradizione siamo molto autonomi", spiega Franco Furnò, responsabile organizzazione e sviluppo della Benetton Group. "Abbiamo una struttura tale che ci consente anzitutto una ricerca interna almeno per le figure standard. Ci rivolgiamo all'esterno, ricorrendo agli head hunter, solo per le ricerche più complesse e critiche, in particolare quelle che si riferiscono ai progettisti di prodotto e ai tecnici di produzione, cioè a professionalità equivalenti a quelle degli stilisti".
Multinazionali americane come la 3M o la Ibm Semea, con avanzate strutture di formazione al loro interno, si fanno un vanto di non dover assumere dirigenti chiamati da fuori. "La nostra politica è far crescere le persone internamente", dicono alla 3M. "Anche per le posizioni dirigenziali il personale sa di non poter mai essere scavalcato: il nostro sistema di valutazione fa in modo che per ogni posizione vacante siano pronte alcune persone in grado di ricoprirla".
Un trend diffuso, confermato anche dall'indagine della Swg sui cacciatori di teste che *Management* pubblica a pag. 104, mostra che gran parte delle maggiori aziende industriali (il 56,9%) ricorre agli executive searcher per la ricerca di dirigenti di funzione e top manager. A che scopo? Avere una base più ampia di risorse, essere più obiettivi nella scelta, risparmiare tempo, e soprattutto non esporsi troppo con il proprio nome. "Gli head hunter sono un filtro intelligente a cui ci affidiamo per 1/3 delle nostre ricerche quando preferiamo mantenere l'anonimato e non uscire a mezzo stampa", precisa Roberto Cusmai, vice direttore generale e responsabile amministrazione e risorse umane della Fideuram, la prima società di consulenza finanziaria e assicurativa. "In altri casi utilizziamo il canale delle

CARRIERA E FORMAZIONE
EXECUTIVE SEARCH/1 - IL MERCATO

Le credenziali degli executive searcher in Italia

	Numero consulenti		Fatturato (in miliardi)		Presenza nel mercato	
	Italia	mondo	Italia	mondo	N° uffici	N°stati
Boyden International	12	90	3	50	45	33
Carré & Orban	6	100	3	55	24	14
D & G	3	34	1,8	15,5	12	10
Egon Zehnder	8	165	8,3	114	35	28
Eurosearch	4	50	2,7	24**	14	12
International Human Resources	5	60	2	-	28	28
Korn/Ferry	5	350	3,6	144	44	23
Management Search	3	-	n.c.	n.c.	2	-
Neumann*	4	70	1,8	45	18	12
Proper	8	130	3	50	35	23
Russel Reynolds	3	180	n.c.	112	22	10
Spencer Stuart	5	130	5	100	32	16
Tasa Italia	10	80	n.c.	n.c.	29	21
Top Management Consulta	5	140	4	100	40	21

n.c.= non comunicato - Fonte: dichiarazioni delle società interpellate
* La società è in Italia dal 1987 - ** Dato riferito all'Europa

conoscenze dirette, e per il resto sono alcuni head hunter a prospettarci dei nominativi". Anche alla Volvo, dove le posizioni di senior manager sono ricoperte dall'interno, il ricorso alle società di executive search è limitato all'assunzione di direttori di funzione. "E' difficile che un dirigente usi il giornale come mezzo per cercare un nuovo posto di lavoro, mentre è più probabile che egli sia conosciuto dagli head hunter", osserva Lorenzo Bombardini, direttore risorse umane della Volvo Italia.
Altre volte sono motivi logistici a suggerire il ricorso alle società specializzate. "La nostra sede è al di fuori dei poli industriali del nord ed è difficile trovare persone disposte a trasferirsi qui", nota per esempio Giuseppe Guariento, responsabile sviluppo risorse umane della Zanussi di Pordenone. "Gli head hunter che conoscono il mercato, sanno dove cercare dirigenti anche per i nostri settori progettazione e innovazione".

Il profilo del candidato ideale. Perché il ricorso agli head hunter possa avere successo, l'azienda ha un compito niente affatto secondario rispetto a chi effettua materialmente la ricerca. Incontri preliminari alla stesura del contratto devono chiarire esattamente le caratteristiche della persona da cercare e quelle della posizione da ricoprire. Le fasi importanti della collaborazione con gli head hunter, sostengono i responsabili del personale intervistati da *Management*, sono almeno quattro. Anzitutto uno o più colloqui per definire assieme le specifiche del candidato cioè i suoi tratti umani, culturali e professionali. Segue poi l'esame delle candidature su carta: i curriculum di cui la società di executive search è venuta in possesso, vengono discussi insieme con i responsabili dell'azienda cliente. Quindi viene presentata una ristretta rosa di candidati, quattro o cinque, che l'azienda contatta. La valutazione sugli incontri viene fatta dall'head hunter insieme all'azienda, prima della scelta finale. Ma il momento più importante resta l'approfondimento delle caratteristiche della persona. "Fra queste non va sottovalutato il tipo di cultura manageriale di provenienza da mettere a confronto con quello dell'azienda committente", aggiunge Bombardini. "Il rischio infatti è di trovare un candidato con uno stile manageriale non condiviso dall'azienda, con il risultato di una progressiva emarginazione del neodirigente subito dopo il suo inserimento". Pretendere per esempio di agire con una mentalità aperta al lavoro di gruppo all'interno di una cultura manageriale centrata invece sull'individualismo, può creare un'atmosfera insopportabile. "Per dare la possibilità all'head hunter di fare un buon lavoro, l'azienda deve collaborare strettamente, definendo in modo chiaro il tipo di professionalità richiesta, compatibile con la propria cultura", continua il responsabile risorse umane della Volvo Italia. "Un tipo di aggressività positivo in un'azienda può essere negativo in

Francesco Benvenuti, partner della Proper, una delle principali società italiane di executive search

Luca Pacces, amministratore delegato della Tasa Italia

un'altra". Doti molto richieste oggi in un dirigente sono quelle legate allo scenario economico in cui dovrà operare. "Troviamo difficoltà a reperire dirigenti dotati di una vera mentalità internazionale, in grado di comprendere scenari nuovi e culture diverse", osserva Daniela Dalzini, responsabile selezione della Pirelli spa. "Tutti dicono di essere internazionali, ma poi in realtà non è così semplice".

Clausole da negoziare. Premunirsi da eventuali insuccessi nella ricerca è comunque interesse delle grosse e medie aziende che si affidano frequentemente agli executive searcher. Anche perché, come fanno rilevare i direttori del personale, sono moltissime le società che possono svolgere ricerche manageriali per conto di aziende e non tutte sono di eccellente livello professionale. "A pensarci bene, per improvvisarsi ricercatori non ci vuole poi molto", insinua Massimo Zanutto, responsabile organizzazione e sviluppo della Piaggio. "Basta un po' di buon senso e un po' di conoscenze". Ma anche perché i costi e i tempi di una ricerca attraverso gli head hunter sono tutt'altro che irrilevanti. La formula di pagamento più praticata è una percentuale sulla retribuzione annua lorda fissata per la posizione vacante. Suddivisa in tre rate, si aggira complessivamente tra il 20% e il 35% a seconda delle difficoltà e dei tempi di realizzazione, oltre a una quota mensile per le spese di spostamenti, telefono eccetera. Altre società adottano un sistema di onorario predeterminato, stabilito in base alla complessità del lavoro da svolgere e suddiviso in cadenze mensili. Una clausola frequentemente riportata in questi contratti prevede la ripetizione dell'indagine qualora l'esito non abbia soddisfatto l'azienda. Se non fosse presentata spontaneamente, avvertono i responsabili risorse umane, vale la pena richiederla espressamente. Per Cusmai della Fideuram sono da negoziare la durata del contratto, i costi per l'azienda in caso di irreperibilità del candidato, eventuali sconti o nuova ricerca gratuita in caso di defezione dello stesso.

Problemi. "Se la commessa di ricerca è ben impostata", dicono alla Merloni, "i rischi sono minimi anche se rimane il pericolo che vengano presentate candidature non perfettamente calibrate sulle reali esigenze aziendali". Difficoltà di ricerca sono collegate al profilo stesso delle figure richieste. "Un direttore finanziario è abbastanza semplice trovarlo, perché può provenire da settori finanziari di aziende molto diverse come settore merceologico", fa presente Furnò della Benetton. "Ma per esempio in quello della moda, il candidato deve avere un'esperienza ben delimitata". Idem per altri settori specializzati. Alla Fideuram, per esempio, la ricerca si fa difficile quando è vacante un posto alla direzione marketing. "Il candidato in questione dovrà avere esperienza di marketing finanziario, un'esperienza molto rara e difficilmente disponibile sul mercato, anche perché le uniche scuole sono Bankitalia e Comit", spiega Cusmai. Difficoltà che possono tradursi in momenti di impazienza da parte della società di ricerca manageriale. Ecco allora, non infrequente, il tentativo da parte degli head hunter di collocare i propri nomi o comunque di premere verso una scelta non condivisa dall'azienda. "E' una cattiva etica quella di far passare come alto due metri chi in realtà è alto un metro e mezzo", estremizza Zanutto della Piaggio. "Sbagli di interpretazione reciproci possono portare a indesiderabili perdite di tempo". Come premunirsi? Non ci sono dubbi: l'azienda deve rivolgersi a una società di executive search che conosca molto bene i suoi problemi e la sua filosofia, o, meglio ancora, che sia specializzata nel settore merceologico in cui opera l'azienda. Un inconveniente, a cui però l'azienda non può far fronte, è quello di trasformarsi in terreno di caccia da parte degli head hunter: gli archivi dei ricercatori manageriali si alimentano anche con nominativi di provenienza aziendale. "Non è un mistero che, pur lavorando in azienda, il dirigente spedisca il proprio curriculum all'head hunter e lo faccia poi seguire da una telefonata", confida Bombardini. "Chiedere è lecito, rispondere è cortesia". M

Alberto Amaglio, amministratore delegato della grande società americana Korn/Ferry

ESERCIZIO 7

Con l'aiuto del dizionario, spiega in parole tue il significato delle seguenti espressioni:

1. **caccia grossa** ______________________________
____
2. **terreno di caccia** ______________________________
____
3. **cacciatore di teste** ______________________________
____

ESERCIZIO 8

Spiega in parole tue, in italiano, gli anglicismi presenti nell'articolo:

executive searcher - top secret - head hunter - top manager - background leader - standard - trend - senior manager.

ESERCIZIO 9

Lavorate in gruppo. Ciascun gruppo legge una sezione dell'articolo e poi fornisce le risposte oralmente.

1. Che cosa significano le espressioni "caccia grossa" e "cacciatori di teste" nel contesto della cultura aziendale di oggi?
2. Quale percentuale delle maggiori aziende industriali italiane ricorre ai ricercatori di dirigenti?
3. Perché le aziende preferiscono delegare degli specialisti alla ricerca di dirigenti e top manager?
4. Il Gruppo Benetton ricerca tutto il suo personale attraverso questo canale?
5. In che cosa sono diverse le multinazionali americane come la 3M o la IBM Semea nella ricerca del loro personale?
6. Puoi fare un esempio di che cos'è la "cultura manageriale" (o "stile manageriale") di un candidato? Qual è il tuo stile manageriale?
7. Perché i ricercatori di dirigenti di alto livello trovano difficoltà nel reperire dirigenti dotati di mentalità internazionale? Accade lo stesso nel tuo Paese?
8. Quanto guadagna un ricercatore di dirigenti? Pensi che sia un guadagno adeguato?
9. Quali sono i dirigenti più difficili da trovare?

ESERCIZIO 10

Scegli la risposta corretta.

1. Chi fanno incontrare fra loro i cosiddetti "cacciatori di teste"?
   a) aziende e aziende
   b) dirigenti e aziende
   c) dirigenti e dirigenti

2. Chi sono i "cacciatori di teste"?
   a) aziende che cercano dei top manager
   b) specialisti che cercano dei top manager
   c) dirigenti che cercano posti di alto livello

3. Chi trovano i "cacciatori di teste" aziendali?

a) aziende leader nel settore
b) direttori del personale
c) dirigenti

4. Come dev'essere lo stile manageriale del candidato ideale?

a) condiviso dai colleghi
b) rivolto verso il lavoro di gruppo
c) centrato su una visione individualista

ESERCIZIO 11

Distingui fra loro le affermazioni vere o false.

	V	F
1. Il ricercatore di dirigenti partecipa alla valutazione sugli incontri coi candidati.	☐	☐
2. Le aziende ricorrono ai cacciatori di teste per non esporsi troppo col loro nome.	☐	☐
3. A volte i ricercatori di dirigenti cercano di collocare candidati non del tutto graditi alle aziende.	☐	☐
4. Gli archivi dei ricercatori di dirigenti non includono nomi di candidati interni dell'azienda che cerca personale.	☐	☐

GRAMMATICA

FORMA ATTIVA DEL VERBO		
Questa ditta	**cerca**	un traduttore esperto due traduttori esperti
	offre	un ottimo stipendio lire 2.000.000 di stipendio
	richiede	disponibilità a viaggiare ottime referenze

FORMA PASSIVA DEL VERBO CON "SI" PASSIVANTE		
In questa ditta	**si cerca**	un traduttore esperto
	si cercano	due traduttori esperti
	si offre	un ottimo stipendio
	si offrono	lire 2.000.000 di stipendio
	si richiede	disponibilità a viaggiare
	si richiedono	ottime referenze

* Il verbo è alla terza persona singolare o plurale perché si accorda con il sostantivo che lo segue (soggetto).

IL LINGUAGGIO DEGLI ANNUNCI (VERBI)	
Cercasi	traduttore esperto
Cercansi	due traduttori esperti
Offresi	ottimo stipendio
Offronsi	lire 2.000.000 nette
Richiedesi	disponibilità viaggiare
Richiedonsi	ottime referenze

* Il pronome "**si**" segue il verbo e forma una sola parola con esso.

* La vocale finale del verbo alla terza persona plurale cade.

* Questo uso del "**si**" passivante è limitato al linguaggio degli annunci pubblicitari e al linguaggio telegrafico e commerciale, perché permette una maggiore brevità di espressione.

IL LINGUAGGIO DEGLI ANNUNCI (COMPOSTI "DI SINTESI")

ambosessi
militesente
automunito
...

— ...e stai attenta, perché il principale ci spia continuamente!

UNITÀ

2 DOMANDE D'IMPIEGO

LINGUA

Il linguaggio della domanda d'impiego

CORRISPONDENZA

Domande d'impiego per l'estero

Domande d'impiego per l'Italia

CULTURA D'AZIENDA

La ricerca di personale dirigente

GRAMMATICA

Connettivi sintattici

Proposizioni causali

Il linguaggio della domanda d'impiego

La lettera contenente una domanda d'impiego si compone di tre parti, in cui devi:

a) dire come hai saputo del posto
b) citare le tue qualifiche, attitudini professionali e referenze
c) richiedere un colloquio e concludere la lettera.

Lo **stile** della lettera deve essere chiaro e ordinato, ma anche personalizzato, e descrivere le tue qualifiche in modo franco ma senza esagerare. La disposizione del testo sulla pagina, o impaginazione, deve apparire gradevole e ben equilibrata (vedi "Introduzione alla corrispondenza commerciale").

Imparare a scrivere una domanda d'impiego significa:

— saper suddividere il testo in paragrafi
— sapere cosa scrivere in ciascun paragrafo
— sapere come scriverlo.

La **Griglia selettiva** che segue ti permette di scrivere una domanda d'impiego personalizzata. La fraseologia della **Griglia selettiva** riflette un italiano commerciale agile e moderno, privo di quelle espressioni antiquate che non lasciano spazio alla spontaneità e alla personalità di chi scrive; inoltre ti aiuta ad esplorare un ampio raggio di possibili situazioni in cui puoi trovarti, come straniero, ricercando un impiego nell'area italiana. Dopo averla letta potrai facilmente selezionare le frasi che meglio corrispondono ai tuoi specifici bisogni comunicativi e alla tua domanda d'impiego.

GRIGLIA SELETTIVA

PRIMO PARAGRAFO

RIFERIMENTO

ANNUNCIO PUBBLICITARIO

In riferimento al Vostro annuncio su/sul/sull'/sulla/ ... (+ nome del giornale) di ... (+ data) per un posto di ...

Leggo su (...) di oggi che si è reso vacante un posto di ...

PERSONA

Sono stato informato/a da (+ Titolo, Nome e Cognome della persona) che presso la Vostra spettabile ditta si è reso libero un posto di...

RICHIESTA DEL POSTO

Mi permetto di presentare domanda per il posto di...
Vi offro la mia opera per l'impiego in questione.

SECONDO PARAGRAFO

DATI PERSONALI

ETÀ

Ho ... anni

(N.B.: in Italia i maschi specificano anche se devono svolgere o hanno già svolto il servizio militare, o ne sono esenti)

MADRELINGUA

Sono di madrelingua inglese/francese/spagnola/tedesca/polacca...

GRUPPO ETNICO

Sono italo-americano/a

Sono italo-australiano ...

NAZIONALITÀ

Sono russo/a

Sono cittadino/a spagnolo/a

STATO CIVILE

Sono celibe/nubile/coniugato/coniugata con ... figli

TITOLO DI STUDIO

Mi sono diplomato/a in ... (+ disciplina)

presso l'Istituto ... (+ Nome) di ... (+ Luogo) nel ... (+ data)

Mi sono laureato/a in ... (+ disciplina)

presso l'Università di ... (+ Luogo) nel ... (+ data)

Ho frequentato un corso di aggiornamento/di specializzazione in ...

(+ disciplina) dal ... al ...

Ho cessato di svolgere gli studi per motivi economici/familiari/di carriera.

ESPERIENZA E IMPIEGHI PRECEDENTI

ESPERIENZA PASSATA E PRESENTE

Ho svolto il tirocinio presso la ditta ... (+ Nome)

Ho lavorato presso la ditta ... (+ Nome) con mansioni di ...

Lavoro attualmente presso la società ... (+ Nome) come ... (+ mansioni)

SE SEI OCCUPATO/A

Intendo lasciare il mio attuale impiego allo scopo di trasferirmi in Italia/a ... (+ Città)

Intendo lasciare il mio attuale posto di lavoro per migliorare la mia posizione.

Sto per lasciare il mio impiego a causa di una riduzione del personale/della prossima chiusura del mio reparto/della prevista chiusura della ditta.

SE SEI DISOCCUPATO/A

Attualmente non sto svolgendo alcuna attività.

Sono disoccupato/a dal ... (+ data)

TERZO PARAGRAFO

CAPACITÀ PROFESSIONALI

LINGUE

Conosco perfettamente l'italiano e... (+ altre lingue)
Parlo e scrivo correntemente l'italiano.
Sono bilingue.

CAPACITÀ LAVORATIVO-ATTITUDINALI

Sono un ottimo/un'ottima... (+ mansione)
Sono esperto/a di... (+ settore)
Possiedo una buona/ottima/completa conoscenza del Vostro settore.
Sono biculturale.

QUARTO PARAGRAFO

REFERENZE

CONOSCENZA DELL'ITALIANO

Accludo una copia del certificato/del diploma di conoscenza della lingua italiana.

IMPIEGO

Quanto alle mie referenze, la ditta ... (+ Nome) Vi fornirà ogni informazione sulla mia serietà e capacità professionale.
Per Vostra informazione, allego una copia del mio curriculum vitae con referenze.

STUDI

Allego una copia del diploma/del certificato di laurea con traduzione autenticata dal Consolato italiano di ... (+ Città)

QUINTO PARAGRAFO

CONCLUSIONE

FIDUCIA SULLE TUE QUALIFICHE E MOTIVAZIONI

Sono certo/a che le mie qualifiche corrispondono alle Vostre esigenze.
Fiducioso/a che la mia preparazione ed esperienza coincidano con le esigenze del posto da Voi offerto, ...

OTTIMISMO

Augurandomi che vorrete dare un esito favorevole alla mia domanda, ...
Nella speranza che la mia domanda venga accolta favorevolmente, ...

RICHIESTA DI UN COLLOQUIO

... e che vorrete concedermi il favore di un colloquio, ...
... e che mi venga accordato l'onore di un colloquio, ...

SALUTI

... Vi prego di gradire i miei migliori saluti.
Ringraziando per l'attenzione, Vi saluto distintamente.

I tre esempi di domanda d'impiego che seguono riflettono situazioni tipiche in cui uno straniero può trovarsi. Leggi attentamente i Modelli, con particolare attenzione ai connettivi sintattici usati per legare fra loro le frasi della Griglia selettiva (vedi Grammatica).

Domande d'impiego per l'estero

MODELLO 1

RICERCA DI UN POSTO PRESSO UNA DITTA ITALIANA CON FILIALE ALL'ESTERO

Carla Rossi-Fruhstorfer
Hagellachstr. 22
D-69 Heidelberg

Heidelberg, 15 dicembre 19...

Spettabile Direzione Fiat-Auto
Ufficio del Personale
C.so Bramante, 15
10100 Torino

Spettabile Ufficio,

In riferimento al Vostro annuncio su "La Stampa" di oggi per un posto di direttore delle esportazioni presso la Vostra filiale principale in Germania, mi permetto di presentare domanda per l'impiego in questione.

Ho 46 anni, sono italo-tedesca, coniugata senza figli. Mi sono laureata in economia e commercio presso l'Università di Heidelberg nel 19... **e** lavoro come addetta alle esportazioni presso le Officine Metalmeccaniche Gauss di Heidelberg dal 19... Intendo lasciare il mio attuale impiego allo scopo di migliorare la mia posizione.

Ho una completa conoscenza del mercato esportazioni italo-tedesco nel settore dell'industria metalmeccanica, avendo ripetutamente viaggiato in Italia per coordinare la messa in opera di varie filiali per conto del mio attuale datore di lavoro. Conosco perfettamente il tedesco e l'italiano.

Quanto alle mie referenze, la ditta succitata Vi fornirà ogni informazione sulla mia serietà e capacità professionale.

Nella speranza che la mia domanda venga accolta favorevolmente **e che** mi venga accordato l'onore di un colloquio, Vi prego di gradire i miei migliori saluti.

Carla Rossi-Fruhstorfer

Allegato: curriculum vitae

Domande d'impiego per l'Italia

MODELLO 2

RICERCA DI UN POSTO PRESSO UNA DITTA ITALIANA IN ITALIA

Sadako Hariki
Via Leonardi, 25
00169 Roma

Roma, 3 luglio 19...

Spett.le Hotel Ambasciatori
Direzione del Personale
Via V. Veneto, 70
00100 Roma

Preg.mi Signori,

Leggo su "Il Messaggero" di oggi che presso il Vostro spettabile Hotel si è reso libero un impiego di accompagnatore turistico per la Vostra clientela giapponese **e** Vi offro la mia opera per il posto in questione.

Ho 23 anni **e** sono nubile. Sono cittadina giapponese **ma** studio l'italiano presso una scuola internazionale di Roma da un anno e mezzo con ottimi risultati. Mi sono diplomata in turismo presso l'Accademia Alberghiera Mishima di Tokyo nel 19... **e** attualmente sto svolgendo il tirocinio presso l'Hotel Continentale di Roma, **che** sto per lasciare a causa di una riduzione del personale.

Sono esperta nel settore del turismo di gruppo ed ho un'ottima conoscenza della città, della storia e dell'arte di Roma. Accludo una copia del mio diploma e un certificato di conoscenza della lingua italiana. L'Hotel Continentale Vi fornirà informazioni sulla mia serietà e capacità professionale.

Fiduciosa che la mia domanda sarà accolta favorevolmente **e che** vorrete concedermi l'onore di un colloquio, Vi saluto distintamente.

Sadako Hariki

Allegato: curriculum vitae.

MODELLO 3

RICERCA DI UN POSTO PRESSO UNA DITTA ESTERA CON FILIALE IN ITALIA

Joseph Storrs
256 Park Avenue
New York, N.Y. 10021

New York, 20 marzo 19...

Spettabile Direzione IBM
Ufficio del Personale
C.so Sempione, 55
20100 Milano

Sono stato informato dall'Ing. Louis Packard che presso la Vostra filiale si è reso vacante un posto di software designer, **per il quale** mi permetto di presentare domanda.

Ho 32 anni, sono italo-americano, coniugato con due figli. Mi sono laureato in informatica presso il Massachusetts Institute of Technology nel 19... e **in seguito** ho svolto un tirocinio di specializzazione sul software interattivo presso la AT&T di Baltimora. Nel 19... sono stato assunto dalla IBM di New York con mansioni di direttore della divisione software interattivo, **impiego che** sto per lasciare allo scopo di trasferirmi in Italia con la mia famiglia.

Sono bilingue **ed** ho un'ottima conoscenza dell'inglese e dell'italiano tecnico. Sono esperto di software interattivo specialmente nelle sue applicazioni al settore dell'insegnamento delle lingue straniere, avendo creato vari programmi per la didattica dello spagnolo e del francese come lingue seconde.

Accludo una copia del mio curriculum vitae e Vi prego di rivolgerVi per referenze alla presidenza della mia divisione, **che** Vi fornirà ogni informazione sulla mia serietà ed esperienza professionale.

Fiducioso che la mia preparazione coincida con le esigenze del posto da Voi offerto **ed** augurandomi che vorrete concedermi l'onore di un colloquio, Vi porgo i miei migliori saluti.

Joseph Storrs

Allegato: curriculum vitae

ESERCIZIO 1

Riscrivi le frasi eliminando le ripetizioni inutili e inserendo i connettivi appropriati indicati nel riquadro. Controlla le tue risposte riferendoti al Modello 1.

CONNETTIVI: e - , - allo scopo di - perché - che

Es.: **Ho 46 anni.**
Sono italo-tedesca.
Sono coniugata senza figli.

Ho 46 anni , sono italo-tedesca e coniugata senza figli.

1. Lavoro dal 19... presso le Officine Gauss.
   Intendo lasciare le Officine Gauss.
   (Desidero) migliorare la mia posizione.

2. Ho acquisito una completa conoscenza del mercato.
   Ho ripetutamente viaggiato in Italia.

3. Nella speranza che la mia domanda venga accolta favorevolmente,...
   Nella speranza che mi venga accordato un colloquio,...
   Porgo i miei migliori saluti.

ESERCIZIO 2

Come l'esercizio precedente. Controlla le tue risposte nel Modello 2.

CONNETTIVI: ma - e - che

1. Leggo sul "Messaggero" di oggi.
   Si è reso libero un posto di accompagnatrice turistica.
   Mi permetto di porre la mia candidatura.

2. Sono cittadina giapponese.
   Parlo e scrivo correntemente l'italiano.
   Vivo a Roma da tre anni.

3. Mi sono diplomata in turismo.
   Attualmente sto svolgendo il tirocinio presso un hotel di Roma.

ESERCIZIO 3

Come l'esercizio precedente. Controlla le tue risposte sul Modello 3.

CONNETTIVI: allo scopo di - e - in seguito - per il quale - che

1. Sono stato informato.
   Presso la Vostra filiale di Milano si è reso vacante un posto di software designer.
   Mi permetto di presentare domanda per il posto di software designer.

2. Mi sono laureato in informatica.
   Ho svolto un tirocinio di due anni.
   Sono stato assunto dalla IBM.

3. Sto per lasciare il mio impiego.
   (Intendo) trasferirmi in Italia.

ESERCIZIO 4

Trasforma le proposizioni causali secondo lo stile di una lettera commerciale (vedi Grammatica).

Es.: Parlo correntemente l'italiano perché l'ho studiato per tre anni.
Parlo correntemente l'italiano, avendolo studiato per tre anni.

1. Sono esperta di tecnica bancaria italiana, perché ho lavorato presso il Banco di Roma di Parigi per due anni.

2. Conosco perfettamente il settore della grafica pubblicitaria italiana, perché ci ho lavorato per cinque anni.

3. Ho una completa conoscenza della lingua e della cultura italiana, perché sono bilingue e biculturale.

4. Conosco perfettamente il Vostro settore, perché mi sono laureata in economia e commercio presso l'Università di Napoli.

ESERCIZIO 5

Un tuo collega ti ha dato da correggere questa domanda d'impiego. Trova i quindici errori (forma, suddivisione in paragrafi, grammatica) che la lettera contiene (vedi anche "Introduzione alla corrispondenza commerciale").

Torino, 15 Luglio 19...

Spettabile Ufficio del Personale:

Per riferimento al vostro annuncio nel "Corriere della Sera" di oggi per un posto di ingegnere meccanico, mi permetto di presentare domanda per l'impiego in questione.

Ho trentadue anni, sono nubile e mi sono laureato in ingegneria presso il Politecnico di Torino nel 19... In seguito ho lavorato presso la Ditta Fanelli & C. di Torino con mansioni di ingegnere meccanico fino al 19...

Possiedo un'ottima conoscenza del Vostro settore e parlo e scrivo correntemente l'inglese, avendone perfezionato recentemente durante un corso di aggiornamento professionale di sei mese presso il Massachusetts Institute of Technology.

Intendo lasciare il mio attuale posto di lavoro allo scopo di trasferirmi in Milano per motivi di famiglia.

Accludo una copia del mio curiculum con riferenze. Augurandovi che vorrete dare un esito favorevole alla mia domanda e che mi venga accordato l'onore di un colloquio, Vi mando tanti cordiali saluti.

Marco Feldman

Alegato: curriculum vitae

ESERCIZIO 6

Scrivi una domanda d'impiego riferendoti a questo annuncio:

CULTURA D'AZIENDA

Il direttore di una grande società di ricerca di personale dirigente in Italia, Germania, Olanda e Gran Bretagna, spiega in un'intervista i suoi segreti del mestiere e soprattutto quali sono le caratteristiche dei candidati ideali.

CARRIERA E FORMAZIONE
EXECUTIVE SEARCH/3 - PARLA ZEHNDER

E' l'etica il mio successo

Consulenti che siano dei veri professionisti. Pronti a lavorare sodo. Aperti agli interessi del cliente. Disposti a operare in gruppo. E' il profilo dei partner della Egon Zehnder International tracciato dal suo stesso fondatore in questa intervista esclusiva a *Management*

a cura di Mario Bendin

Determinazione e comfort, austerità e gentilezza. Anche l'ambiente che circonda la villa di Toblerstrasse 80 a Zurigo, sede del quartiere generale della Egon Zehnder International, fra le più note società di executive search del mondo, la dice lunga sul personaggio che la abita. Una villa dei primi del '900, dall'architettura sobria, sulla collina che domina la città elvetica. All'interno una scala di legno odoroso e voci attutite. L'ufficio di Egon Zehnder è al piano terra: una stanza rettangolare, rivestimento in boiserie, un tavolo per le riunioni, una scrivania, e alle pareti molti quadri e stampe.
E' da qui che Egon Zehnder, un elegante zurighese sessantenne, dai modi gentili, tiene le fila di un gruppo di 35 uffici, sparsi in 28 nazioni. Qui *Management* lo ha intervistato per delineare il profilo del dirigente anni '90.

Domanda. La Egon Zehnder International è al primo posto nella classifica delle migliori società di executive search in Italia, Germania, Olanda e Gran Bretagna, e al terzo posto nella classifica mondiale. Qual è il segreto del suo successo?

Risposta. Il segreto sono i miei colleghi, i consulenti e i partner della Egon Zehnder International. In particolare è la grande attenzione che noi mettiamo nel selezionare quanti associamo alla nostra società. Per esempio un candidato per noi deve essere accolto da 20, 30 dei suoi futuri colleghi nel mondo. E ne valutiamo attentamente le qualità. Vogliamo renderci conto del suo grado di professionalità e di responsabilità nel lavoro. Cerchiamo dei consulenti che siano dei veri professionisti con alti standard etici, pronti a lavorare sodo, aperti agli interessi del cliente, e che si adattano all'ambiente umano del nostro gruppo.
La seconda ragione del successo è il tempo che noi dedichiamo alla comunicazione e alla formazione. Non credo che ci sia altra società di executive search al mondo che spenda tanto tempo e tanti soldi nella formazione. La terza è che nei nostri 35 uffici sparsi per il mondo noi operiamo come un'unica società. Quando c'è un problema tutti ne siamo coinvolti. E tutti possiamo contare su comuni risorse.

"La differenza tra la Egon Zehnder International e le altre società non sono soltanto io e i miei colleghi a farla. E' il cliente che scegliendoci crea questa differenza."

D. E' dal 1964 che lei si occupa di ricerca di dirigenti per conto delle aziende. Cos'è cambiato in questa attività in un periodo così lungo?

R. Negli anni che vanno dal '64 agli anni '70 e fino al '75 le qualità che si cercavano nei dirigenti erano molto diverse da quelle ricercate oggi. Allora era richiesto chi rendeva di più. Tutto era legato alla quantità. L'imperativo era: espandersi a tutti i costi. Oggi invece l'insieme delle abilità richieste è più sfumato. Per esempio sono ancora importanti il carattere, l'entusiasmo, la formazione, la personalità, la disciplina nel lavoro. Tra le aree funzionali è anche oggi privilegiata quella commerciale, ma non più in modo riduttivo come quella in cui si opera con l'unico fine dei soldi e dei profitti. Oggi da un dirigente ci si aspetta qualcosa di più: deve considerare anche dove vanno i soldi, cosa fare con i profitti. Deve cioè essere consapevole dello scenario in cui svolge la sua attività. Elemento nuovo e sempre più determinante in un dirigente è oggi la sua capacità di comunicare sia dentro sia fuori dell'azienda: quindi anche con la stampa, con l'ambiente circostante, con gli organismi di governo, con i politici.
L'accento sull'etica, sul comportamento etico è un altro elemento che caratterizza il manager di oggi: di business ethics si parla in tutte le migliori università del mondo e i giovani sono sempre più interessati. Altro fenomeno nuovo è il riconoscimento dell'importanza dell'intuizione come parte del processo di problem solving.

D. Come dovrà essere il manager degli anni '90? Quali capacità dovrà sviluppare per far fronte alle sfide del futuro? E quali saranno queste sfide?

R. Ai manager verrà sempre più richiesto di essere una persona ricca di immaginazione, abile nel comunicare, di grande tensione etica, molto attento all'ambiente e quindi all'ecologia, portato a far uso dell'intuizione. Inoltre deve maturare una visione politica del business, essere capace di ragionare e di svilupparsi in uno spazio paneuropeo. Il manager verrà sempre più sfidato nella sua abilità di stringere alleanze strategiche, di creare fusioni e acquisizioni e gestirne i rapporti, di integrare, di avere competenze finanziarie e ingegneristiche.

D. Insomma nella sua capacità di essere un leader...

R. Sì, non dovrebbe esserci differenza fra top manager e imprenditore. Ambedue devono essere intuitivi, devono avere una visione ampia dei problemi in modo da abbracciare anche gli aspetti politici, ambientali dell'attività economica: qualità che sono parte integrante di un business leader.

D. E oggi che l'Europa sta avviandosi verso il mercato unico, come dovrebbe prepararsi il manager a vivere nella nazione europea?

R. Penso che dovrebbe esporsi all'ambiente internazionale molto presto. Finire gli studi, prendere una laurea, un master in un unico paese, non basta più. Anche gli inizi dovrebbero avere un avvio internazionale. I giovani che non hanno mai messo piede fuori del loro paese non possono avere futuro. Un Mba per esempio può esporli ad altre culture, metterli in contatto con uomini d'affari di altre nazionalità e sperimentare altri tipi di vita e altri modelli economici. Dovrebbero quindi scegliere un'azienda dove farsi un'esperienza internazionale. Il manager di successo nell'Europa di domani è colui che conosce altre culture e le rispetta, che si trova a suo agio con gente di altre nazionalità, che apprezza i progressi di altri paesi. Internazionali sono le persone che si tengono in contatto fra loro per seguire la stessa industria in ogni parte del mondo, per esempio quella dei computer, o settori come le banche, la finanza e altri. Ecco perché al più presto occorre puntare sulla formazione: scegliere un'università che esponga a situazioni internazionali, a casi internazionali, a una cultura internazionale, che richieda di parlare fluentemente almeno un'altra lingua. La scuola può fare molto per cambiare la propria mentalità: crea infatti l'occasione per amicizie internazionali, per conoscere futuri colleghi.

D. E il manager italiano che cosa dovrebbe fare per coltivare una mentalità europea?

R. Penso che anche i middle manager italiani dovrebbero provare trasferimenti internazionali. I top manager lo sanno molto bene che un trasferimento in Spagna, in Usa, in Gran Bretagna, in Giappone permette di fare un'esperienza internazionale. In realtà si vedono pochi manager italiani negli altri paesi europei e il motivo di questa scarsità sono le mogli. Sono loro ad avere un ruolo sempre più importante nel processo decisionale dei mariti. Sempre più spesso riconoscono che per la carriera è meglio lasciare per esempio Milano per Parigi, Berlino, Tokio, ma poi aggiungono che questo a loro non va: ci sono i figli, c'è il problema di trovare una scuola adatta per loro, quindi spese aggiuntive. Insomma il marito vorrebbe lavorare all'estero, ma è trattenuto da problemi famigliari.

D. E allora come conciliare carriera e famiglia? Lei con moglie e cinque figli come è riuscito? E cosa consiglierebbe al manager italiano per risolvere questo problema?

R. Non si tratta di mescolare le due cose. Il rimedio è quello di concentrarsi in modo netto su certe attività. Quando si lavora, farlo in modo completo; se c'è da dedicarsi alla famiglia, farlo in modo completo. Il problema non è quanto tempo dedicare al lavoro e quanto alla famiglia. Quello che conta è l'intensità con cui lo si vive. Occorre concentrare le proprie forze in un tempo limitato. Per esempio se la domenica è per la famiglia, la giornata va spesa completamente per la moglie e i figli, dalla mattina presto alla sera tardi, senza perdersi con la tv, la radio, i giornali. Il tempo per i figli dev'essere completamente per loro, per ascoltarli, discutere, giocare.

D. Forse tutto questo nasce dalla carriera del marito. Ma se fosse la donna un manager, lei come la vedrebbe?

R. Bene, nessun problema. Le donne manager sono benvenute negli affari, nell'industria, nelle banche, dappertutto. Purché siano trattate nello stesso modo degli altri. Il business non ammette compromessi, non dà sconti. Molto spesso invece le donne pretendono dei privilegi e allora incominciano le difficoltà. Per esempio non possono trovare scuse di famiglia per non partecipare a un corso di formazione che si tiene durante un week end. La formazione è una necessità per tutti i manager senza distinzioni. Via libera alle donne quindi anche nel top management, nei consigli di amministrazione, ma queste donne devono essere disposte agli stessi sacrifici per il successo come lo sono gli altri.

D. Il manager italiano come viene considerato in Europa e nel resto del mondo?

R. Ci sono qualità, tipiche dell'italiano, che godono di grande considerazione. L'italiano è colto, ha una formazione umanistica, è leale. E l'Italia, nota per la bellezza delle sue città, per i vini migliori, per il migliore cibo, è vista come una nazione felice e la sua gente è amata in tutto il mondo. Italiani sono molti dirigenti presenti in società internazionali e nonostante il loro successo non sono mai arroganti. Sembra proprio una caratteristica dell'italiano anche ai vertici del management e dell'imprenditoria. Da De Benedetti a Romiti, da Agnelli a Berlusconi agli altri top manager, tutti hanno una carica di simpatia che li differenzia nettamente da personaggi di altri paesi arrivati all'apice del successo.

Egon Zehnder, accanto alla sua Mercedes del 1951, di fronte al suo quartier generale di Zurigo

D. Ma, come risorsa manageriale, il dirigente italiano avrà un mercato o no, nel futuro prossimo europeo?

R. Sì, sta crescendo la domanda di manager italiani a livello mondiale. Anche perché, per quanto riguarda la formazione, l'università Bocconi di Milano non ha niente da invidiare alle altre business school del mondo: un master della Bocconi è simile a quello dell'Imede, dell'Insead, Harvard, Chicago, Columbia. L'Italia ha oggi un tipo di formazione veramente internazionale.

D. Che cosa consiglierebbe a un giovane che sta preparandosi a essere manager per gli anni '90? Quale sarà il curriculum di successo?

R. I giovani devono sapere anzitutto che quella del manager non è una vita facile.

Al contrario è una vita dura, che richiede molta disciplina. Il manager deve rinunciare e dimenticare molti svaghi che gli altri possono permettersi. Vorrei quindi raccomandare loro di essere consapevoli di questa condizione e di tutto quanto comporta: per esempio meno vacanze degli altri, lavoro più duro degli altri, se si vuole riuscire. Ciò che consiglio è una buona formazione di base, l'inserimento in una buona azienda internazionale o comunque trasferimenti all'estero. E poi non bisogna limitarsi al titolo di studio: occorre continuare a studiare e imparare continuamente. Per tutta la vita.

D. Certo, tutto cambia e occorre aggiornarsi continuamente. Anche l'executive search sta cambiando. Ci sono dei segnali di cui tener conto?

R. I professionisti di executive search non saranno richiesti solo per cercare dirigenti dall'esterno, come in gran parte è stato fatto finora. Come esperti di valutazione, assisteranno il top management nei casi di promozione del personale di alto livello. E il ricorso alle società di executive search non si limiterà al solo mondo aziendale. Figure manageriali saranno sempre più richieste in molti altri campi: in quello dello sport, del teatro, della cultura, della salute. Dove cioè il successo dell'organizzazione dipende dalla scelta del leader giusto.

ESERCIZIO 7

Ricerca gli anglicismi contenuti nel testo e con l'aiuto del dizionario prova a tradurli in italiano, oppure a spiegarli in italiano in parole tue:

Es.:
executive search - ***ricerca di dirigenti, di personale dirigente.***

________________ - ____________________________

________________ - ____________________________

________________ - ____________________________

________________ - ____________________________

________________ - ____________________________

________________ - ____________________________

ESERCIZIO 8

Dopo aver letto l'intervista, rispondi alle domande.

1. Quali sono le caratteristiche dei consulenti che lavorano per questa società di ricerca di dirigenti?

2. Quali erano le qualità ideali di un dirigente negli anni sessanta e settanta?

3. Cosa deve saper fare di diverso un dirigente di oggi rispetto a un dirigente di ieri nell'area commerciale?

4. Quali sono secondo Zehnder le qualità vincenti di un manager degli anni novanta? Sei d'accordo?

5. In che modo i dirigenti italiani di alto livello possono riuscire ad europeizzarsi sempre meglio?

6. Qual è l'immagine dei manager italiani in Europa e nel mondo? Sei d'accordo con l'intervistato?

7. Condividi l'atteggiamento di Zehnder sulle donne manager? È diverso da quello comune nel tuo Paese?

8. Quali sono le abilità richieste oggi ad un dirigente di alto livello per raggiungere il successo?

9. Il dirigente italiano avrà un posto importante nel mercato europeo dei dirigenti? Perché?

10. A quali altri campi si sta espandendo la richiesta di manager? È un segno positivo?

ESERCIZIO 9

Scegli la risposta giusta sulla base delle affermazioni contenute nell'intervista.

1. L'intervistato ritiene che le donne dirigenti di alto livello:
   a) sono sempre disposte a fare ogni tipo di sacrifici professionali
   b) sono incapaci di trovare modi per migliorare la loro formazione
   c) non devono avere privilegi speciali nel lavoro

2. Secondo l'intervistato, il top manager di oggi deve essere in grado di:
   a) saper decidere come gestire i profitti
   b) rendere molto a livello quantitativo
   c) permettere alla sua azienda di espandersi a tutti i costi

3. Una formazione internazionale può offrire ai dirigenti il vantaggio di:
   a) imparare le lingue straniere
   b) conoscere altre culture
   c) conseguire un titolo di studio straniero

4. La famiglia è in conflitto con la carriera dei dirigenti italiani e crea il seguente problema:
   a) il marito vorrebbe trasferirsi all'estero ma non glielo chiedono
   b) la moglie non pensa che sia meglio vivere in una grande città estera
   c) i figli non vogliono dare spese aggiuntive alla famiglia

— Ho proprio la vostra lettera sotto gli occhi!

GRAMMATICA

CONNETTIVI SINTATTICI (CONGIUNZIONI E LOCUZIONI CONGIUNTIVE)	
Copulative	**e, anche, né, neanche**
Avversative	**ma, tuttavia, invece**
Causali	**perché, siccome, a causa di**
Finali	**affinché, al fine di**
Dichiarative	**che**
Temporali	**poi, in seguito**

PROPOSIZIONI CAUSALI

FORMA ESPLICITA (INDICATIVO)	FORMA IMPLICITA (GERUNDIO)
Capisco, perché **ho studiato** l'italiano.	Capisco, **avendo studiato** l'italiano.
Capisco, perché **l'ho studiato**.	Capisco, **avendolo studiato**.
Capisco, perché **sono** bilingue.	Capisco, **essendo** bilingue.
Cerco lavoro, perché **mi sono diplomato.**	Cerco lavoro, **essendomi diplomato**.

"AVENDO" + PRONOME
avendo**lo**
avendo**la**
avendo**li**
avendo**le**
avendo**ne**
ecc.

"ESSENDO" + PRONOME
essendo**mi**
essendo**ti**
essendo**si**
essendo**ci**
essendo**ne**
ecc.

N.B.: Nell'italiano parlato si usa spesso la parola **perché** quando si forniscono spiegazioni, ma in una lettera commerciale questo è meno comune.
Si usa invece preferibilmente la forma implicita del verbo al gerundio. Il pronome forma una sola parola con il verbo (eccetto **loro**. Vedi Grammatica, "Introduzione alla corrispondenza commerciale").

UNITÀ

3 CURRICULUM VITAE

LINGUA

Il linguaggio del Curriculum Vitae

CULTURA D'AZIENDA

Selezione e formazione del personale nel Mercato Unico Europeo

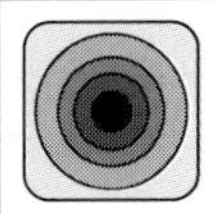

GRAMMATICA

Comparativi

Il linguaggio del Curriculum Vitae

La selezione del personale si basa sulla raccolta di informazioni riguardanti i candidati e viene svolta dall'Ufficio del personale nelle grandi aziende, o da un impiegato appositamente incaricato nelle aziende minori.

Le prossime tre unità ti guideranno attraverso alcune fonti di informazione che danno al datore di lavoro altri elementi, oltre alla domanda d'impiego, per valutare una candidatura:

- il *curriculum vitae* (Unità 3)
- le *referenze* (Unità 4)
- il *colloquio selettivo* (Unità 5)

L'espressione **curriculum vitae** (plurale ***curricula vitae***) deriva dal latino *currere* 'correre' e *vita* 'vita', e significa propriamente 'carriera della vita'*. Questa voce è altrettanto diffusa in italiano della voce ***curricolo*** (plurale ***curricoli***), o della forma abbreviata **curriculum**, usata in molte lingue. L'espressione ***curriculum vitae*** o ***curricolo*** ha i seguenti significati:

- carriera scientifica, burocratica o accademica di una persona: *avere un brillante curricolo*;
- resoconto sommario delle successive fasi di tale carriera, solitamente allegato a domande di concorso, assunzione e simili: *inviare dettagliato curricolo;*
- insieme degli avvenimenti principali della vita di una persona*.

Il curriculum, inteso come resoconto sommario delle fasi di carriera, è un documento molto importante nella ricerca di un impiego, una specie di "carta da visita" che, allegata alla domanda d'impiego, contribuisce a creare una prima immagine del candidato prima del colloquio selettivo.

La **forma** di un curriculum è importante quanto il contenuto. Al giorno d'oggi i vantaggi offerti dai sistemi di scrittura al computer o dall'editoria da tavolo (desk top publishing) permettono facilmente di creare un curriculum dalla forma grafica elegante e gradevole (vedi Tavola 1) che presenti un'immagine del candidato fortemente positiva.

Il **contenuto** del curriculum è abbastanza standardizzabile, anche se può variare da settore a settore: un docente universitario ovviamente preparerà un curriculum diverso da quello di un dirigente di azienda o di uno scultore; anche all'interno dello stesso settore i curricula di un top manager e di un segretario saranno diversi: ad esempio, alla voce "Esperienza professionale" un segretario o impiegato citerà la cronologia degli impieghi avuti, mentre un dirigente potrà inserire anche i progetti di rilievo che ha svolto con successo (la cura di una fusione fra due grandi aziende, la conclusione di un importante accordo finanziario, ecc.).

Il **modello** di curriculum che segue (vedi Tavola 2) è di tipo standard per il settore dell'industria e del commercio, e contiene le voci essenziali da sviluppare e, se necessario, da integrare a cura del candidato a seconda del livello di carriera.

---

* N. Zingarelli, *Vocabolario della lingua italiana*, Bologna, Zanichelli, 1983.

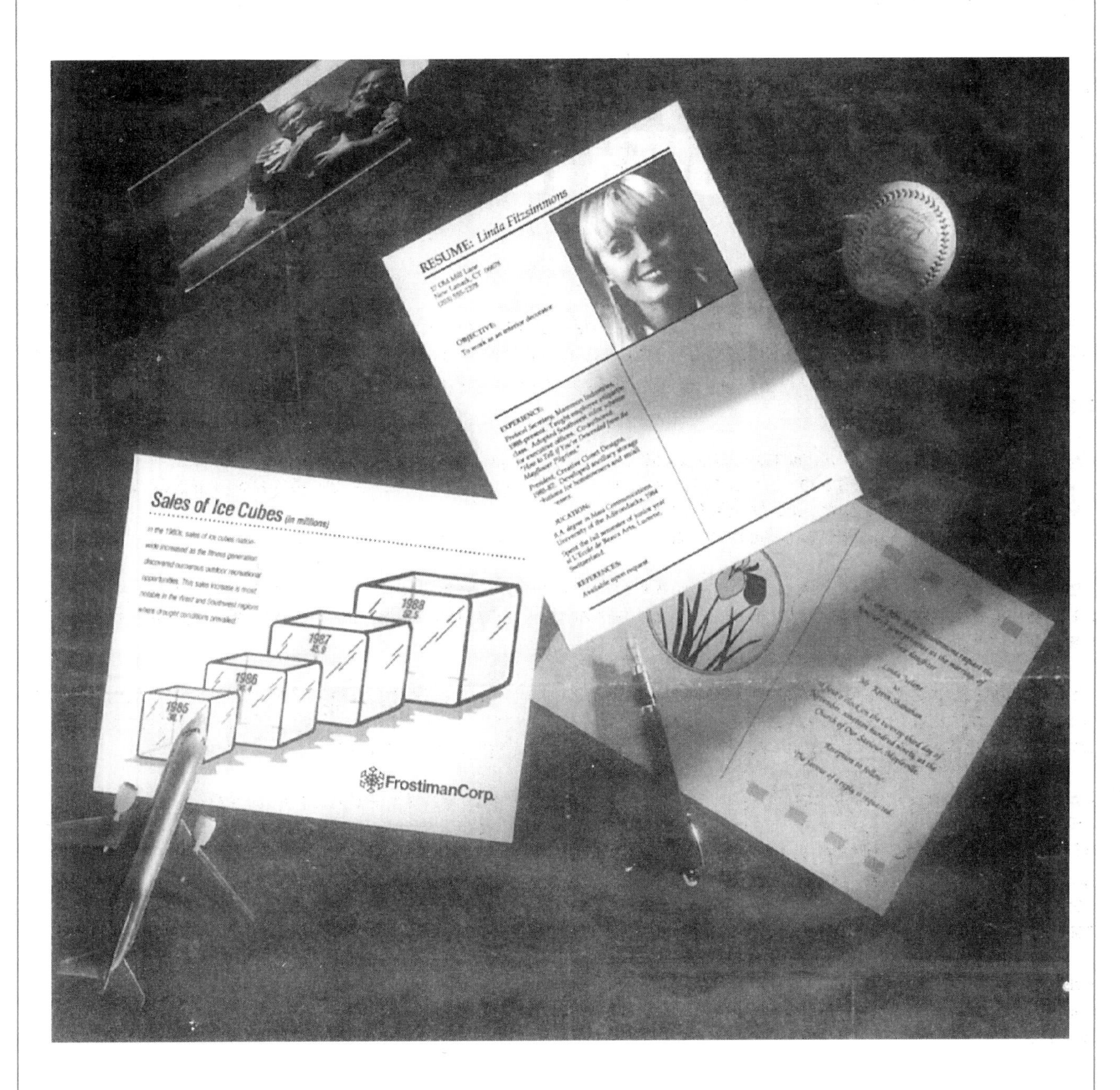

The new HP DeskWriter printer for the Macintosh puts laser quality on your desktop. With its advanced inkjet technology you can print text and graphics, even scalable outline fonts, at 300 DPI. Just like a laser printer.

But unlike a laser printer, the DeskWriter is priced so you can have your own. No more waiting in line for output. Or having your work scrutinized by the office busybodies.

And at a compact 15″ x 17″ x 8″, the DeskWriter fits neatly next to your Macintosh. So call **1-800-752-0900, Ext. 688E** for your nearest authorized HP dealer and a demonstration. And keep the laser quality all to yourself.

There is a better way.

TAVOLA 1 - ESEMPIO DI CV

CURRICULUM VITAE

NOME E COGNOME

ETÀ/DATA DI NASCITA
... anni/Giorno + Mese + Anno

STATO CIVILE
nubile/celibe; coniugato/a

ESPERIENZA PROFESSIONALE
— 19... (impiego attuale)
— 19... -...

LINGUE STRANIERE
... ...

STUDI
— Laurea in ...
— Diploma in/di ...
— Corso di aggiornamento professionale in ...
— Corso di formazione professionale in ...

REFERENZE
Disponibili su richiesta/[Referenze]

INDIRIZZO
Ufficio e privato

TAVOLA 2 - MODELLO DI CV

CURRICULUM VITAE

CRISTINA DE MICHELIS

DATA DI NASCITA
25 marzo 1961

STATO CIVILE
nubile

ESPERIENZA PROFESSIONALE
1987... Interprete full-time, Casa di moda Ferraretti,
Via dei Servi 12, 50100 Firenze
1986-87 Interprete freelance, Fiera di Milano
1984-86 Corrispondente estero, Pelletteria Rossi & C., Prato

LINGUE STRANIERE
Francese, inglese, tedesco (ottima conoscenza)
Russo (conoscenza passiva)

STUDI COMPIUTI
1989 Corso di formazione per Interpreti commerciali,
Università Bocconi di Milano
1983 Laurea in lingue, Università di Firenze
1979 Maturità Liceo Linguistico "Parri", Firenze

REFERENZE
Disponibili su richiesta

INDIRIZZO
Piazza San Marco, 7
50100 Firenze
tel. (055) 78.90.12 (privato)
tel. (055) 56.78.90 (ufficio)

TAVOLA 3 - ESEMPIO DI CV

COMMENTO

Età: indicazione dell'età o della data di nascita

38 anni

25 marzo 19...

Stato civile: distinguere fra maschi e femmine:

Femmine

nubile
coniugata
vedova

Maschi

celibe
coniugato
vedovo

Esperienza professionale: in ordine cronologico a partire dall'impiego attuale o dall'ultimo impiego, con Mansioni/Qualifica+Ditta (+Indirizzo). Es.:

19...	Amministratore delegato, Società X, Piazza Unione 112, 20020 Cesate (Milano)
19...-...	Direttore dell'Ufficio vendite, Società Y, Via Raffaele 8, 01100 Viterbo
19...-...	Consulente per il marketing, Ditta Z, Corso Vittorio Emanuele 11, 10100 Torino.

Lingue straniere: indicazione delle lingue straniere conosciute e del livello di competenza linguistica:

Arabo	madrelingua	
Francese Giapponese Inglese	ottima buona discreta	conoscenza
Italiano Russo Spagnolo Tedesco	conoscenza	passiva tecnica orale scritta

Studi compiuti: in ordine cronologico, a partire dagli studi più recenti (vedi lo schema su "Istruzione secondaria superiore"):

Laurea in Economia,...

Diploma di Segretario aziendale,...
Diploma di Ragioneria,...

Corso di specializzazione in Marketing finanziario...
Corso di aggiornamento professionale in Comunicazione aziendale...
Corso di formazione professionale in Gestione del personale...

+ Università/ Istituto + Data (+ Titolo della Tesi di Laurea)

Referenze: le referenze, e cioè i nomi di una o più persone disposte a fornire informazioni sulla carriera del candidato al potenziale datore di lavoro (vedi Unità 4) possono essere indicate o no sul curriculum, a discrezione del candidato. Nel caso non siano indicate si usa la dicitura seguente:

Disponibili su richiesta

Nel caso siano indicate, il nome della persona è preceduto dal Titolo e seguito dalla Mansione, Ditta e Indirizzo (vedi "Introduzione alla corrispondenza commerciale"):

Dott.ssa Ingrid Borghi
Direttore Ufficio relazioni esterne
Gruppo Industriale A.R.C.A.
Viale Michelangelo 213
25100 Brescia

Indirizzo: indicazione dell'indirizzo o degli indirizzi (ufficio e eventualmente privato) del candidato, incluso il numero di telefono. Se l'indirizzo di lavoro è già stato citato alla voce "Esperienza professionale", indicare solo quello privato:

Ufficio:

Banco di Roma
Portafoglio estero
Via Roma, 16
40100 Bologna
tel. (051) 66.11.12

Privato:

Via Montebello, 20
40100 Bologna
tel. (051) 55.43.29

ESERCIZIO 1

Il tuo ufficio sta compilando un archivio dei nuovi dirigenti. Completa le schede dei tre dirigenti descritti negli articoli.

Gestire l'impresa con nuovi strumenti

Funzionamento del sistema organizzativo, progettazione e sviluppo dei sistemi informativi e gestione delle risorse sono i tre fattori sui quali Gamma International,società di consulenza manageriale intende operare ai fine di migliorare i risultati dell'impresa e renderla competitivamente vantaggiosa. I consulenti Gamma International hanno maturato significative esperienze sia in ambito aziendale che consulenziale e sono quindi in grado di rispondere adeguatamente alle complesse esigenze del *management* italiano. Amministratore delegato della Gamma International è Mario Ge, laureato in economia con indirizzo di marketing industriale.

Mario Ge, amministratore delegato di Gamma International

Cambio al vertice di Amstrad

Dopo tre anni di intensa attività ha lasciato la carica di amministratore delegato di Amstrad Italia Ettore Accenti. Gli succede Alessandro Pilone, 42 anni, laureato in ingegneria elettronica, anche lui fondatore di Amstrad Italia. Alessandro Pilone ha maturato la sua esperienza in Olivetti, Sgs e successivamente entra nel Gruppo Eledra (distributore di componentistica elettronica) dove completa la propria formazione manageriale occupandosi degli aspetti organizzativi e logistici di tutto il gruppo. Nel 1987 è tra i fondatori della filiale italiana di Amstrad in qualità di direttore operativo.

Alessandro Pilone succede ad Ettore Accenti al vertice di Amstrad Italia

Massimo Manica alle relazioni esterne Memorex

Massimo Manica è il nuovo responsabile delle relazioni esterne e della comunicazione alla Memorex Telex Italia. Manica, che ha 38 anni, è dal 1979 in Memorex Telex, dove è entrato occupandosi di *marketing* dopo aver trascorso alcuni anni alla Syntax - division prodotti. Profondo conoscitore delle tendenze del mercato dell'informatica, Manica è stato tra l'altro responsabile *marketing* per le tecnologie di registrazione a disco dal 1979 al 1986, quindi direttore del *marketing equipment* e più recentemente della pianificazione e dell'analisi strategica del mercato.

Massimo Manica, il nuovo responsabile delle relazioni esterne e della comunicazione alla Memorex Telex Italia

SCHEDA N. ______

Dirigente ______

Età ______

Mansioni ______

Azienda ______

Esperienza ______

______

Studi ______

SCHEDA N. ______

Dirigente ______

Età ______

Mansioni ______

Azienda ______

Esperienza ______

______

Studi ______

SCHEDA N. ______

Dirigente ______

Età ______

Mansioni ______

Azienda ______

Esperienza ______

______

Studi ______

ESERCIZIO 2

Leggi il modello di Curriculum della Tavola 3 e rispondi alle domande:

1. Che età ha la dott.ssa De Michelis?
____

2. È sposata?
____

3. Qual è la sua professione?
____

4. Quante lingue conosce?
____

5. Che laurea ha?
____

6. Qual è la prima azienda dove ha lavorato?
____

7. Come si chiama l'azienda dove lavora adesso?
____

8. Ha mai fatto del lavoro freelance?
____

ESERCIZIO 3

Lavorate in due. Fatevi le domande dell'Esercizio 2 con gli opportuni cambiamenti di soggetto. Dopo aver raccolto i dati, rispondete alle domande di una terza persona cercando di riferire correttamente le informazioni ricevute.

Es.: **Che età hai?**
Che età ha XY?

SCUOLA MEDIA SUPERIORE	UPPER SECONDARY SCHOOLS	ETÀ (ANNI)	DURATA	TITOLO DI STUDIO
Liceo classico	**Classical Lyceum**	14-19	5	Diploma di maturità classica
Liceo scientifico	**Scientific Lyceum**	14-19	5	Diploma di maturità scientifica
Istituto magistrale	**Teacher Training college**	14-18	4	Diploma di maturità magistrale
		14-19 +	1	Diploma e accesso a tutte le facoltà univ.
Scuola magistrale	**Teacher Training School**	14-17	3	Diploma insegnamento scuole materne
Istruzione tecnica e professionale	**Technical/vocational training education**	14-19	5	Diploma (specifico)
A) Istituti tecnici	**A) Technical college**			
Commerciale	Commercial	14-19	5	Diploma
Geometri	Geometers	14-19	5	Diploma
Agrario	Agrarian	14-19	5	Diploma
Industriale	Industrial	14-19	5	Diploma
Nautico	Maritime	14-19	5	Diploma
Periti aziendali/ Corrispondenti	Admin. Staff/ Experts in comm.			
Lingue estere	Correspondence	14-19	5	Diploma
Turismo	Tourism	14-19	5	Diploma
Aeronautico	Aeronautical	14-19	5	Diploma
Femminile	Home Economics	14-19	5	Diploma
B) Istituti professionali	**B) Vocational training college**			
Agricoltura	Agriculture	14-19	3-5	Diploma
Artigianato	Industry/crafts	14-19	3-5	Diploma
Attività marittime	Maritime	14-19	3-5	Diploma
Commercio	Commercial	14-19	3-5	Diploma
Alberghiero	Hotel sector	14-19	3-5	Diploma
Femminile	Home Economics	14-19	3-5	Diploma
Istruzione artistica	**Artistic Education**			
Liceo Artistico	Artistic Lyceum	14-18	4	Diploma di maturità artistica
		14-19 +	1	Diploma e accesso a tutte le facoltà univ.
Istituto d'arte	Art college	14-17	3	Diploma di maestro d'arte
		14-19 +	2	Diploma di maturità d'arte applicata
Conservatorio di musica	Music college	14-20	5-10	Diploma

TAVOLA 4 - L'ISTRUZIONE IN ITALIA*

* I dati della tabella sono estratti dalla seguente pubblicazione: V. Consiglio (a cura di), *L'istruzione in Italia*, Roma, Ministero della Pubblica Istruzione, Direzione Generale per gli Scambi Culturali, 1987. Trad. ingl. *Education in Italy*, Roma, MPI-DGSC, 1987.

ESERCIZIO 4

Compila il seguente curriculum con i tuoi dati personali (per la voce "Studi" consulta la tabella della Tavola 4).

CURRICULUM

____
(Nome e Cognome)

Data di nascita ______________
Stato civile ______________

Esperienza professionale

______ ______________________________
____

______ ______________________________
____

______ ______________________________
____

Lingue ______________________________

Studi compiuti
* ______________________________
* ______________________________
* ______________________________

Referenze
____
____
____

Indirizzo
____
____

ESERCIZIO 5

Leggi il seguente documento autentico e paragona il suo formato con quello del modello fornito alla Tavola 3.
Rispondi alle domande:

1. Nel tuo caso è più importante dare rilievo agli studi compiuti o all'esperienza lavorativa? Perché?
2. Quali esperienze lavorative (attività, progetti, interventi, ecc.) hai maturato?
3. Su quali argomenti o settori è incentrata la tua formazione?

CURRICULUM VITAE

GENERALITÀ

......, nato a Palermo il ......, residente in Roma in via ...... Tel. ...... (segreteria telefonica).

STUDI
Diploma di maturità scientifica.
Laurea in Ingegneria Civile Trasporti ottenuta il 2/7/1976 all'Università di Roma con la votazione di 110/110 con una tesi sulla "Progettazione della viabilità interna dell'infrastruttura portuale di Civitavecchia".
Abilitazione professionale ottenuta con una votazione di 110/120.

ESPERIENZE LAVORATIVE
Saipem (Gruppo Eni): dall'aprile 1978 al giugno 1979 come Assistente del Capocantiere per la realizzazione di un oleodotto nel Sahara algerino. Rilevante l'aspetto gestionale delle risorse umane (italiane e di differenti nazionalità) e di organizzazione del lavoro.
Chevron: dal luglio 1979 al dicembre 1979 nel settore tecnico commerciale di diversificazione (pavimentazioni per superfici sportive).
Alitalia: dal gennaio 1980 all'agosto 1987 come funzionario nella Direzione Organizzazione con l'inserimento nell'area interessata alle strutture ed ai processi delle funzioni vendite, marketing e di pianificazione dell'azienda.
Dal 1984 responsabile dell'area di cui sopra, con la conseguente qualifica di quadro ed il coordinamento di tre unità.

Tra le varie esperienze maturate:

— *definizione di procedure interfunzionali e di macroprocessi*; di particolare rilievo la partecipazione alla progettazione ed implementazione della procedura quadro del processo di pianificazione del Gruppo Alitalia in collaborazione con lo studio di consulenza Beta;

— *definizione di procedure operative*;

— *progettazione di macrostrutture*; rivisitazione dell'area di struttura Alitalia protagonista dei processi di pianificazione e marketing, anche questa realizzata in collaborazione con Beta;

— *valutazione delle posizioni*; utilizzo della metodologia Hay per le posizioni di lavoro di quadro dell'area assegnata, nell'ottica di definire una griglia coerente quale base di definizione del sistema retributivo;

— *dimensionamento organici e definizione di microstrutture*; significativa la conduzione di un progetto di verifica degli organici e della microstruttura della Direzione marketing (quattro servizi, quindici uffici per un totale di circa 250 unità), realizzata utilizzando risorse interne all'azienda e coordinando l'intervento di due società di consulenza: la Alfa e la Mono;

— *interventi interni di formazione* a quadri aziendali sulle problematiche e le trasformazioni organizzative più rilevanti di interesse per l'azienda dagli anni 60 fino ad oggi.

TAVOLA 5 - ESEMPIO DI CV

Delta: dal 1 settembre 1987 ad oggi. Società del Gruppo Telecom per la distribuzione di servizi telematici nel comparto del turismo e trasporto.
La posizione occupata, in dipendenza diretta dall'Amministratore Delegato, prevede le seguenti principali responsabilità:

— individuazione di nuovi servizi da distribuire e di nuovi prodotti informatici a supporto della clientela mediante partecipazione a mostre, congressi ecc. del settore;

— valorizzazione delle nuove iniziative fornendosi del supporto della pianificazione finanziaria e degli enti tecnici per la definizione dei costi;

— coordinamento delle nuove iniziative delle società di commercializzazione del Gruppo (due) e delle attività di pianificazione con l'elaborazione del Piano Quadriennale.

LINGUE CONOSCIUTE
Inglese: buono scritto e parlato.
Arabo: parlato in modo discreto.

FORMAZIONE
Argomenti: amministrazione e finanza (ISDA);
informatica e telecomunicazioni (Elea);
organizzazione (IFAP, RSO, Bocconi).

(CONT.) TAVOLA 5 - ESEMPIO DI CV

CULTURA D'AZIENDA

SCENARI FUTURI

Antonio Gagliardi, presidente della Kpmg Peat Marwick Consultants, che ha condotto la ricerca europea sulle prospettive delle imprese in vista del 1993

In una recente indagine della Kpmg Peat Marwick aziende italiane ed europee sono state messe a confronto in prospettiva dell'appuntamento con il mercato comune europeo. Le linee strategiche divergono su molti fronti, particolarmente riguardo alla gestione delle risorse umane

di Antonio Calabrò

Manager europeo cercasi

Come si preparano le aziende italiane al confronto sui mercati europei? I pareri sulla solidità del "sistema Italia" sono tutt'altro che concordi. Parecchi - e a ragione - insistono sui limiti del sistema, sulla debolezza delle strutture e dei servizi pubblici, sulle insufficienze d'un tessuto imprenditoriale ricco di piccole e medie imprese, ma povero di grandi gruppi capaci di dominare alla pari con quelli inglesi, francesi e tedeschi la scena dell'economia europea. Altri, invece, pongono l'accento sulle capacità dimostrate nel corso degli anni '80 dalle imprese italiane di internazionalizzarsi, superando le difficoltà d'un lungo periodo di crisi e insistono ricordando la flessibilità e la tendenza all'innovazione che caratterizzano il nostro sistema. Entrambi i giudizi hanno parecchio di vero. E le preoccupazioni per la tenuta del *Made in Italy* vanno considerate con attenzione, ma insieme ai tanti segnali di sviluppo imprenditoriale e di dinamismo che vengono da moltissime imprese.

Reazioni diverse

Giudizi generali a parte, alcune valutazioni molto interessanti sull'impatto del mercato unico europeo sulle imprese italiane sono contenute in una recente indagine della Kpmg Peat Marwick Consultants, condotta in tutti i Paesi della Comunità (tranne Danimarca e Lussemburgo) e centrata soprattutto su uno dei temi di maggior attualità per la competitività internazionale: la gestione delle risorse umane. L'indagine si fonda sulle indicazioni di direttori del personale e direttori generali di molte imprese europee su sette "temi" principali: politica delle risorse umane, assunzioni, retribuzioni, relazioni sindacali, formazione, sviluppo manageriale e mobilità all'interno del mercato unico.

Quali sono dunque le differenze tra le imprese italiane e quelle degli altri Paesi della Cee? Una azienda italiana su quattro sostiene di non aver approntato specifici piani strategici in vista del '93, mentre le altre imprese europee puntano soprattutto alla conquista di nuove quote di mercato attraverso l'entrata in nuovi ambiti e l'espansione delle vendite all'estero.

Le aziende italiane, insomma, preferiscono consolidare il proprio mercato nazionale e ricercare nuovi prodotti e servizi (rispettivamente il 34 e il 29%). Se si guarda alle opportunità che potrebbero venire dalla recente apertura dei nuovi mercati dei Paesi dell'Est, si nota un approccio italiano molto cauto: i manager italiani, in altri termini, non si sentono sicuri della stabilità politica in quei Paesi e dunque esitano a decidere rilevanti investimenti.

Per quello che riguarda la politica delle risorse umane, le imprese italiane indicano delle aree prioritarie da sviluppare: la qualità del personale, la formazione e lo sviluppo manageriale. Inoltre, i fattori che determinano la politica di settore sono soprattutto la mancanza di personale altamente qualificato e la difficoltà ad adeguarsi ai processi di innovazione.

I "superrichiesti"

E guardiamo adesso ai problemi legati alla selezione del personale. L'indagine Kpmg ha cercato di accertare se "vi sono attualmente difficoltà all'interno della vostra azienda relativamente alla ricerca di personale per alcune funzioni". E circa il 40% degli interpellati ha denunciato problemi nel trovare quadri per i settori Vendite/Marketing, Ricerca e sviluppo e Tecnologie informatiche. Difficoltà, inoltre, anche nell'area "Gestione della produzione" (per il 32% delle aziende). In questi settori, infatti, non è facile trovare personale che possegga le necessarie competenze tecniche unite a quelle commerciali per gli specialisti in queste funzioni, quindi, il livello retributivo aumenta costantemente, ingenerando nuovi problemi per le aziende. Del resto, le istituzioni scolastiche non garantiscono una preparazione idonea e il personale qualificato, comunque raro, viene rapidamente assorbito dal mercato. Le imprese sono dunque sempre più spesso costretto a rivolgersi all'estero per trovare dei manager. I Paesi al centro dell'attenzione sono innanzitutto la Francia (50%) e poi la Germania (43 %) e la Gran Bretagna (41%).

Si apre qui, dunque, il capitolo fondamentale della formazione, croce e delizia per la maggior parte delle aziende europee e comunque ricco di problemi soprattutto per quelle italiane. Vediamo i dati dell'indagine Kpmg: il 60% circa delle aziende italiane interpellate ritiene "molto importante" la formazione nel campo dello sviluppo manageriale e della formazione tecnica; il 50% punta sulla formazione commerciale e di marketing.

Quale formazione?

In Europa come in Italia, inoltre, ci si aspetta uno sviluppo nell'attività formativa nelle aree di cui abbiamo detto quando il mercato unico sarà realizzato. L'aumento più significativo a questo proposito riguarda l'apprendimento delle lingue straniere: se oggi, infatti, il 41,6 per cento delle imprese ritiene importante che i propri manager conoscano altre lingue comunitarie, in previsione del 1993 questa percentuale sale fino al 70,8 per cento. La situazione attuale non è affatto positiva: nel 28,1% delle imprese, meno del 5% del management è in grado "di condurre il *business* con piena padronanza di un'altra lingua europea". Naturalmente, la percentuale si innalza se l'azienda appartiene ai settori industriali e finanziari e ha una presenza consistente all'estero tramite filiali dirette. Insomma, la conoscenza delle lingue straniere è un punto di debolezza nella preparazione dei manager italiani rispetto ai loro colleghi europei.

Attualmente, le lingue di cui è richiesto l'utilizzo sono inglese e poi francese e tedesco. E' previsto un aumento di importanza del tedesco rispetto all'inglese, così come una crescita di richieste per la lingua spagnola.

Le aziende giudicano "particolarmente importante" la conoscenza di queste lingue straniere soprattutto per chi si trova a svolgere funzioni dirigenziali nelle aree commerciali o di direzione generale (rispettivamente il 79,7 e il 71,9% degli interpellati). Seguono le aree "Ricerca e sviluppo" (61,7% "Tecnologie informatiche" (46,1%), Amministrazione e finanza" (38,2%). Risorse umane (37,1%) e infine Gestione della produzione (31,4%).

Per le tecniche di formazione, le azien-

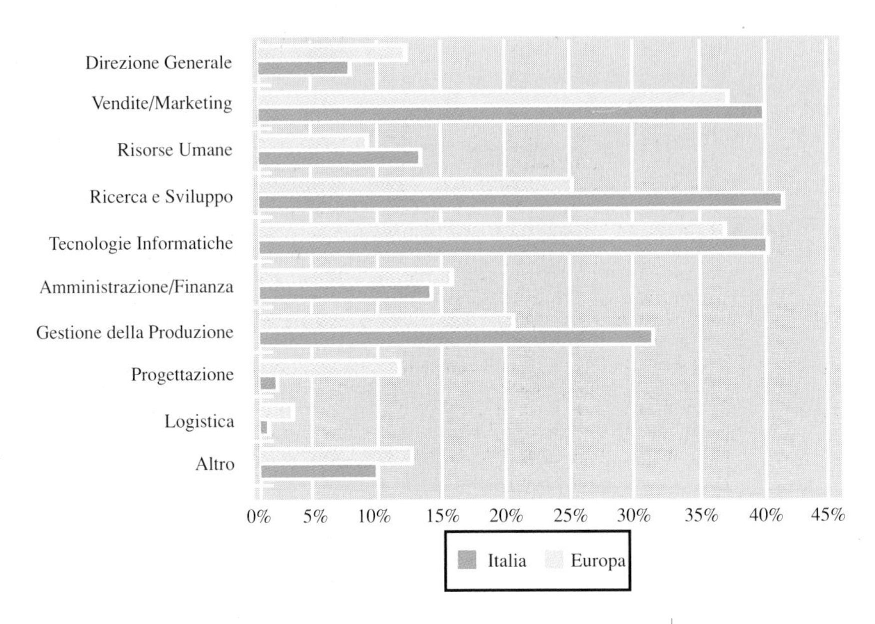

La tabella in alto schematizza le risposte delle aziende alla domanda della ricerca Kpmg Peat Marwick: vi sono attualmente difficoltà all'interno della Vostra azienda relativamente alla ricerca di personale per alcune funzioni? Quella in basso evidenzia l'impatto del mercato unico su vari elementi in azienda

INFLUENZA RILEVANTE

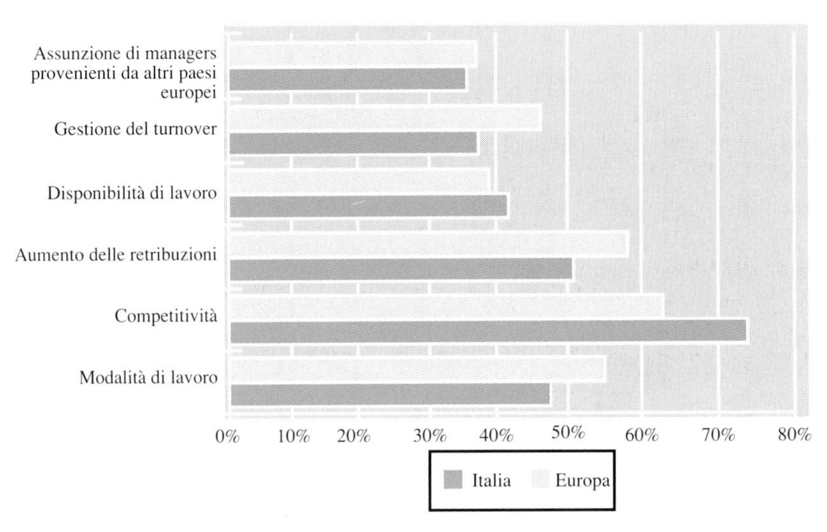

SCENARI FUTURI

de insistono sull'importanza dell'utilizzo di corsi esterni, in particolare per le tecnologie informatiche e per le lingue straniere. Sulle altre aree, le aziende concordano nel ritenere che i corsi interni siano lo strumento più efficace. Mettendo a paragone i dati italiani e quelli europei, il rapporto della Kpmg sottolinea alcune differenze: "Con riferimento allo sviluppo manageriale, si nota in Italia un maggiore utilizzo di corsi esterni (59,3%) e di formazione sul campo (25,6%)", mentre "con riferimento alle tecnologie informatiche, l'uso di corsi interni e di formazione sul campo è più significativo nel resto d'Europa (37,6%) che in Italia. Lo stesso si rileva per i programmi di riqualificazione".

I costi della professionalità

Quanto si spende per la formazione ? Il 64,7 per cento delle aziende italiane dedica a questo scopo una percentuale inferiore al 3% del costo totale del personale, il 14,5% dispone di una percentuale compresa tra il 3 e il 10%, solo il 2,2% ha un *budget* di formazione superiore al 10%. Diversa la situazione europea: nelle tre classi statistiche, infatti, troviamo raggruppate rispettivamente il 46,6, il 29,2 e il 2,6% delle imprese. In compenso, il 67,2 % degli italiani (contro il 54,8 degli europei) prevede per il 1993 un sostanzioso incremento del *budget* dedicato alla formazione che faciliti il reperimento di specialisti sempre più qualificati.

La maggioranza delle imprese italiane (il 60,7%, contro il 56,2% di quelle europee) dichiara di assumere manager la cui formazione professionale viene completata all'interno. Il 92,6% richiede una laurea per partecipare ai programmi di formazione manageriale, mentre per il 25,9% è necessario addirittura un Master. Come afferma il rapporto della Kpmg" Il 1992 porterà ad un aumento del numero dei partecipanti ai programmi di sviluppo manageriale e sicuramente ad una maggiore selezione sulle qualificazioni scolastiche per l'ammissione".

L'indagine Kpmg affronta anche un altro aspetto fondamentale: gli stipendi dei manager e dei quadri. E sostiene che il mercato unico non comporterà sostanziali modifiche dei livelli retributivi attuali. Qualche cambiamento è atteso solo nei settori Vendite/ Marketing, Direzione generale e Ricerca e sviluppo. Le funzioni più esposte alle offerte retributive più favorevoli delle aziende comunitarie sono soprattutto quelle attinenti alle vendite e alle tecnologie informatiche. Per reggere la concorrenza, le imprese italiane prevedono un immediato aumento delle retribuzioni, e preannunciano indagini che consentano di predisporre piani meglio finalizzati all'offerta di maggiori prospettive di carriera o allo studio di *benefits* più stimolanti. Per la mobilità all'interno del mercato unico, se ne prevede naturalmente un consistente aumento. Il 38,2% delle aziende italiane e il 48 per cento di quelle europee possiedono filiali negli altri Paesi comunitari; nella maggior parte dei casi, la percentuale dei manager allocati all'estero è compresa tra l'1 e il 4% dei dipendenti.

Nel periodo in cui soggiornano negli altri Paesi, questi dirigenti si trovano di fronte soprattutto a problemi relativi alle retribuzioni, alla collocazione aziendale al rientro, al sistema scolastico, al reperimento di una casa. E' interessante notare che il 23,1% delle imprese italiane e il 43,1% di quelle europee ritiene che, col 1993, aumenterà il numero dei propri dirigenti operanti in altri Paesi europei.

Le ragioni alla base di questa scelta dovrebbero essere rintracciate nell'approfondimento della conoscenza di altre culture a delle prevedibili innovazioni che verranno attuate nella normativa giuridica internazionale.

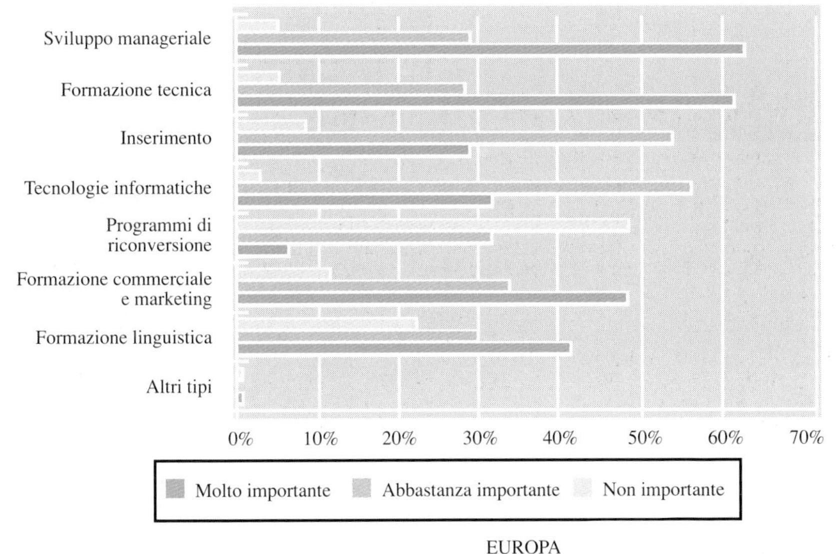

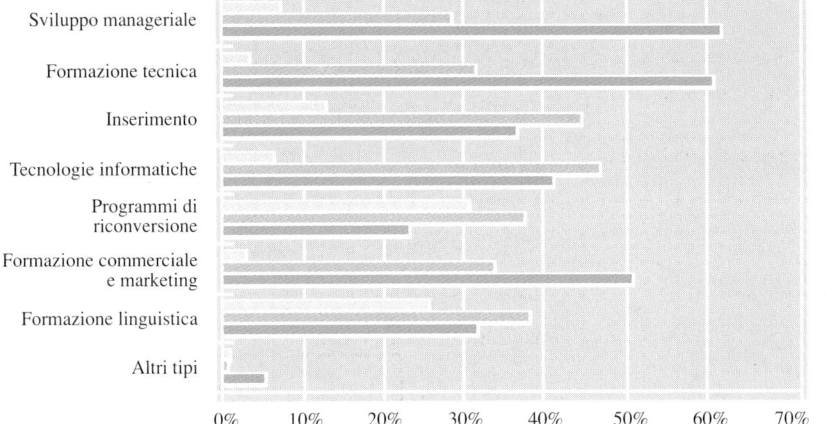

ESERCIZIO 6

Una interessante indagine statistica sul mercato unico CEE ha chiesto ad aziende italiane ed europee quali sono i loro problemi di selezione del personale.* Il grafico indica le risposte delle aziende alla domanda: "Vi sono difficoltà all'interno della Vostra azienda relativamente alla ricerca di personale per alcune funzioni?". Leggi il grafico e rispondi alle seguenti domande:

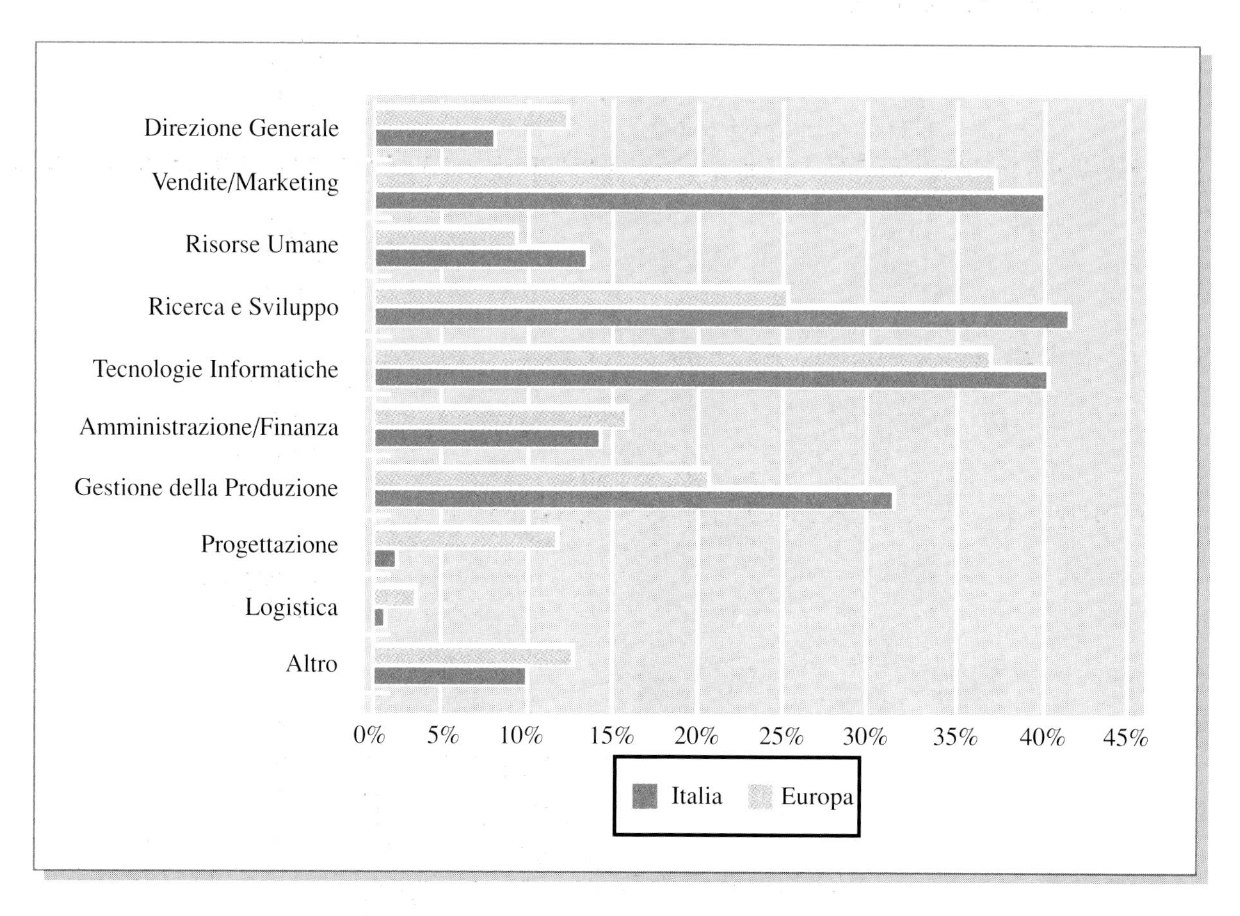

1. Quali sono le tre funzioni dove è più difficile trovare personale in Italia?

2. Qual è la funzione dove è meno difficile trovare personale in Italia?

3. Per quale funzione è difficile trovare personale in Italia quanto nel mercato europeo?

* Vedi articolo in questa unità: A. Calabrò, "Manager europeo cercasi", *Uomo manager*, marzo 1991, n. 54, p. 46-48.

ESERCIZIO 7

La formazione dei manager in Italia e nel mercato unico della CEE è un altro aspetto della stessa ricerca statistica. Leggi il paragrafo "Quale formazione?" nell'articolo citato e scegli la risposta giusta a ciascuna domanda:

1. La percentuale di imprese europee che considera importante che i propri manager conoscano altre lingue europee in previsione del mercato unico CEE è del:
   — 41,6%
   — 70,8%
   — 28,1%

2. Nella situazione attuale meno del 5% dei manager di quante imprese europee sanno usare bene un'altra lingua negli affari?
   — 70,8%
   — 28,1%
   — 41,6%

3. La lingua più richiesta oggi nel mercato CEE è:
   — il tedesco
   — l'inglese
   — il francese

4. Quale sarà nei prossimi anni la lingua emergente nel mercato europeo?
   — l'inglese
   — lo spagnolo
   — il tedesco

— Il vostro curriculum è davvero impressionante! Mi interesserebbe assumere la persona che l'ha scritto!

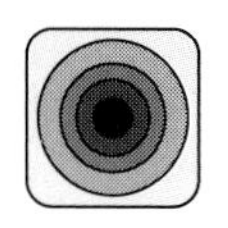

GRAMMATICA

COMPARATIVI

La selezione del personale per il Marketing è	**più**	difficile in Italia	**che**	in Europa
La selezione del personale per la Progettazione è	**meno**			
La selezione del personale per la Finanza è	**(tanto)** **(così)**	difficile in Italia	**quanto** **come**	

UNITÀ

4 REFERENZE

LINGUA

Il linguaggio delle referenze

CORRISPONDENZA

Richiesta di referenze

Referenze positive

Referenze negative

CULTURA D'AZIENDA

I manager più ricercati

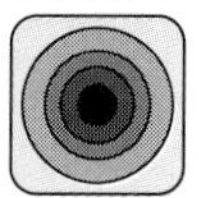

GRAMMATICA

Prefissi di negazione in- e im-

Superlativo relativo e assoluto

Il linguaggio delle referenze

La richiesta di referenze è un momento molto delicato nella ricerca di informazioni per il reclutamento del personale.*

Le referenze danno informazioni sul candidato rispetto alla **persona**, alla **preparazione** e alle **attitudini** e **capacità professionali**. Le informazioni possono essere negative o positive:

INFORMAZIONI	POSITIVE	NEGATIVE
sulla persona	affidabile degno/a di fiducia onesto/a	inaffidabile poco affidabile indegno/a di fiducia poco degno/a di fiducia disonesto/a ** poco onesto/a
sulla preparazione	preparato/a capace idoneo/a dotato/a	impreparato/a poco preparato/a incapace poco capace non idoneo/a poco idoneo/a indotato/a poco dotato
sulle attitudini e capacità professionali	puntuale diligente attivo/a capace di iniziativa ricco/a di volontà stimato/a dai colleghi	poco puntuale poco diligente poco attivo/a incapace di iniziativa poco capace di iniziativa involonteroso/a poco volonteroso/a poco stimato/a

* Le referenze possono essere richieste non solo *su un candidato* che ha fatto domanda di assunzione presso una ditta, ma anche *su una ditta* che si conosce poco (vedi Unità "Introduzione alla corrispondenza commerciale", Appendice § 7, 8 e 9).

** Espressione molto forte e offensiva, da evitare.

A) La dott.ssa Mara Rosselli, direttrice del personale presso la Rosselli Moda, ha ricevuto il curriculum vitae di Çristina De Michelis (vedi Unità 3, Tavola 3) e ha richiesto referenze su di lei:

Richiesta di referenze

Spettabile Ufficio del Personale,

la Dott.ssa Cristina De Michelis ha presentato domanda per ottenere un posto di interprete presso la nostra ditta e ci ha indicato il Vostro nominativo come referenza.

Ci risulta che è impiegata presso la Vostra casa di moda dal 1987 e che dovrà lasciare l'impiego a causa di una riduzione del personale.

Vi saremmo grati di volerci fornire informazioni sulle capacità professionali, sulla preparazione e sui requisiti morali della Dott.ssa De Michelis.

Possiamo assicurarVi che ogni informazione sarà trattata in maniera strettamente confidenziale.

Nel ringraziarVi dell'attenzione, porgiamo i nostri più distinti saluti.

Mara Rosselli
Direttore del Personale

ESERCIZIO 1

Dopo aver letto la lettera, scrivi le frasi utili per:

1. dire "ci ha dato il vostro nome" ______________________
2. ringraziare ______________________
3. esprimere gratitudine ______________________
4. dire che sappiamo qualcosa ______________________
5. salutare ______________________
6. assicurare qualcosa a qualcuno ______________________

B) La ditta interpellata risponde fornendo referenze positive:

Referenze positive

Egregia Dott.ssa Rosselli,

facendo seguito alla Sua lettera del 18 settembre scorso siamo lieti di fornirLe le informazioni richieste.

A causa di una riduzione del personale siamo costretti a rinunciare, contro la nostra volontà, ai servizi della Dott.ssa De Michelis, che è stata assunta per ultima fra i nostri interpreti.

La Dott.ssa De Michelis è una persona di grande professionalità, estremamente capace e dotata.

Lavora con noi da quattro anni e l'abbiamo sempre considerata un prezioso elemento nel nostro organico per la diligenza con cui svolge il suo lavoro e per la sua onestà.

Siamo lieti pertanto di potervela raccomandare caldamente.

Distinti saluti.

Il Direttore
Mauro De Masi

C) Ecco invece un esempio di referenze negative (N.B.: nella lettera si richiede di trattare le informazioni con la massima discrezione):

Referenze negative

Egregio Architetto,

in risposta alla Sua cortese lettera del 12 novembre scorso, siamo lieti di fornirLe le informazioni richieste.

Il Dott. Aldrovandi ha lavorato con noi dal 19... al 19... in qualità di rappresentante. Ci dispiace informarLa che il suo rapporto di lavoro con la nostra ditta non è stato del tutto positivo.

Ci risulta che sia degno di fiducia, ma totalmente incapace di iniziativa e non idoneo a ricoprire un incarico di alta responsabilità come quello a cui Lei si riferisce.

Ci sembra pertanto che la sua assunzione presso la Vostra ditta debba essere valutata attentamente.

Siamo certi che le informazioni forniteVi saranno trattate con la massima discrezione.

Distinti saluti

Luigi Beretta
Direttore del Personale

ESERCIZIO 2

Cerca nella lettera di referenza positiva i sinonimi delle seguenti parole:

1. rispondendo ____________
2. molto ____________
3. individuo ____________
4. siamo contenti ____________
5. brava ____________
6. personale ____________

ESERCIZIO 3

Cerca nella lettera di referenza negativa i sinonimi delle seguenti parole:

1. gentile ____________
2. sappiamo ____________
3. buono ____________
4. completamente ____________
5. inadatto ____________
6. pensata ____________

ESERCIZIO 4

a) Dopo aver letto le due lettere di referenza scrivi quali sono le frasi usate per:

1. esprimere soddisfazione ____________
2. esprimere dispiacere ____________
3. esprimere un'opinione ____________
4. esprimere conoscenza di un fatto ____________

b) Quali parole indicano qualità positive?

1. ____________

c) Quali parole indicano qualità negative?

2. ____________

ESERCIZIO 5

Forma il contrario delle seguenti parole usando i prefissi "IN-" o "IM-":
sicuro - finito - battibile - legale - mobile - credibile - penetrabile - competente - maturo - organico - regolare.

____
____
____
____
____

ESERCIZIO 6

Trova le quattro parole che non sono aggettivi col prefisso di negazione e collocale nello schema, che conterrà una frase.

1. inconsistente
2. incredibile
3. illeggibile
4. informazione
5. irrilevante
6. impreciso
7. inadatto
8. industriale
9. incorretto
10. imprese
11. ingrediente
12. impopolare

L' ____________ ____________ sulle ____________ è un ____________ degli affari.

CULTURA D'AZIENDA

Per avere un quadro dei **manager più ricercati** per settore e per funzione in Italia, basta consultare tre quotidiani importanti che arrivano regolarmente anche all'estero:

— *Corriere della Sera*
— *Repubblica*
— *Il Sole 24 Ore*

Uno psicologo del lavoro fornisce un modello di come compilare tale quadro nell'articolo che segue. Leggi l'articolo e studia le tabelle "Le richieste dei settori" e "Le funzioni più ricercate".

CARRIERA E FORMAZIONE

IL BORSINO DEL MANAGER

di Tullio Bonaretti*

INGEGNERE CERCASI PURCHE' ARIETE

Le ricerche di manager comparse nel gennaio '91, nei giorni di venerdì, sul *Corriere della sera*, *Repubblica* (Affari e Finanza) e *Il Sole 24 Ore*, sono state complessivamente 200: quindi oltre il doppio di quelle di dicembre, ma è tradizionale il calo delle ricerche nel periodo che precede le festività di fine d'anno. In ogni caso si è al di sotto delle 253 richieste di novembre e delle 293 di ottobre. Va precisato tuttavia, che venerdì 4 gennaio *Affari e Finanza* non è uscito e le ricerche di manager erano del tutto assenti su *Il Sole 24 Ore* e molto scarse sul *Corsera*.
Circa i settori merceologici, nel mese di gennaio è in testa il settore meccanico (16%), mentre nel mese precedente era al terzo posto col 9,6%.
Il chimico-farmaceutico passa al secondo posto, salendo dal 6,4% di dicembre al 15,5%. Crescono anche l'elettronico/elettrotecnico, che dal 9,6% del mese precedente passa al 10,5% e il tessile che dall'1,1% rimonta al 3,5%. Risultano in flessione soprattutto l'alimentare che dal 10,6% passa al 2,5%, il credito e finanza che dal 7,4% va al 4,5%.
Sembra quindi di poter affermare che tirano di più proprio quei settori più intimamente connessi, per varie ragioni, con la guerra in atto.

Circa le funzioni più richieste, sono ancora in testa quelle commerciali, che appaiono tuttavia diminuite (dal 48,9% al 43%). Al secondo posto, troviamo la produzione/logistica, pressochè invariata (dal 20,2% di dicembre al 20% di gennaio). Le amministrativo-finanziarie sono in crescita dal 6,4% al 14,5%, per cui passano al terzo posto, mentre la gestione generale risulta in lievissima crescita (dall'11,7% al 12%). Le ricerche di manager del personale passano dal 5,3% al 4%.
Tutti questi dati confermano tendenze già rilevate e commentate nei mesi precedenti. Circa le curiosità di questo mese, segnaliamo quella pubblicata sul *Corriere della Sera* dell' 11 gennaio '91 nella quale una società "ricerca Arieti, ovvero Ingegneri ...".
Quest'inserzione è interessante sotto vari aspetti.
Dal punto di vista del committente possiamo chiederci, prima di tutto, che obiettivo si voleva perseguire. Gli ingegneri, si sa, sono straricercati e non se ne trovano al punto da suggerire il trucco della laurea breve per rimpiazzarli con tecnici di formazione più rapida.
Ora, lo scopo di questa inserzione potrebbe essere quello di snidare qualche ingegnere "renitente alla leva" ricorrendo a nuove forme di reclutamento. Va aggiunto, però, che gli ingegneri sono notoriamente persone centrate sulla razionalità. Quindi una ricerca così generica non può certo avere un buon impatto con la solida mentalità degli ingegneri.
Oltretutto, se l'idea del segno zodiacale fosse stata una trovata furbesca per raschiare il fondo del barile di un mercato ormai spolpato. Dal punto di vista della razionalità generale dell'inserzione, stanti i costi elevati dello spazio sui più importanti quotidiani, come appunto il *Corsera*, l'imperativo categorico, valido in tutti i casi, è quello di stimolare gli interlocutori giusti col massimo di informazioni pertinenti nel minimo di spazio, per valorizzare il costo contatto ed evitare improduttivi sperperi del denaro. Questi tre aspetti risultano carenti nell'inserzione in oggetto.

* *Psicologo del lavoro - Università di Milano - Presidente di Op (opportunità professionali).*

Le funzioni più ricercate
(Gennaio 91)

Funzione	Totale	%
Commerciale	86	43.0
Produzione/logistica	40	20.0
Amministr./finanza	29	14.5
Gestione generale	24	12.0
Personale/organizzaz.	8	4.0
Progettazione ricerca	5	2.5
Edp	4	2.0
Assistenza tecnica	4	2.0
Totale	100	100.0

Le richieste dei settori
(Gennaio 1991)

Settore	Tot.	%	Settore	Tot.	%
Meccanico	32	16.0	Turismo	5	2.5
Chimico/Farm.	31	15.5	Impiantistica	3	1.5
Elettronico/ Elettrotecnico	21	10.5	Componenti per edilizia	3	1.5
Consulenza e servizi	17	8.5	Petroli	3	1.5
Editoria	10	5.0	Assicurazioni	2	1.0
Credito & Finanza	9	4.5	Cartotecnico	2	1.0
Largo consumo	8	4.0	Beni durevoli	2	1.0
Informatica	7	3.5	Mezzi di trasp.	1	0.5
Tessile	7	3.5	Legno e arred.	1	0.5
Trasporti	7	3.5	Altri servizi	1	0.5
Immobiliare	6	3.0	Grande distrib.	1	0.5
Alimentari	5	2.5	Non identific.	11	5.5
Edilizia e opere pubbliche	5	2.5			
Totale				200	100

ESERCIZIO 7

Riporta tutti i dati della tabella "Le funzioni più ricercate" sul grafico e poi commentalo paragonando i dati fra loro.

Es.: **La produzione commerciale è la funzione più richiesta.**
La gestione generale è meno richiesta di...
La progettazione è meno richiesta di...
L'assistenza tecnica è richiesta quanto...

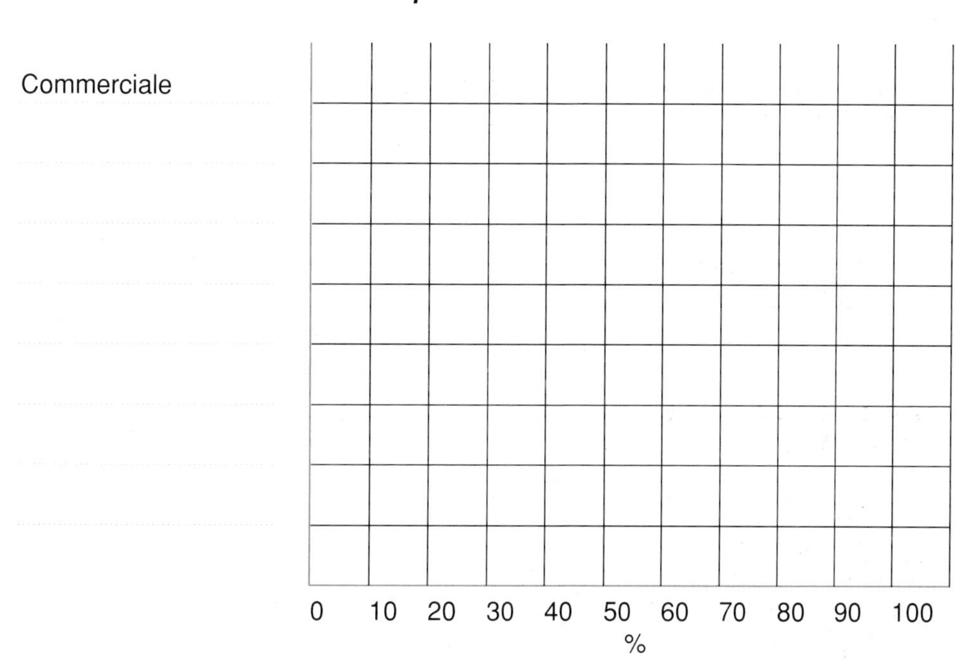

ESERCIZIO 8

Riporta sul grafico in ordine decrescente (dal n. più alto al più basso) i totali di richieste per settore della tabella "Richieste dei settori". Indica solo i 6 settori più richiesti.

1. Meccanico ____________
2. ____________
3. ____________
4. ____________
5. ____________
6. ____________

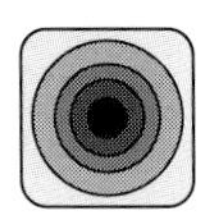

GRAMMATICA

I prefissi di negazione servono a formare il contrario delle parole.

PREFISSO DI NEGAZIONE "IN-"	
AGGETTIVO	**IN- + AGGETTIVO**
competente	**in**competente
dipendente	**in**dipendente
capace	**in**capace
degno	**in**degno
attivo	**in**attivo
affidabile	**in**affidabile

ATTENZIONE

* Quando la parola inizia per R, L, M, si ha assimilazione:

IN- + R = IRR-
IN- + L = ILL-
IN- + M = IMM-

AGGETTIVO	IN- + AGGETTIVO
regolare	**irr**egolare
razionale	**irr**azionale
legale	**ill**egale
maturo	**imm**aturo

* Quando la parola inizia per B e P, "IN-" diventa "IM-".

IN- + P = IMP-

IN- + B = IMB-

PREFISSO DI NEGAZIONE "IM-"	
AGGETTIVO	**IM- + AGGETTIVO**
preparato	**im**preparato
produttivo	**im**produttivo
battuto	**im**battuto

SUPERLATIVO RELATIVO			
il **la** **i** **le**	**più** **meno**	+ aggettivo	**di** (+ art.) **fra** (+ art.)

Quello meccanico è	**il più**	richiesto	**fra i**	settori
Quella commerciale è	**la più**	richiesta	**delle**	funzioni
Quello del legno è	**il meno**	richiesto	**dei**	settori
Quella dell'assistenza tecnica è	**la meno**	richiesta	**fra le**	funzioni

SUPERLATIVO ASSOLUTO
- issimo **- issima** **- issimi** **- issime**

Il settore meccanico è	richiest**issimo**
La funzione commerciale è	richiest**issima**

* Il superlativo assoluto si forma dal maschile plurale dell'aggettivo senza la vocale finale (**richiesti** - **richiestissimo**, **ricchi** - **ricchissimo**) oppure da un avverbio senza la vocale finale (**tardi** - **tardissimo**).

UNITÀ

5 Colloquio Selettivo

LINGUA

Descrivere i propri studi

Descrivere la propria carriera

Descrivere le proprie motivazioni professionali e i benefit

CORRISPONDENZA

Convocazione a un colloquio selettivo

Risposta a una convocazione

CULTURA D'AZIENDA

Donne manager in Italia

Lo stipendio del manager

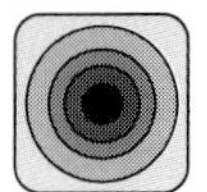

GRAMMATICA

Forma attiva e forma passiva

Accordo del passato prossimo con l'imperfetto

Accordo del congiuntivo con l'indicativo presente e il condizionale presente

L'intervista o colloquio dei candidati con un selettore è un altro strumento (vedi Unità 3 e 4), il più importante, per la selezione del personale.

Il colloquio può essere **libero**, **vincolato** (il selettore segue una traccia), **guidato** (il selettore segue una serie di domande predisposte), **individuale**, o di **gruppo** (uno o più selettori si rivolgono a vari candidati oppure vari candidati discutono di un argomento mentre vengono osservati da uno o più selettori).

Un buon selettore deve tenere conto della **personalità** dell'intervistato, mettere da parte le proprie **idee preconcette** ed essere un buon **comunicatore** (saper ascoltare e interpretare obbiettivamente ciò che dice il candidato).
Un buon candidato deve saper comunicare chiaramente, esaurientemente e sinteticamente le informazioni che gli vengono richieste.

In questa unità vengono presentati cinque modelli di colloquio:

— Modello 1: discussione del curriculum studi
— Modelli 2, 3 e 4: discussione del curriculum professionale
— Modello 5: discussione delle motivazioni professionali e dei benefit

Convocazione a un colloquio selettivo

Cristina De Michelis ha inviato una domanda d'impiego con il suo curriculum (vedi Unità 3) alla ditta Rosselli Moda, che ricerca un interprete.
Attualmente Cristina è impiegata, ma dovrà presto lasciare il suo impiego a causa di una riduzione del personale. La Rosselli Moda le invia la seguente lettera di convocazione al colloquio selettivo:

Gentile Dott.ssa De Michelis,

in riferimento alla Sua domanda di assunzione del 4 aprile scorso per un posto di interprete presso la nostra ditta, ho il piacere di comunicarLe che il Suo nome è fra quelli dei candidati prescelti per un colloquio selettivo.

La prego pertanto di passare nei nostri uffici lunedì 15 aprile alle ore 17.30 e di confermare telefonicamente la Sua presenza al colloquio.

Con i migliori saluti.

Mara Rosselli
Direttore del Personale

ESERCIZIO 1

Spiega in parole tue il significato delle seguenti espressioni contenute nella lettera:

candidati prescelti ____________________
colloquio selettivo ____________________
pertanto ____________________
passare nei nostri uffici ____________________
confermare la Sua presenza ____________________

Risposta a una convocazione

Un candidato invia una lettera di conferma sulla sua partecipazione al colloquio selettivo:

> Spettabile Ufficio del personale,
>
> In riferimento alla Vostra cortese lettera del 12 marzo u.s. con la quale mi si annuncia di essere stato pre-selezionato per l'impiego di ingegnere elettronico che si è reso disponibile presso la Vostra spettabile Società, con la presente desidero confermare la mia partecipazione al colloquio selettivo che avrà luogo presso i Vostri uffici il 3 aprile prossimo alle ore 18.00.
>
> Con i migliori saluti.
>
> Frank Doyle

ESERCIZIO 2

Sei l'assistente di Cristina De Michelis. Sulla base del modello precedente, scrivi per lei una lettera di risposta alla convocazione al colloquio selettivo.

> Egregia Dott.ssa Rosselli,
>
> ....
>
> ....
>
> ....
>
> ....
>
> ....
>
> ....
>
> ....
>
> ....

Cristina telefona alla Rosselli Moda per confermare la sua presenza al colloquio.

Centralinista **Pronto**, Rosselli Moda.
Cristina *Buongiorno. L'ufficio del personale,* ***per cortesia****.*
Centralinista **Rimanga in linea**, prego.
Cristina ***Bene****, grazie.*
Segretaria Buongiorno, mi dica.
Cristina *Sono Cristina De Michelis. Sono stata convocata per un colloquio selettivo lunedì prossimo.* ***Telefono per*** *confermare che ci sarò.*
Segretaria Molto bene. Lo riferisco **senz'altro** alla dottoressa Rosselli.
Cristina *Grazie. Buongiorno.*
Segretaria Buongiorno.

COMMENTO

Pronto: per iniziare una conversazione telefonica. Anche: **Pronto, chi parla?** (detto *da chi riceve* la telefonata). **Sono** + Nome/Cognone (detto *da chi fa* la telefonata). Vedi Unità 7 "Telefonare".

Per cortesia: Per piacere/Per favore.

Rimanga in linea: per chiedere, al telefono, di attendere. Anche: **Un momento** (prego).

Bene: per indicare approvazione, accettazione, comprensione di un'istruzione.

Telefono per + infinito: per spiegare il motivo della telefonata.
Es.: **Telefono per richiedere un appuntamento.**

Senz'altro: sicuramente, certamente.

ESERCIZIO 3

Quali espressioni vengono usate nel dialogo per:

1. iniziare una conversazione al telefono ______________________
2. esprimere approvazione o comprensione ______________________
3. dire che si farà sapere qualcosa a qualcuno ______________________
4. confermare qualcosa ______________________

ESERCIZIO 4

Leggi attentamente il dialogo insieme ad altre due persone e poi ripetetelo fra voi.

ESERCIZIO 5

Ripetete fra voi il dialogo, con queste varianti:

a) risponde direttamente la segretaria, non la centralinista;

b) la segretaria chiede informazioni a Cristina sul tipo di colloquio che avrà luogo e Cristina dà le informazioni.

Frasi utili:

Di che si tratta? / Può dirmi (esattamente) di che si tratta?
Si tratta di / È per un'intervista per un posto di ...

Descrivere i propri studi

MODELLO 1

UNA CANDIDATA DISCUTE IL SUO CURRICULUM STUDI
CON UNA SELETTRICE

Anna Friedrick ha inviato il suo curriculum vitae e una domanda d'impiego alla ditta Rosselli Moda di Firenze, che ricerca un'interprete e corrispondente con l'estero. La ditta l'ha selezionata per il colloquio.

Selettrice — **Dove ha svolto i suoi studi**?

Friedrick — *Principalmente a Bruxelles. Ho conseguito il diploma di interprete e corrispondente con l'estero all'Istituto di interpretariato.*

Selettrice — Quante lingue conosce?

Friedrick — *Essendo stata educata in Belgio, sono bilingue in francese e fiammingo. Inoltre ho un'ottima conoscenza del tedesco, che è la lingua d'origine di mio padre, dell'inglese, e naturalmente dell'italiano.*

Selettrice — **Dal suo curriculum risulta che** lei ha fatto degli studi in Italia: **me ne può parlare**?

Friedrick — *Sì, dopo essere stata assunta dalla Euromarket di Milano ho frequentato un corso speciale di formazione per corrispondenti con l'estero all'Università Bocconi su richiesta del mio direttore, che aveva deciso di allargare il mercato alla Germania.*

Selettrice — **Se capisco bene**, in quel periodo ha avuto modo di approfondire la conoscenza commerciale del tedesco e dell'italiano.

Friedrick — *È **esatto**. Si è trattato di uno studio molto intensivo che ha dato risultati immediati e positivi nel mio lavoro.*

Selettrice — **Che giudizio può darmi sulla** sua preparazione?

Friedrick — ***Direi che** la mia preparazione mi ha permesso di migliorare progressivamente la mia carriera. **Ho una conoscenza** molto aggiornata del mio lavoro e mi sto specializzando sempre di più nel settore della moda italiana.*

COMMENTO

Dove ha svolto i suoi studi?: per richiedere informazioni sul curriculum degli studi (vedi anche Unità 2, "Domande d'impiego").

Risposta:

Ho conseguito	il diploma di... la laurea in...
Ho frequentato	l'Istituto... di (+ Località) l'Università di (+ Località) corsi di...

— Oh, certamente... Io te lo dò un lavoro qui, figlio mio, ma tu che cosa mi dài in cambio?

Dal suo curriculum risulta che...: per verificare o sviluppare informazioni contenute nel curriculum.

Me ne può parlare?: per richiedere informazioni o chiarimenti. Anche:
Può parlarmi di (+ art.)...?

Può parlarmi della sua formazione linguistica?
Me ne può parlare?

Se capisco bene,...: per verificare di aver capito.

Mi sembra di capire che...
Se ho ben capito...

Esatto: per confermare un fatto.

È esatto
Sì, è così
Esattamente.

Che giudizio può darmi su...: per richiedere una valutazione o autovalutazione.

Come valuta la sua preparazione?
Può esprimere un giudizio obbiettivo sulla sua preparazione?

Direi che... (+ indicativo o congiuntivo): per esprimere un parere.

Mi sembra che...
Mi pare che...
Sono dell'opinione che...

Ho una conoscenza...: per esprimere un'autovalutazione.

Ho un'ottima conoscenza di (+ art.)...
Sono molto aggiornato su (+ art.)...
Sono specializzato in ...

Ho un'ottima conoscenza dell'amministrazione aziendale.
Sono molto aggiornato sulle norme valutarie internazionali.
Sono specializzato in informatica.

Descrivere la propria carriera

MODELLO 2

ESPERIENZA PROFESSIONALE PASSATA

Il dott. Mario Hillman sta partecipando ad un colloquio selettivo presso la Italchimica, che ricerca un nuovo direttore commerciale.

Selettore Dottor Hillman, se non sbaglio lei ha iniziato la sua carriera in Inghilterra, dopo la laurea in chimica industriale, lavorando per la Società ISEA.

Hillman *Sì, è esatto. Si è trattato di una serie di soggiorni in Inghilterra per perfezionare la mia formazione professionale.*

Selettore **Che mansioni ha svolto per** l'ISEA?

Hillman *All'inizio ho lavorato come ricercatore nella Divisione prodotti, dove ho acquisito una notevole esperienza dei cicli produttivi. Quattro anni dopo sono stato trasferito alla filiale italiana di Varese e sono stato nominato assistente del direttore commerciale. Dopo due anni sono stato promosso manager, e sono tuttora responsabile del dipartimento commerciale.*

Selettore **Perché desidera lasciare il suo impiego**?

Hillman *Purtroppo le possibilità di carriera alla ISEA sono molto limitate a causa di una crisi che la società sta vivendo.*

COMMENTO

Che mansioni ha svolto per...? per richiedere una descrizione delle attività professionali passate.

Risposta:

MANSIONI, TRASFERIMENTI, PROMOZIONI

Ho lavorato come...
Ho curato...
Mi sono occupato di (+ art.)
Ho acquisito esperienza in (+ art.)...

Sono stato trasferito	alla filiale di... allo stabilimento di... alla sede centrale di...	(+ Località)
Sono stato nominato Sono stato promosso	direttore generale capo sezione	

Perché desidera lasciare il suo impiego?: per informarsi sui motivi che spingono il candidato a cercare un nuovo impiego (anche se è già occupato*).

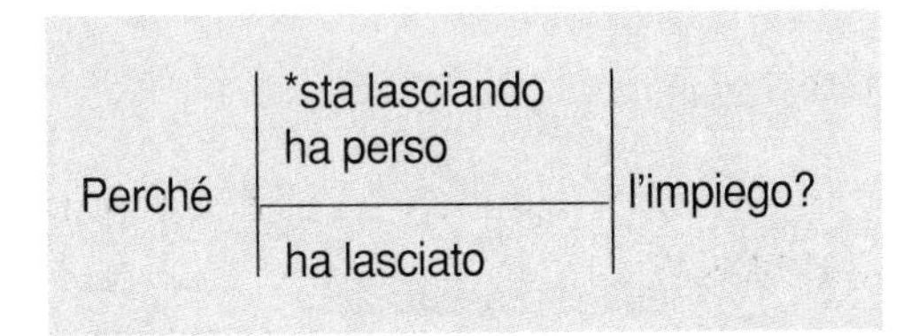

Perché	*sta lasciando ha perso	l'impiego?
	ha lasciato	

Risposta:

A causa di	una riduzione del personale una ristrutturazione dell'impresa un licenziamento
Per	migliorare la mia posizione il fallimento della Società

— Mi hanno trasferito in Canada, Renata, ma ti scriverò!

— Beh, vorrei che me le deste in anticipo, le ferie, nel caso che non mi piacesse l'impiego!

— Ecco che cos'è, la gratitudine! Lo promuovo e subito lui mi chiede un aumento!

MODELLO 3

ATTIVITÀ PASSATE

La Signora Ono descrive le sue prime esperienze di lavoro

Selettore **Qual è stato il suo primo impiego**?

Sig.ra Ono ***Ho lavorato*** *per la ditta Rossi & C. di Prato, una media azienda di riciclaggio della lana che raccoglie la materia prima in vari mercati europei. Io* ***assistevo*** *il direttore della produzione nei suoi contatti coi fornitori giapponesi.*

Selettore Perché ha lasciato l'impiego?

Sig.ra Ono *Il titolare della ditta si è sposato e sua moglie mi ha sostituita.*

Selettore Capisco. **Che cosa ha fatto dopo?**

Sig.ra Ono *Sono stata assunta dalla Società Marelli & Rossi, una associata della Rossi & C., e lì ho curato i contatti con la clientela estera e mi sono occupata della promozione del prodotto.*

COMMENTO

Qual è stato il suo primo impiego?: per informarsi sull'inizio della carriera del candidato.

Ho lavorato... / **assistevo**...: chi parla usa il passato prossimo (**ho lavorato**) per esprimere il senso di un'azione che si è conclusa, e l'imperfetto per dare una descrizione di azioni ripetute (vedi Grammatica).

Che cosa ha fatto dopo?: per informarsi sulle varie fasi della carriera del candidato.

Risposta:

Sono stato/a assunto/a dalla	ditta società compagnia	XY
Mi sono trasferito/a presso la	agenzia filiale ...	
Ho seguito un corso di	formazione aggiornamento specializzazione	in (+ materia) in gestione d'azienda.
Ho svolto il servizio militare		

ESERCIZIO 6

Trasformare la forma attiva in forma passiva (vedi Grammatica).

Es.: Il direttore mi ha affidato il settore vendite l'anno scorso.
L'anno scorso mi è stato affidato il settore vendite (dal direttore).

1. Il mio capo mi ha dato una promozione. ____________________
2. Il dott. Bianchi non mi ha ancora affidato le pubbliche relazioni. ____________________
3. L'ufficio del personale Le ha richiesto una lettera di referenze? ____________________

ESERCIZIO 7

Fornisci informazioni durante un colloquio selettivo. Sostituisci all'infinito fra parentesi l'indicativo imperfetto o il passato prossimo, a seconda dei casi (vedi Grammatica).

a) Stai descrivendo tue attività passate di tipo abituale:

1. Di solito (curare-io) ____________________ le relazioni con l'estero.
2. Abitualmente (accompagnare-io) ____________________ i clienti nelle visite allo stabilimento di produzione.
3. (Assistere-io) ____________________ regolarmente a tutte le riunioni del Consiglio di amministrazione.

b) Stai elencando attività passate e concluse:

4. Non (svolgere-io) ____________________ mai ____________________ ricerche di mercato.
5. (Lavorare-io) ____________________ per la Fininvest dal 1980 al 1986.
6. La ditta Borselli mi (assumere) ____________________ come segretaria di direzione nel 1990.

MODELLO 4

ATTIVITÀ PROFESSIONALE ATTUALE

Elizabeth Wilson sta cercando un impiego di segretaria di direzione presso la United Consultants in Italia.

Selettore **Può descrivermi** il tipo di attività che svolge attualmente?

Wilson *Sono la segretaria del direttore delle vendite e lo accompagno nei suoi viaggi d'affari all'estero. Curo la corrispondenza con l'estero e ultimamente* ***mi è stata affidata*** *una parte del settore pubbliche relazioni.*

Selettore Mi sembra di capire che il suo è un posto di responsabilità, perché lo sta lasciando?

Wilson *Il mio* ***datore di lavoro*** *sta creando nuove filiali all'estero e sta riducendo il personale in Italia.* ***Mi è stato proposto*** *il trasferimento in Olanda, ma questa prospettiva di lavoro non mi interessa, perché preferisco rimanere a Roma.*

Selettore Capisco.

COMMENTO

Può descrivermi...?: per richiedere una descrizione.

Può descrivermi	il tipo di attività che svolge? il suo lavoro? il suo settore di specializzazione?

Risposta:

FUNZIONI PROFESSIONALI	

Lavoro come	direttore (+ settore)
	  direttore generale
	  direttore delle vendite
	  ...
	vice-direttore
	funzionario (+ settore)
	  funzionario di vendita
	  ...
	consulente (+ settore)
	  consulente commerciale
	  consulente finanziario
	  ...
	assistente (+ settore)
	  assistente alle vendite
	  ...
	segretario
	  segretario di direzione
	rappresentante
	interprete
	corrispondente con l'estero
	ecc.

MANSIONI		
Curo	i contatti le relazioni	con l'estero con la clientela ...
Mi occupo Sono responsabile	del settore della divisione	vendite acquisti prodotti esportazioni promozione marketing ...

Datore di lavoro: principale. La forma **capo** non si riferisce necessariamente al datore di lavoro, ma al rapporto gerarchico fra due persone che lavorano per la stessa ditta. La forma **padrone** è da evitare perché obsoleta, eccetto in alcune aree semantiche come il gergo delle fabbriche (**operaio** vs. **padrone**) o dell'agricoltura.

Mi è stata affidata: mi hanno affidato (vedi Grammatica, forma passiva).

Mi è stato proposto: mi hanno proposto (idem).

— Il mio ultimo impiego è stato presso una ditta di giochi e scherzi.

ESERCIZIO 8

Sostituisci la forma corretta del participio passato agli infiniti tra parentesi di questo breve memorandum scritto da un intervistatore dopo un colloquio selettivo con un candidato.

Ha (svolgere) ________________ i suoi studi presso la Facoltà di Economia e Commercio dell'Università di Palermo.
Dopo aver (ottenere) __________ la laurea è stato (assumere) ____________ dalla ditta Rocco & C., con mansioni di consulente commerciale.
In seguito gli hanno (affidare) ________________ la vice-direzione dell'ufficio commerciale.
Lavora tuttora in quella ditta, dove è (assistere)________________ da una segretaria personale e da dodici contabili.

TOP MANAGEMENT

Nuovo amministratore delegato di Henkel Italia

Giorgio Mira è da gennaio il nuovo presidente e amministratore delegato delle società del gruppo Henkel in Italia.
Dal 1980 era presidente e amministratore delegato della Henkel Chimica S.p.A. di Bologna.
Lecchese, sposato con quattro figli, laureato in chimica industriale presso l'Università di Milano, ha perfezionato la sua formazione professionale in Inghilterra, soggiornandovi per diversi anni.
Rientrato in Italia, con l'incarico di seguire l'inizio della costruzione del nuovo stabilimento della Marchon Limited (presso la quale aveva lavorato durante il soggiorno inglese) a Castiglione delle Stiviere sviluppa un'ampia esperienza in tutti i cicli produttivi sino ad assumere la carica di direttore commerciale.
Nel 1965 diviene amministratore delegato della Marchon Limited e nel 1975 viene nominato Chairman europeo della Marchon Albright & Wilson.

Giorgio Mira, nuovo presidente e amministratore delegato del gruppo Henkel Italia

Descrivere le proprie motivazioni professionali e i benefit

MODELLO 5

MOTIVAZIONI PROFESSIONALI E BENEFIT

Una candidata discute con l'intervistatrice le sue motivazioni professionali e alcuni benefit.

Dott.ssa Rossi Mi dica, come mai le interessa un nuovo posto di lavoro? **Non si trova bene** col suo attuale impiego?

Kristen *No, anzi. Mi trovo benissimo, è un buon ambiente di lavoro. La ditta però è piccola e* ***preferirei un lavoro che mi permetta*** *di svilupparmi di più professionalmente.*

Dott.ssa Rossi La nostra società è molto attiva ed è in piena espansione. **Se la sentirebbe di** fare degli **straordinari?**

Kristen *Non ho nulla in contrario,* ***purché*** *ci si possa accordare in precedenza sul massimo di ore e metterlo a contratto.*

Dott.ssa Rossi Questo non è un problema. Lei ha una macchina? Avrebbe problemi a svolgere un'attività che comporti dei viaggi frequenti?

Kristen *La cosa non mi dispiacerebbe. Trovo gradevole viaggiare, a condizione che la ditta provveda le opportune forme di assicurazione e le trasferte.*

Dott.ssa Rossi Senz'altro. Offriamo un pacchetto di **benefit** molto cospicuo, e lo stipendio è veramente competitivo, commisurato alle capacità professionali. Lei ha sicuramente un'idea dello stipendio che vorrebbe percepire: me la può indicare?

Kristen ***Se non le dispiace, preferirei discutere lo stipendio*** *in un secondo momento. Per ora vorrei comprendere meglio se sono la persona adatta per questo posto. Tengo molto a lavorare per una ditta così dinamica e moderna, e sono certa che se mi verrà dato il posto non ci sarà difficile accordarci sullo stipendio.*

COMMENTO

Non si trova bene: trovarsi bene/male (+ preposizione **in** o **con**).

Mi trovo bene in quest'ufficio
Non mi trovo bene con quel collega.

Preferirei un lavoro che mi permetta: nelle proposizioni relative dipendenti dai verbi **volere**, **preferire** si usa il congiuntivo oppure l'indicativo, e la frase prende un significato diverso.

Es.: Voglio/preferisco un lavoro che mi permetta di viaggiare.
(affermazione di un'esigenza generica)
Fra i due, voglio/preferisco il lavoro che mi permette di viaggiare.
(affermazione di una volontà, di una preferenza specifica che riguarda una scelta reale)

Se la sentirebbe: **sentirsela**, sinonimo di **avere voglia di**, **essere in grado di**.

> Te la senti di lasciare il tuo lavoro?
> Non me la sento di guidare, sono stanco.

Straordinari: il lavoro straordinario è prestato eccezionalmente dal lavoratore al di fuori dell'orario di lavoro.

Purché: avv., regge il congiuntivo. Vedi anche **a condizione che**.

Benefit: **indennità**, ferie, straordinari, congedi di maternità, tredicesima mensilità, conto spese, assicurazioni, ecc. (vedi Tavola 6, la "Legenda" dei benefit contenuta nel documento autentico che riproduce una busta paga).

Se non le dispiace... **stipendio**: rimandare la discussione dello stipendio fino al momento in cui si riceve l'offerta di lavoro è un'ottima tecnica di negoziazione (cfr. Jack Chapman, *Salary Negotiation*, Boulder, Career Track Publications, sd.).

— Io, sposarvi? Fareste qualsiasi cosa, voi, pur di non pagarmi lo straordinario!

— Sono d'accordo sul fatto che il vostro stipendio non è adeguato a voi, Rossetti, ma, quanto a questo, non lo siete nemmeno voi!

№ 202	cognome e nome	matricola	VALEO SUD s.p.a.
	[illegible]	[illegible]	

mese di retribuzione	data di nascita	data assunzione
Settembre 79	10.12.52	9.5.79

gg. lav	gg. retr.	categ.
18	26	5^

retribuzione base	190000
contingenza	73151
cont. nuovi valori	223742
premio produzione	190
superm. indiv.	
scatto anzianità	
TOTALE	487083

ASSEGNI FAMILIARI

INTERO PERIODO

	N.	GG.	IMPORTO
F.			
C.			
G.			

ARRETRATI e PARTE PERIODO

	N.	GG.	IMPORTO
F.			
C.			
G.			

COD.	DATO BASE	GG - ORE	COMPETENZE
1			0
1			487083
32			7692
32			80635
Riparametrazione			10000
18	230	26	5980
2	3519.38	4.50	15837
	607000	TOTALE	607227

F.A.P. 7,15%	43401-
I.N.A.M. 0,30%	1821-
GESCAL 0,35%	2125-
Sgravio FAP	0
Totale trattenute sociali	47347-
F.P.I.	50-
Liquid. Ist. Ass.	
Congedo matrimoniale	
	0
IMPONIBILE FISCALE	559830
Trattenute IRPEF	78163-
Quota esente	11500
Carico familiare	
IMPOSTA NETTA	66663-
Acconto	
Assegni familiari	
Assegni familiari arretr.	
Contributo sindacale	
Multe	
Abito da lavoro	
Storno conguaglio Inam-Inail	
Acquisto buoni mensa	
Acquisti Valeo sud	
Acquisti Valeo nord	
Storno mensa figurativa	5980-
Cessione stipendio	
Una tantum	40000
Quota gruppo sport. az.	
Arrot. mese preced. -	353-
Arrot. mese in corso +	166
NETTO DA PAGARE	527000

LEGENDA

	Per lavoro non a turno	Per lavoro a turni
1 - stipendio/ore ordinarie		
2 - ore straordinarie prime due ore	25%	25%
3 - ore straordinarie - ore successive	30%	30%
4 - ore notturne - fino alle ore 22	20%	15%
5 - ore notturne - oltre le ore 22	30%	15%
6 - ore festive	50%	50%
7 - ore festive con riposo compensativo	10%	10%
8 - ore straordinarie festive (oltre le 8 ore)	55%	55%
9 - ore str. fest. con rip. comp. (oltre le 8 ore)	35%	35%
10 - ore straordinarie notturne - prime 2 ore	50%	40%
11 - ore straordinarie notturne - ore successive	50%	45%
12 - ore notturne festive	60%	55%
13 - ore nott. festive con riposo compensativo	35%	30%
14 - ore str. nott. fest. (oltre le 8 ore)	75%	65%
15 - ore str. not fest. con rip. comp. (oltre 8 ore)	55%	50%
16 - festività nazionali e infrasettimanali		
17 - permessi retribuiti		
18 - indennità di mensa		
19 - ferie		
20 - gratifica natalizia		
21 - congedo matrimoniale carico ente		
22 - indennità sostitutiva mensa		
23 - integrazione malattia		
24 - integrazione infortunio		
25 - indennità di preavviso		
26 - cottimo		
27 - detrazione stipendio		
28 - diaria		
29 - storno diaria		
30 - indennità di anzianità		
31 - premio di produzione		
32 - anzianità aziendale		
33 - arretrati		
34 - reperibilità		
35 - incentivo		

diff. paga apprend.

MOD. 2 IANNARILLI

TAVOLA 6 - BENEFIT IN BUSTA PAGA

ESERCIZIO 9

Quali espressioni sono usate nel dialogo per:

1. esprimere accordo ______________________

2. informarsi su una preferenza ______________________

3. porre una condizione ______________________

ESERCIZIO 10

Stai sostenendo un colloquio selettivo. Rispondi affermativamente alle domande, mettendo però una tua condizione, introdotta dalle espressioni **purché, a patto che, a condizione che** seguite dal congiuntivo (vedi Grammatica).

Es. Le interesserebbe lavorare nella nostra divisione pubblicità?
Sì, purché si tratti di un lavoro part-time.

1. Le piacerebbe occuparsi delle pubbliche relazioni?
   Sì, a patto che mi (affidare - voi) ______________ il Progetto S.E.A.

2. Le andrebbe di iniziare a lavorare per noi il mese prossimo?
   Sì, purché (potere cominciare-io) ______________ dopo il 12 del mese.

3. Le interessa lo stipendio che le abbiamo proposto?
   Sì, a condizione che (discutere-noi) ______________ alcuni benefit.

ESERCIZIO 11

Un candidato e un selettore esprimono delle preferenze durante un colloquio selettivo (vedi Grammatica, "Accordo del congiuntivo").
Completa le frasi con le forme appropriate del congiuntivo dei verbi indicati:

parlare, **essersi**, **permettere**, **sapere**, **essere**, **pagare**

Es: Cerchiamo diplomati che siano al primo impiego.

1. Preferisco un lavoro che mi ______________ di imparare di più.
2. Vorremmo una segretaria che ______________ perfettamente il tedesco.
3. Cerco un impiego che ______________ bene.
4. Vorrebbero assumere una persona che ______________ usare il computer.
5. Preferisce un candidato che ______________ disposto a viaggiare?
6. Ci interessano persone che ______________ appena laureate.

ESERCIZIO 12

Spesso ai candidati che si presentano ad un colloquio selettivo viene richiesto di compilare un foglio informativo simile al seguente. Riempilo con i tuoi dati e le tue preferenze.

FINMECCANICA
Società Finanziaria per azioni

DATI ANAGRAFICI

Cognome e nome ....
Data di nascita ....
Luogo di nascita .... prov. ....
Nazionalità ....
Stato civile ....

RESIDENZA

Via .... n. .... tel. ....
Città .... c.a.p. .... prov. ....

EVENTUALE RECAPITO ATTUALE
(valido fino al ....)

Via .... n. .... tel. ....
Città .... c.a.p. .... prov. ....

PROFESSIONE DI

Padre ....
Madre ....
Coniuge ....

FIGLI (indicare l'età)

....
....
....
....
....

SERVIZIO MILITARE

a) assolto arma .... grado .... dal .... al ....
b) esonerato: motivo ....
c) in corso arma .... grado .... data previsto congedo ....
d) rinviato motivo .... data previsto congedo ....

STUDI

Diploma di ....
Conseguito il .... Istituto .... votazione ....
Laurea in .... votazione ....
Conseguita il .... c/o ....
Tesi in: ....
Altri studi o corsi di perfezionamento:
....
....

LINGUE CONOSCIUTE (S = sufficiente, B = buono, O = ottimo)

Inglese .... Tedesco .... Francese .... Spagnolo .... Russo ....
Eventuali altre:

....

OCCUPAZIONE ATTUALE

Azienda .... località ....
Settore di attività ....
Numero di dipendenti: .... data di assunzione ....

ATTIVITÀ E MANSIONI

....
....
....
....

EVENTUALI DIFFERENTI POSIZIONI OCCUPATE IN QUESTA AZIENDA

periodo	mansioni	da chi dipende
da .... a	....	....
....	....	....
....	....	....
....	....	....

Categoria attuale di inquadramento
....

Retribuzione annua lorda
....

Incentivi o altri benefici accessori:
....
....
....

OCCUPAZIONI PRECEDENTI

azienda e periodo	mansioni e qualifica	motivi del cambiamento
....	....	....
....	....	....
....	....	....
dal .... al	....	....
....	....	....
....	....	....
....	....	....
dal .... al	....	....
....	....	....
....	....	....
....	....	....
dal .... al	....	....
....	....	....
....	....	....
....	....	....
dal .... al	....	....

....	....	....
....	....	....
....	....	....
dal .... al	....	....

....	....	....
....	....	....
....	....	....
dal .... al	....	....

PROFESSIONALITÀ

Per quali motivi personali o professionali desidera cambiare impiego?
(li indichi per priorità ed eventualmente li commenti)
retribuzione .... sviluppo personale .... residenza ....
inquadramento .... tipo di lavoro .... familiari ....
sicurezza del posto .... ambiente di lavoro ....
....
....
....
Sede di lavoro più gradita: ....
Avrebbe problemi a svolgere un'attività comportante viaggi frequenti?
....

ASPIRAZIONI

Quale tipo di lavoro la interesserebbe?
....
....
....
....

RICHIESTE

Retribuzione annua richiesta ....
Inquadramento ....
data di disponibilità (preavviso) ....

Data .... Firma ....

CULTURA D'AZIENDA

Il seguente articolo sintetizza la composizione delle retribuzioni manageriali in tremila imprese dei maggiori paesi industrializzati.
Leggi l'articolo e rispondi alle domande.

LO STIPENDIO DEL MANAGER

di Fulvio Ulessi

PRIMI IN BUSTA-PAGA ULTIMI NEI BENEFIT

Un'indagine internazionale della Hay management consultants, svolta su un campione di oltre 3 mila imprese dei maggiori paesi industrializzati offre informazioni di estremo rilievo sulle composizioni delle retribuzioni per ognuno dei 17 paesi analizzati. Ecco alcuni dati elaborati e attualizzati al cambio vigente in Italia nel gennaio '91. I valori sono ottenuti su medie ponderate comprensive di tutti i settori e di tutte le funzioni operative. I tre grafici individuano per le tre figure principali del management lo stipendio base, i bonus e premi in danaro, i benefit (benefici statutari esclusi).
Dai grafici emerge pesantemente il vantaggio retributivo dei dirigenti tedeschi che a ogni livello si posizionano ben al di sopra dei colleghi degli altri paesi. Il confronto internazionale va comunque letto sia in termini di valori assoluti sia comparando le composizioni delle retribuzioni, o ancora rapportando il delta differenziale tra i massimi dirigenti e quelli dei livelli più bassi.
Escludendo i manager teutonici, sono quelli italiani a godere del salario di base più elevato, soprattutto per i livelli di management più elevato: e tale situazione si andrà rafforzando nel 1991; infatti, mentre la media internazionale della crescita del salario base si attesterà attorno al 6-7%, la crescita attesa in Italia è del 13,6%.
In Italia si sconta invece l'inesistenza di adeguati strumenti di benefit che sono a livello molto approssimativo rispetto a paesi in cui questa forma ha una parte rilevante nel portafoglio dei dirigenti. Il caso limite è quello degli Usa che nella media del loro mercato utilizzano benefit per valori pari a oltre il 40% del total cash percepito. Seguono nell'ordine, Inghilterra (30-40% in funzione del minore o maggiore livello dirigenziale), Olanda (17-23%), Spagna e Francia leggermente al di sotto del 20%. La Germania viceversa dimostra una forte disparità di trattamento tra alti dirigenti e neodirigenti; tra i primi i benefit toccano il 29 % mentre tra i secondi si fermano al 9%. Gli altri paesi si posizionano su linee intermedie ma dimostrano un trend di crescita ben più elevato di quello italiano.
In termini di soli premi la situazione presenta forti scostamenti tra paesi e livelli; generalizzando si può dire che al crescere del livello cresce anche la quota di premi in danaro, ma il peso di questa crescita è da porre in relazione a ogni singola realtà nazionale. L'Italia si pone leggermente al di sopra della media internazionale per ciò che riguarda i neo e i middle manager, mentre per la fascia alta sconta una certa omogeneità di trattamento dei propri manager. Per contro, all'estero le distanze tra le fasce manageriali sono caratterizzate da differenze di trattamento molto più marcate.
Per concludere, va sottolineato come la differenza del salario base tra top e neo management è più marcata in Italia rispetto agli altri paesi dove il rapporto è di 2,76 a 1; viceversa la media degli altri paesi si attesta su 2,2 volte senza far registrare punte di particolare rilievo, salvo la flessione della Francia (1,98). Tutto ciò spiega anche l'importanza che negli altri paesi è assunta da importanti incentivazioni economiche che non possono essere altro che comparate con il livello di responsabilità raggiunto dal manager.

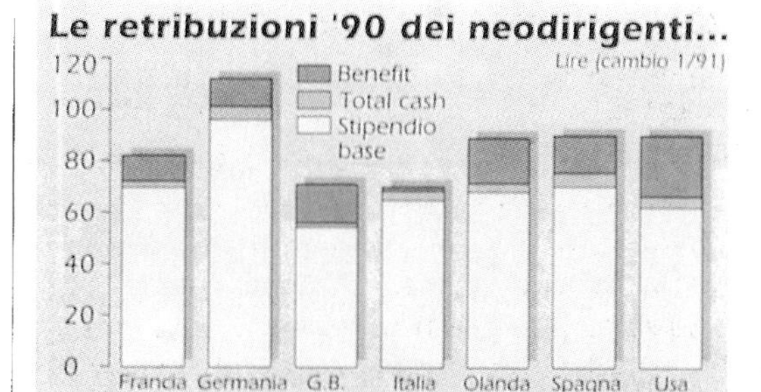

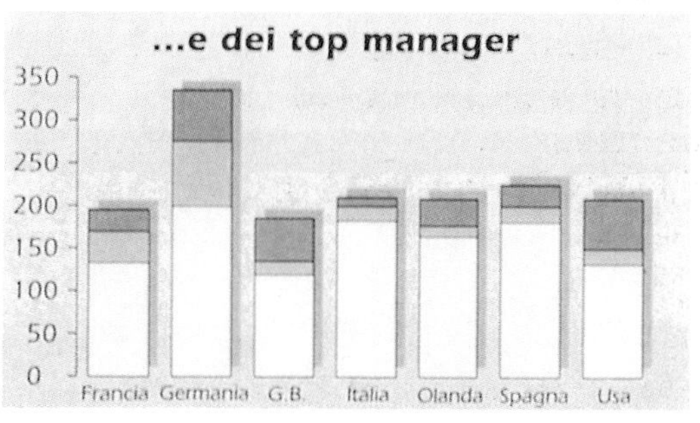

ESERCIZIO 13

Collega ogni parola della prima colonna con il suo corrispondente sinonimo nella seconda colonna.

1. stipendio	1. tendenza
2. fascia alta	2. salario di base
3. benefits	3. alti dirigenti
4. premio	4. top management
5. fascia intermedia	5. retribuzione
6. stipendio base	6. middle managers
7. trend	7. neo management
8. top managers	8. sussidi e servizi
9. fascia bassa	9. bonus

ESERCIZIO 14

Scegli la risposta giusta in base ai dati dell'articolo.

1. I dirigenti più pagati in assoluto nelle tre fasce di management sono:
   a) tedeschi
   b) italiani
   c) americani

2. Gli alti dirigenti italiani sono fra i più pagati a livello di:
   a) salario base
   b) benefit
   c) total cash

3. I benefit più alti sono utilizzati in:
   a) Inghilterra
   b) Spagna
   c) U.S.A.

4. C'è più disparità di salario base fra i neo manager e top manager in:
   a) Italia
   b) Germania
   c) Olanda

5. Ricevono più premi i neo e middle manager:
   a) italiani
   b) francesi
   c) spagnoli

Dal 1987 in Italia esiste una legge che riconosce la parità fra uomo e donna e vieta ogni discriminazione professionale fra i due sessi. Nell'articolo che segue si parla delle sanzioni proposte contro le aziende che non rispettano la legge, e della "femminizzazione" del mercato del lavoro italiano.
Leggi il testo e paragona la posizione professionale della donna in Italia e nel tuo Paese.

MANAGER & DONNA

Una legge per una parità effettiva

Dopo un lungo e travagliato *iter* legislativo la legge che sancisce la parità tra uomo e donna è finalmente stata approvata dalla Camera dei Deputati il 21 dicembre scorso. Una legge che ha unito le donne di diversi partiti (PCI, PLI, MSI) per un fine comune: dare un significato più "concreto" alla legge 903 del 9 dicembre 1987 che già riconosceva la parità e vietava ogni azione di discriminazione tra i due sessi soprattutto in campo professionale.
Il nuovo disegno di legge infatti, contempla l'istituzione di nuovi e più efficaci strumenti sanzionatori che, in caso di ricorso da parte della lavoratrice, possono essere applicati all'azienda: la sospensione di agevolazioni finanziarie e creditizie (ad esempio finanziamenti vari e fiscalizzazione di oneri sociali), nonchè la revoca di contratti d'appalto con lo Stato. "Sanzioni piuttosto severe che agiranno da deterrente per le aziende", afferma Ada Grecchi, direttore del personale dell'Enel e membro della Commissione di Parità alla Camera. "Inoltre il rimborso totale o parziale da parte dello Stato di progetti di azioni positive attuate dalle aziende, dovrebbe contribuire alla rimozione dei residui ostacoli sulla strada della effettiva parità".
La legge prevede per le aziende sia pubbliche che private con oltre un centinaio di dipendenti l'obbligo di redigere un rapporto biennale sullo stato di occupazione del personale femminile in rapporto ai dipendenti maschi, ai percorsi di carriera, alla formazione professionale, ai livelli retributivi, ecc. Una relazione che consegnerà uno spaccato delle aziende in materia di occupazione e costituirà una cartina di tornasole di eventuali discriminazioni legate al sesso.
Per attuare i principi di parità di trattamento ed eguaglianza di opportunità tra lavoratori e lavoratrici è stato creato un apposito Comitato Nazionale presso il Ministero del Lavoro, mentre a livello locale saranno dei funzionari nominati dal Ministero (i Consiglieri di Parità) a sorvegliare l'applicazione della legge. E proprio questi ultimi hanno facoltà di agire in giudizio, sia di fronte al pretore che al Tar, a rappresentanza di una donna che ritenga di essere vittima di un atto discriminatorio.
"Senza dubbio questa legge rappresenta un momento di verità per tutti", prosegue Ada Grecchi, "per gli imprenditori che devono smettere di considerare le donne una forza-lavoro di serie B, ma anche per le donne stesse che devono smettere di piangersi addosso perché ora hanno la facoltà di fare valere i propri diritti". Innovativa dal punto di vista culturale e dotata di forte incisività nella realtà sociale e nella demografia del lavoro, la legge si appresta ad essere ratificata dal Senato dove, ci auspichiamo, non debba incontrare forti opposizioni da parte dei gruppi più conservatori.

Le donne e il mercato del lavoro

Da qualche anno gli esperti parlano di una progressiva femminilizzazione del mercato del lavoro, una sorta di marea "rosa" che dovrebbe investire, speriamo con risultati proficui, imprese private e pubbliche. La conferma di tale previsione è arrivata qualche mese fa con la pubblicazione del libro-inchiesta "Donne in Carriera" di Roberto Bencivenga.
Zeppo di dati, esso costituisce una analisi attenta e rivelatrice della posizione delle donne impegnate professionalmente. Oggi le donne occupate sono 7 milioni 261 mila: nel 1997 saranno più di 8 milioni, quasi un milione in più al netto del *turn-over*. Ma questi dati assumono più significato se confrontati con quelli riguardanti l'occupazione maschile: oggi gli uomini occupati sono 13 milioni 968 mila e aumenteranno di sole 300 mila unità nel 1997.
E ancora: nel decennio 1978/88 l'occupazione femminile è cresciuta di un milione e 27 mila unità, quella maschile di appena di 59 mila. Ciò significa che il 95% dei nuovi posti lavoro è stato occupato da donne e solo nel 1989, in Italia, dei 176 mila nuovi posti creati, 114 mila equivalenti al 70% sono andati alle donne.
Cresce anche il tasso di attività: su 100 donne, 30 lavorano.
Un quadro sicuramente positivo ed incoraggiante che ha però il rovescio della medaglia nelle barriere e nelle discriminazioni sul lavoro ancora oggi perpetrate nei confronti delle donne. Ma paradossalmente oggi essere donna rappresenta anche una *chance* in più per trovare un impiego. La nuova società dell'informazione richiede infatti sempre di più la presenza femminile.
Anche professioni tipicamente maschili oggi hanno aperto le porte alle donne per carenza di uomini disponibili con le caratteristiche richieste.
Tipico è l'esempio dell'assunzione di donne-pilota da parte delle compagnie aeree che non trovano più fra gli uomini tutti i piloti di cui hanno bisogno.
La maggiore presenza femminile è conseguenza dell'accresciuto livello di scolarizzazione che permette loro di vincere concorsi nella pubblica amministrazione, dalla magistratura alla polizia. Nel settore pubblico è già avvenuto il sorpasso degli uomini sia per quantità che per qualità dei ruoli ricoperti.
Particolarmente affollato di donne appare il settore del terziario con una punta del 67% del totale. Ma donne sono il 50% dei cartografi, il 33% dei veterinari, il 20% dei selezionatori genetici, il 25% dei consulenti finanziari, il35% dei *money manager*, il 60% degli addetti alle vendite, il 90% degli addetti sanitari, l'80% degli assistenti sociali, l' 80% dei maestri, il 40% dei magistrati, il 70% degli organizzatori di congressi.
Un settore particolarmente attraente per le donne, per l'elasticità degli orari e la programmazione personale degli impegni, appare quello della libera professione e dell'imprenditoria, dove le donne rappresentano il 15%. Una percentuale che in 5 anni è aumentata del 48%, mentre le dirigenti e le impiegate sono aumentate del 17%.
Accanto a questi dati positivi comunque occorre ricordare che resta ancora molto bassa la percentuale di donne italiane che hanno ottenuto la dirigenza: solo il 3% di un universo quasi completamente maschile, cifra in linea con la media europea, ma non per questo confortante.
Un altro dato interessante è l'età: si fa carriera anche da giovani e non bisogna aspettare il successo fino all'età pensionabile, infatti le libere professioniste e le imprenditrici al di sotto dei 30 anni sono aumentate del 71%.
Da un punto di vista di distribuzione geografica, si nota la cronica spaccatura del Paese tra nord e sud,

registrando il sud un'occupazione femminile meno rilevante che il nord. Significativi anche i dati relativi al ritorno nel mercato del lavoro delle donne fra i 30 e i 50 anni, probabilmente uscite con la nascita dei figli e ritornate con la crescita di questi. Infatti in 5 anni mentre la forza lavoro femminile è cresciuta del 7,6% le donne fra i 30 e 39 anni sono aumentate del 17,3%, quelle tra i 40 e 49% del 16,9%.

LEI SI FIDEREBBE DI UNA DONNA ...?

(percentuale di intervistati che si fiderebbero)

	TOT	♂	♀
Avvocato	88,5	86,4	90,5
Giudice	83,3	80,9	85,7
Chirurgo	81,8	80,2	83,4
Dentista	81,2	79,5	82,8
Taxista	78,3	73,1	83,2
Agente di borsa	72,5	73,8	71,3
Presidente della Repubblica	69,4	65,7	73,0
Poliziotto	68,6	61,4	75,3
Pilota d'aereo	63,3	60,8	65,8
Meccanico	41,8	35,1	48,2

ESERCIZIO 15

Con l'aiuto del dizionario, definisci in parole tue le seguenti espressioni:

occupazione ____________________
disoccupazione ____________________
scolarizzazione ____________________
concorso ____________________
settore terziario ____________________
libero imprenditore ____________________

ESERCIZIO 16

Rispondi alle domande sulla base dei dati contenuti nell'articolo.

1. Perché oggigiorno c'è una maggiore presenza femminile nel mercato del lavoro italiano?
2. In quali professioni oggi più del 50% del personale è donna?
3. Di quanto è salita la percentuale di donne dirigenti e impiegate negli ultimi 5 anni?
4. Quanti dirigenti su cento sono donne?
5. Come si rapporta alla media europea il numero di donne dirigenti in Italia?
6. In quali professioni c'è stato un aumento di occupazione del 71% per le donne al di sotto dei 30 anni?
7. Vi sono differenze di occupazione femminile fra nord e sud Italia? C'è un fenomeno simile nel tuo paese?
8. Che età media hanno le donne che rientrano nel mercato del lavoro dopo averlo temporaneamente lasciato?
9. Quante donne su cento lavorano oggi in Italia?

GRAMMATICA

FORMA ATTIVA E FORMA PASSIVA

DALLA FORMA ATTIVA...		...ALLA FORMA PASSIVA	
PRESENTE Chi **fa**	COMPL. OGGETTO → SOGGETTO le domande? → Le domande	**sono fatte** (vengono)	dal selettore
FUTURO Chi **farà**		**saranno fatte** (verranno)	
PASSATO PROSSIMO Chi **ha fatto**		**sono state fatte**	
IMPERFETTO Chi **faceva**		**erano fatte** (venivano)	
PASSATO REMOTO Chi **fece**		**furono fatte** (vennero)	
TRAP. PROSSIMO Chi **aveva fatto**		**erano state fatte**	

* Il *complemento oggetto* della frase attiva diventa il *soggetto* della frase passiva.

* Il *tempo semplice* (presente, futuro, imperfetto, pass. remoto) della frase attiva diventa *tempo composto* nella frase passiva.

* Nei *tempi semplici* la frase passiva può avere il verbo **venire** al posto del verbo **essere**.

ACCORDO FRA PASSATO PROSSIMO E IMPERFETTO INDICATIVO

* Il **PASSATO PROSSIMO** indica:

//

— un'azione passata che esprime *conclusione, completamento.*

Ho lavorato per sei anni alla ISEA.
Alla Rossi & C. mi **sono occupato** di marketing.

// - // - //

— una serie di azioni passate successive che esprimono *conclusione, completamento.*

Prima **ho lavorato** alla ISEA,
poi mi **hanno assunto** alla Italmobil.

// * // * //

— una serie di azioni passate contemporanee che esprimono *conclusione, completamento.*

Alla Italmobil **ho collaborato** con il direttore
e **ho assistito** il vice-direttore.

* L'**IMPERFETTO** indica:

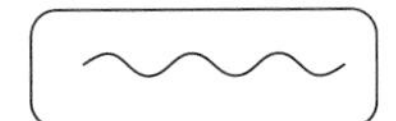

— un'azione passata che esprime *durata, ripetizione per abitudine.*

Nel 19... **lavoravo** alla ISEA.
Alla Rossi & C. mi **occupavo** di marketing.

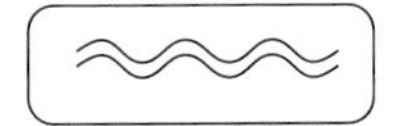

— una serie di azioni passate contemporanee che esprimono *durata, ripetizione per abitudine.*

Alla Italmobil **collaboravo** col direttore
e **assistevo** il vice-direttore.

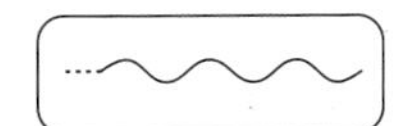

— una condizione, uno stato mentale, fisico o emotivo che non hanno un inizio preciso.

Nel 19... **ero** disoccupato.
Alla ISEA **ero** al mio primo impiego.
Desideravo trasferirmi alla filiale di Milano.
Dopo la laurea non **avevo** esperienza pratica.

USO COMBINATO DEL PASSATO PROSSIMO E DELL'IMPERFETTO INDICATIVO

Ho lavorato per sei anni alla Rossi & C., dove **svolgevo** la corrispondenza con l'estero. Quando **mi hanno assunto** alla ISEA **avevo** 32 anni. Ero interprete e **mi sono occupato** anche delle pubbliche relazioni.	
Quando **lavoravo** per la Rossi & C. **ho assistito** il direttore della Divisione Prodotti e in seguito **sono diventato** socio della ditta... Mentre **prestavo** servizio a Londra **mi hanno nominato** vice-direttore e due anni dopo **mi hanno promosso** direttore.	(azioni successive)
Quando **lavoravo** alla IBM **ho seguito** un corso di aggiornamento dove **ho imparato** il sistema Wordstar. Ho **avuto** contatti con la ISEA e mi **sono associato** a questa ditta mentre **dirigevo** il mio ufficio di consulenza.	(azioni contemporanee)

* Il **PASSATO PROSSIMO** esprime le azioni principali

* L'**IMPERFETTO** descrive la situazione

ACCORDO DEL CONGIUNTIVO CON L'INDICATIVO E IL CONDIZIONALE

PREFERENZE

Preferisco	che	**sia**	un lavoro part-time
Preferivo **Preferirei** **Avrei preferito**		**fosse**	

CONDIZIONI

Accetto il posto	purché a condizione che a patto che	**sia**	a tempo pieno

SECONDA PARTE

UNITÀ

6 PRESENTAZIONI

LINGUA

Presentarsi

Presentare fra loro persone che non si conoscono

Dare informazioni su di sé e su altri colleghi

CULTURA D'AZIENDA

La stretta di mano

Darsi del "tu" / Darsi del "lei"

Chiamarsi per nome

Il linguaggio dello spazio

GRAMMATICA

Sostantivi maschili in -e

Presentarsi

L'avvocato Robert Randall, legale della Compagnia di assicurazioni Prudential di Sydney, è in visita alla ditta esportatrice Interexport di Milano, con cui intrattiene rapporti d'affari.

A) SITUAZIONE FORMALE: PRESA DI CONTATTO

Robert Randall è alla segreteria della Interexport.

Avv. Randall	**Buongiorno**.
Segretaria	***Buongiorno***. *Mi dica.*
Avv. Randall	**Sono** l'avvocato Robert Randall, **delle** Assicurazioni Prudential di Sydney. **Ho un appuntamento con** la signora Viganò alle undici.
Segretaria	*Un momento, per favore. Vedo se la signora Viganò è libera.* ***Mi ripete il suo nome, per favore****?*
Avv. Randall	Randall. Robert Randall. **Ecco il mio biglietto da visita**.
Segretaria	*Va bene. L'annuncio subito.*

COMMENTO

Buongiorno: saluto formale.

Sono + Nome e Cognome: per identificarsi formalmente.

Di + **la/l'/il/le** + Nome della ditta: per identificare la ditta per cui si lavora. In generale ci si riferisce a una ditta usando il femminile.

Es.: della F.E.B.A., dell'Italricambi, ma: del Banco di Roma.

Ho un appuntamento con + (titolo) + (Nome e) Cognome: per identificare la persona da incontrare. Anche: **Devo incontrare** + (titolo) + (Nome e) Cognome.

Es.: Devo incontrare la signora Viganò.

Mi ripete il suo nome, per favore?: per richiedere precisazioni. Anche: **Le spiace ripetere il suo nome?**

Ecco il mio biglietto da visita: per dare altre informazioni su di sé.
In Italia i biglietti da visita non sono usati quanto all'estero.

— Permettete? Avvocato Bianchi... Ecco il mio biglietto, in caso doveste avere bisogno del mio aiuto.

B) SITUAZIONE FORMALE

Una funzionaria viene ad incontrare Robert Randall per accompagnarlo dalla persona che lo aspetta.

Signora De Masi	Buongiorno. **È lei** l'avvocato Randall?
Avv. Randall	***Sì, sono io***. *Buongiorno.*
Signora De Masi	(Stretta di mano) **Mi chiamo** Silvana De Masi, sono la direttrice dell'ufficio contabilità.
Avv. Randall	***Molto piacere***, *Randall.*
Signora De Masi	**Il piacere è mio**. Lei viene da Sydney, vero?
Avv. Randall	*Sì.* ***Lavoro per*** *le Assicurazioni Prudential e* ***mi occupo delle*** *negoziazioni con l'estero.*
Signora De Masi	Venga, l'accompagno dalla signora Viganò, la sta aspettando.
Avv. Randall	*Benissimo, grazie.*

COMMENTO

È lei + (titolo) + (Nome e) Cognome: per sincerarsi dell'identità di una persona.

Es.: È lei la signora Authom? / Lei è Arnaud Mauriac?

Sì, sono io: per confermare la propria identità.

Mi chiamo + Nome e Cognome: per identificarsi formalmente.

Molto piacere: risposta alla presentazione.

In Italia la **stretta di mano** accompagna sempre le presentazioni, e viene ripetuta in segno di cordialità anche in ogni occasione in cui si incontrano persone che già si conoscono: la stretta di mano viene scambiata fra persone dello stesso sesso e fra uomini e donne; una buona stretta di mano è breve, cordiale, vigorosa.

Il piacere è mio: replica (opzionale) alla risposta alla presentazione.

Lavoro per / **Mi occupo di**: per dare informazioni sulle proprie attività. (Vedi anche Unità 9, "Incontri d'affari").

C) SITUAZIONE INFORMALE

Emma Viganò e Robert Randall hanno lavorato insieme a vari progetti e si considerano amici, ma non si erano mai incontrati prima di persona.

Robert	**Ciao, sono** Robert...
Emma	*(Stretta di mano)* ***Ciao****, Robert!* ***Sono*** *Emma.* ***Finalmente ci conosciamo di persona****. Benvenuto alla Interexport.*
Robert	**Anche a me fa piacere conoscerti**, dopo tante telefonate... Senti, **mi dispiace, sono in ritardo**...
Emma	***Figurati****... Ci hai messo molto ad arrivare qui dall'aeroporto?*
Robert	È stato facilissimo, le tue istruzioni erano perfette, però ci è voluto molto per trovare un taxi.
Emma	*Vieni, andiamo nel mio ufficio, così ci facciamo portare un caffè.*
Robert	A un espresso non dico mai di no...

COMMENTO

Ciao: saluto informale.

Sono + Nome: per identificarsi informalmente.

Finalmente ci conosciamo di persona: per sottolineare il momento delle presentazioni fatte di persona.

Anche a me fa piacere conoscerti: risposta alle presentazioni fatte di persona. Anche: **Mi fa** (molto) **piacere conoscerti**.

Mi dispiace, sono in ritardo: per scusarsi di un ritardo.

Figurati: per minimizzare un problema. Anche: **Si figuri** (formale); in un rapporto formale è preferibile usare l'espressione solo se c'è una certa familiarità fra i parlanti; in caso contrario si preferirà dire: **Non è un problema**.

— Oggi ho conosciuto il nuovo direttore generale della ditta: è brillante, intelligente, pieno d'iniziativa, ha solo ventinove anni e le orecchie sporche.

ESERCIZIO 1

Quali sono le espressioni usate nei dialoghi A, B e C per:

1. identificarsi formalmente ____________________

2. chiedere l'identità di una persona ____________________

3. dare informazioni sulle proprie mansioni di lavoro ____________________

4. identificarsi informalmente ____________________

ESERCIZIO 2

Quali fra le espressioni seguenti è usata nei tre dialoghi per:

1. chiedere di aspettare
   a. L'annuncio subito
   b. Un momento, per favore

2. spiegare il motivo della visita
   a. Ho un appuntamento con Emma Viganò
   b. Ecco il mio biglietto da visita

3. verificare un dato
   a. È lei l'avvocato Randall?
   b. Mi dice il suo nome?

4. dare indicazioni su dove andare
   a. Venga, l'accompagno
   b. Lei viene da Sydney

ESERCIZIO 3

Lavorate in due. Leggete attentamente il dialogo A e ripetetelo fra voi.

ESERCIZIO 4

Ripetete fra voi il dialogo A con questa variante: la signora Viganò non è libera.

Frasi utili:

Mi dispiace...
È in riunione
Quando finisce la riunione?
Posso aspettare / Torno fra poco

ESERCIZIO 5

Presentati alle seguenti persone e dai informazioni sul tipo di lavoro che svolgi.

Es.: Alla segretaria della persona che devi incontrare (tu sei il consulente commerciale della ditta Rossi & C.).
Mi chiamo (...). Sono il consulente commerciale della ditta Rossi & C.

1. Al direttore di una società cliente della banca per la quale tu lavori (tu sei il vice-direttore della banca).

   ____

2. All'interprete che ti aiuterà durante una riunione d'affari (tu sei l'amministratore delegato della società Jovanovic).

   ____

3. Alla segretaria di una filiale estera della tua ditta (tu sei il segretario della dottoressa Rosati).

   ____

4. Al nuovo fattorino del servizio corriere che ritira la posta urgente del tuo ufficio (tu sei il centralinista).

   ____

— Abbiate la bontà di aspettare: non può ricevervi, in questo momento!

Presentare fra loro persone che non si conoscono

A) SITUAZIONE FORMALE

Il ragionier Valenti, che ha lavorato fino a qualche giorno fa al Credito Italiano di Roma, è appena arrivato alla filiale del Credito Italiano di Nuova Delhi, dove sta per prendere servizio.

Rag. Nayak	Ragionier Valenti, **lei conosce** già il nostro direttore?
Rag. Valenti	*Non ancora.*
Rag. Nayak	**Se permette, vorrei presentarglielo**.
Rag. Valenti	*Ma certo.*
Rag. Nayak	Dottor De Rossi, **posso presentarle** il ragionier Sergio Valenti, il nuovo responsabile dell'Ufficio portafoglio estero... ragionier Valenti, **il dottor** De Rossi, nostro direttore.
Dott. De Rossi	(Stretta di mano) **Molto piacere**. Siamo lieti di averla fra noi.
Rag. Valenti	***Il piacere è mio****.*
Dott. De Rossi	Venga, le mostro il suo ufficio.

COMMENTO

(**Lei**) **conosce...?** + (titolo) + Nome e Cognome: per informarsi sull'opportunità di presentare una persona ad un'altra, ma anche per presentare direttamente la persona.

Es.: **Lei conosce il dott. De Rossi? / Conosce Marco De Rossi?**

Se permette, vorrei presentarglielo: per offrirsi di presentare una persona ad un'altra persona. Anche: **Vorrei presentarle il nostro direttore.**

Posso presentarle... + (titolo) + Nome e Cognome: per presentare formalmente una persona ad un'altra persona.

Il dottor... + (Nome e) Cognome: per presentare una persona ad un'altra persona.

Es.: **La signora Maria Micheli / Il signor Ceresa / L'architetto Mauro Boldi / I signori Ballarin.**

Molto piacere: risposta alla presentazione (vedi prec.).

Il piacere è mio: replica alla risposta alla presentazione (vedi prec.).

— E' un tipo che non si lascia avvicinare facilmente...

B) SITUAZIONE FORMALE-INFORMALE: DAL "LEI" AL "TU"

Il rag. Nayak presenta al rag. Valenti il suo amico e collega rag. Pratesi. Fra i tre si stabilisce immediatamente un'atmosfera di informalità con la quale si passa dal "lei" (forma di cortesia) al "tu" (forma amichevole).

Rag. Pratesi Ma è già arrivato Valenti da Roma?
Rag. Nayak *Sì, **vieni che te lo presento**.*
Rag. Pratesi È lui che dirigerà l'Ufficio portafoglio estero?
Rag. Nayak *Sì. Ragionier Valenti, **questo è** un mio caro collega, il ragionier Romeo Pratesi. Romeo, **ti presento** Sergio Valenti, il nuovo responsabile dell'Ufficio portafoglio estero.*
Rag. Valenti *(Stretta di mano) **Piacere**, Sergio Valenti.*
Rag. Pratesi **Romeo Pratesi**. Lavoro all'Ufficio sviluppo. **Ma diamoci del tu**!
Rag. Valenti Beh, **direi di sì**.
Rag. Nayak *(Rivolto a Valenti) Allora, **io sono** "Stan" **per gli amici**...*
Rag. Valenti (Rivolto a Nayak) **E tu chiamami** Sergio...
Rag. Pratesi (Rivolto a Valenti) Sostituisci Martini?
Rag. Valenti Sì, lui è appena rientrato a Roma e vi manda i saluti.
Rag. Pratesi Ti sei già sistemato in albergo?
Rag. Valenti Sì, **sono all'hotel** Delhi.

COMMENTO

Vieni, che te lo presento: per offrirsi di presentare una persona ad un'altra persona di cui si è amici. Anche: **Vuoi conoscere?** + (titolo) + Nome e Cognome.

Questo è + (titolo) + Nome e Cognome: per presentare una persona ad un'altra persona.

Ti presento + (titolo) + Nome e Cognome: per presentare una persona ad un'altra persona.

Piacere, + Nome e Cognome: per presentarsi.

Romeo Pratesi: per presentarsi. Non è necessario dire "Piacere", basta anche dire nome e cognome (*situazioni formali* o *semi-formali*) o solo il nome (*situazioni informali*).

Ma diamoci del tu!: per richiedere ad una persona con cui c'è un contatto formale di stabilire un contatto informale. Anche:

Perché non ci diamo del tu?
Che ne diresti di darci del tu?
Permette (permetti) che ci diamo del tu?
Ti (le) andrebbe se ci dessimo del tu?

In Italia la consuetudine di "**darsi del tu**" è sempre più diffusa, specialmente fra giovani, coetanei e colleghi, fra persone del mondo dello spettacolo, ecc. In teoria il proporre di darsi del tu spetta alla donna se i parlanti sono di sesso opposto, o alla persona più anziana se i parlanti non sono coetanei, ma nella pratica gli italiani non seguono delle vere e proprie regole di etichetta e si affidano al loro intuito per cogliere il momento opportuno per passare al "**tu**".
Per uno straniero che parla una lingua nella quale non esiste la differenza fra il "**darsi del lei**" e il "**darsi del tu**", è consigliabile aspettare che sia la persona italiana a proporre per prima passare al "**tu**"; spesso infatti lo straniero ha bisogno di tempo per coltivare quello speciale intuito attraverso il contatto con la cultura ospite, e in ogni caso in Italia è socialmente più accettabile l'essere formali che non l'essere troppo precipitosamente informali.

Lo stesso vale per la tendenza, comune in alcune culture, a cominciare a **chiamare per nome** una persona con cui c'è invece un rapporto di lavoro o sociale ancora abbastanza formale: anche in questo caso lo straniero dovrebbe evitare forzature e aspettare che l'iniziativa venga dall'altra persona. C'è anche uno stadio intermedio in cui le persone, pur dandosi del "**lei**", si chiamano per nome di battesimo.

Direi di sì: per accettare di darsi del tu. Anche:

Ma certo
Con piacere
Volevo proportelo anch'io

Io sono + Nome **per gli amici**: per indicare come si desidera essere chiamati in una situazione informale.

E tu chiamami + Nome: replica, idem.

Sono all'hotel...: per dare altre informazioni su di sé.

C) SITUAZIONE INFORMALE

Sergio Valenti e Stanley Nayak sono divenuti buoni colleghi e amici.
Stanley ha invitato Sergio a pranzo a casa sua, per fargli conoscere la sua famiglia.

Stanley Sergio, **ti presento** mia moglie Shanti. Shanti, **questo è** Sergio.
Sergio *(Stretta di mano) Piacere. Stanley mi ha molto parlato di te.*
Shanti **Ciao** Sergio, benvenuto nella nostra casa.
Stanley E questi sono Elias, il nostro primogenito, e Sasoona, la secondogenita.
Sergio *Ciao!*
Elias e Sasoona Ciao...
Shanti Ti piace Nuova Delhi?
Sergio *È bellissima. Tu sei nata qui?...*

COMMENTO

Ti presento + Nome: per presentare abbastanza informalmente una persona ad un'altra persona.

Questo è + Nome: idem.

Ciao: risposta informale alla presentazione. Si può anche semplicemente dire il proprio nome.

Es.: Ciao / Shanti.

PRESENTARSI	RISPONDERE ALLA PRESENTAZIONE
FORMALMENTE	
Sono + (titolo) + Nome e Cognome Sono l'avvocato Robert Randall Sono Robert Randall	Piacere/Molto piacere + proprio (Nome e) Cognome Piacere, Silvana De Masi Piacere, De Masi
Mi chiamo + Nome e Cognome Mi chiamo Robert Randall	
INFORMALMENTE	
Sono + Nome Sono Robert	(Piacere) + proprio Nome Piacere, Emma Emma
Mi chiamo + Nome Mi chiamo Margaretha	

DARSI DEL "TU"

PERSONA A	PERSONA B
Diamoci del tu...	Ma certo...
Le/Ti andrebbe di darci del tu?	Con piacere
Lei permette/Permetti che ci diamo del tu?	Volevo proportelo anch'io...

PRESENTARE UNA PERSONA AD UN'ALTRA	RISPONDERE ALLA PRESENTAZIONE
FORMALMENTE	
PERSONA A	PERSONA B
Posso presentarle + (titolo) + (Nome e) Cognome Dottor De Rossi, posso presentarle il ragionier Valenti…	Piacere / Molto piacere
Questo/a è + (titolo) + (Nome e) Cognome Ragionier Valenti, questo è il dottor Marco De Rossi, nostro direttore…	
Conosce? + (titolo) + (Nome e) Cognome Conosce il dottor De Rossi? Conosce il ragionier Valenti?	PERSONA C
Titolo + (Nome e) Cognome Il dottor De Rossi Il ragionier Sergio Valenti	Piacere / Molto piacere / Il piacere è mio

PRESENTARE UNA PERSONA AD UN'ALTRA	RISPONDERE ALLA PRESENTAZIONE
INFORMALMENTE	
PERSONA A	PERSONA B
Ti presento + Nome/Cognome Sergio, ti presento Shanti	(Piacere) + Proprio nome Piacere, Sergio Sergio Ciao
Questo/a è + Nome/Cognome Shanti, questo è Sergio	
	PERSONA C
Conosci? + (Nome e) Cognome Conosci (mia moglie) Shanti? Conosci (il mio collega) Sergio?	(Piacere) + Proprio nome Piacere, Shanti Shanti Ciao

Dare informazioni su di sé

Sono delle Assicurazioni Prudential
Lavoro per l'Interexport
Mi occupo di assicurazioni
Sono responsabile dell'Ufficio portafoglio estero
Sono la direttrice dell'Ufficio contabilità
Ecco il mio biglietto da visita
Sono all'hotel Delhi

Dare informazioni su una persona

Si occupa di contabilità
Lavora per la I.M.B.
È il nuovo/la nuova responsabile dell'Ufficio vendite
Il nostro direttore
Il mio amico
La mia collega
Il mio segretario/La mia segretaria
Il mio nuovo/la mia nuova assistente

ESERCIZIO 6

Suggerisci alle seguenti persone di passare all'uso del "tu":

1. A un amico di un tuo collega.
   Wolfgang, che ne ______________________________?
2. Alla signora Ramirez, una cliente con la quale hai un rapporto ancora abbastanza formale.
   Signora Ramirez, le andrebbe ______________________________?
3. Alla tua nuova segretaria.
   Jutta, perché ______________________________?
4. All'avvocato Christine Braunizer, legale della tua ditta.
   Christine, permette ______________________________?

ESERCIZIO 7

Lavorate in gruppi di tre. Presenta fra loro le persone indicate.

Il signor Luis Eberle, di Rio de Janeiro, direttore delle vendite presso la ditta Lopez (tu hai con lui un rapporto formale), e:

1. Il direttore generale della tua ditta.

   Signor Eberle, le presento ______________, il nostro ______________
   Ingegner Bianchi, posso presentarle ______________
   della ______________.

2. Un tuo socio in affari.

   Signor Eberle, conosce ______________, il mio ______________?
   Stelios, questo è ______________, è il ______________
   della ______________.

3. La tua segretaria.

   Signor Eberle, questa è ______________, la mia ______________
   Judy, il ______________, di ______________

ESERCIZIO 8

Lavorate in gruppi di tre. Presenta fra loro le persone indicate.

L'architetto industriale Irina Antonova di Kiev, responsabile dell'Ufficio ricerca delle Officine siderurgiche Dniepr (tu hai con lei un rapporto informale), e:

1. L'interprete della vostra ditta.

   Irina, ______________ il signor ______________, nostro
   ______________. Signor Ivanov, ______________
   responsabile ______________ delle ______________

2. Tuo marito/ tua moglie.

   Irina, ______________, mio marito. Carlo, ______________
   la mia collega di ______________ che lavora per ______________

3. Il tuo capufficio.

   Ingegner Ossola, ______________
   ______________ dell'Ufficio ricerca delle ______________ di ______________
   Irina, ______________ il mio capufficio, l' ______________ Ossola.

CULTURA D'AZIENDA

IL LINGUAGGIO DELLO SPAZIO *

Il modo in cui usiamo lo spazio è un'altra delle nostre maniere di comunicare: infatti la distanza che c'è fra due persone può determinare la natura della comunicazione che intercorre fra loro (...).

C'è una differenza culturale nel modo in cui ci posizioniamo in uno spazio formale — come ad esempio un ufficio. È facile che un europeo metta la propria scrivania al centro della stanza, da dove emana l'autorità, e di chi sta in una zona centrale si penserà: "Quella è una persona importante". Gli americani, invece, tendono a distribuire il loro spazio di lavoro intorno alle pareti della stanza, lasciando libero il centro per i movimenti e per i contatti casuali. Un altro modo con cui gli americani comunicano attraverso l'uso dello spazio è quello della grandezza e della verticalità; molto spesso le dimensioni di un ufficio "diranno" qual è l'importanza della persona che lo occupa; allo stesso modo, nel caso di molte imprese e di uffici e dipartimenti governativi, la distanza verticale fra il piano terra e un ufficio può stare ad indicare l'importanza di chi lo occupa. Di solito gli uffici dei dirigenti si trovano in cima all'edificio o quasi. Inoltre, occupare un'ampia stanza all'ultimo piano non solo "dice" molto sulla persona che la occupa, ma determina anche, in parte, il tipo di comunicazione che può aver luogo con quella persona (...).

Lo spazio privato posseduto da ciascuno di noi viene talvolta definito "territorialità": è come se andassimo in giro circondati da una bolla di plastica. Quando questo spazio viene violato — cioè quando qualcuno "si avvicina troppo" — ci può accadere di diventare tesi o perfino ostili, e questo influenza la natura della comunicazione che può realizzarsi. La maggior parte degli americani e degli inglesi preferiscono mantenere una certa distanza mentre discorrono, cioè si sentono più a loro agio se viene mantenuto un certo spazio fra loro e gli altri. Sembrerebbe invece che i popoli latini si trovino bene restando a minor distanza fra loro. Si può ben immaginare una situazione in cui una persona di discendenza latina stia parlando con un americano, mentre quest'ultimo, per mantenere la sua "giusta" distanza, non fa che indietreggiare fino in fondo ad un lungo corridoio (...).

Quando ci troviamo di fronte a un'altra persona è bene ricordare che è circondata dalla sua bolla di plastica e che invadere il suo territorio avvicinandosi troppo equivale probabilmente a compromettere la nostra capacità di comunicare (...). Viaggiando sempre di più o avendo rapporti d'affari con persone di altre culture è bene ricordarsi che la gente nota e dà importanza a cose che per noi possono non essere ovvie o rilevanti.

---

* Don Fabun, *Communications. The Transfer of Meaning*, The Glencoe Press, Beverly Hills, 1968, p. 23-25. Ns. trad.

ESERCIZIO 9

Quali delle seguenti affermazioni è vera o falsa? V F

1. In Italia la gente si dà la mano molto spesso, anche in situazioni formali. [ ] [ ]
2. È meglio aspettare che sia un italiano a suggerire per primo di darsi del "tu". [ ] [ ]
3. Agli italiani piace sentirsi chiamare per nome, anche da una persona che non conoscono bene. [ ] [ ]
4. Fra italiani è normale camminare "a braccetto", anche fra persone dello stesso sesso. [ ] [ ]
5. Gli italiani hanno un forte senso della territorialità e quando si parla con loro bisogna mantenersi fisicamente a distanza. [ ] [ ]
6. Fra amici che si salutano in Italia è d'abitudine darsi due baci sulle guance. [ ] [ ]

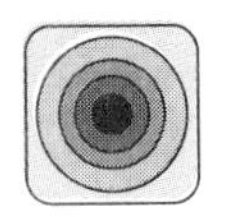

GRAMMATICA

SOSTANTIVI MASCHILI IN -E	
Dottor**e**	Dottor Bianchi
Professor**e**	Professor Rossi
Ingegner**e**	Ingegner Neri
Signor**e**	Signor Verdi

* La vocale - **e** cade se il sostantivo è seguito dal cognome a cui si riferisce.

UNITÀ

7 APPUNTAMENTI D'AFFARI

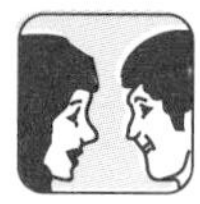

LINGUA

Fissare appuntamenti per lettera e per telefono

Telefonare

Lasciare e raccogliere messaggi telefonici

Dare direttive al personale

CORRISPONDENZA

Richiedere, concedere e confermare appuntamenti d'affari

CULTURA D'AZIENDA

Orari più indicati per appuntamenti d'affari

Puntualità

Festività e ferie

Banche dati internazionali

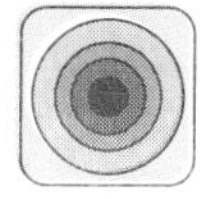

GRAMMATICA

Il verbo "fare" + infinito

Pronomi personali combinati

Richiedere appuntamenti

La signora Amparo Garcia scrive ad un'impresa italiana per richiedere un appuntamento.

I.P.C.E. ** I.P.C.E. ** I.P.C.E. ** I.P.C.E.

Rua Oscura 12
Santander
(042) 34.56.78

Santander, 12 febbraio 19...

All'attenzione del Sig. Mancini

Italricambi
Viale Cristoforo Colombo, 3
16100 Genova
Italia

Egregio Signor Mancini,

Nel ringraziarLa del Suo recente invio di un catalogo, che abbiamo attentamente esaminato, Le comunico che i Vostri prodotti ci interessano e che gradirei poter assistere ad una dimostrazione.

Colgo l'occasione di un mio prossimo viaggio d'affari a Genova durante la seconda metà di **marzo per chiederLe** cortesemente **di fissarmi un appuntamento**. Se fosse possibile, **suggerirei di incontrarci il** 21 marzo.

Le sarei grata di volermi comunicare al più presto **se la data** Le **risulta conveniente**.

Gradisca frattanto i miei migliori saluti.

Amparo Garcia
Direttore Ufficio Vendite

COMMENTO

Colgo l'occasione: per introdurre la richiesta di appuntamento.

Marzo: nel prendere appuntamenti d'affari in Italia bisogna tener conto delle **festività** e delle **ferie estive**. Il mese di agosto è in genere dedicato alle ferie, quindi è sconsigliabile fare affidamento su questo periodo per impegni d'affari. È utile informarsi anche sul calendario di chiusura di un'impresa per le feste di Natale e Pasqua, che può variare da due a vari giorni. In genere le ferie sono considerate sacre, in Italia, perfino al Parlamento e alla Camera dei deputati (tempo fa fu creata dalla stampa l'arguta espressione di "**governo balneare**", per indicare un governo convocato rapidamente, dopo una crisi di governo accaduta durante l'estate, allo scopo di permettere alla cosiddetta "classe politica" di godersi le ferie in pace).

Ecco un elenco delle **principali festività**, durante le quali negozi e uffici sono chiusi:

1 gennaio (Capodanno)
6 gennaio (Epifania)
Pasqua
Pasquetta (Lunedì di Pasqua, che la gente celebra facendo scampagnate)
25 aprile (Liberazione)
1 maggio (Festa dei lavoratori)
15 agosto (Assunzione di Maria. Questo giorno è chiamato "Ferragosto" e segna l'inizio dei rientri dalle ferie)
1 novembre (Tutti i Santi)
8 dicembre (Immacolata Concezione)
25 dicembre (Natale)
26 dicembre (Santo Stefano)

Da ricordare anche le feste dei **patroni** di ogni città, ad es.: 24 giugno (San Giovanni Battista a Torino, Genova e Firenze), 29 giugno (SS. Pietro e Paolo a Roma), 19 settembre (San Gennaro a Napoli), 4 ottobre (San Petronio a Bologna), 7 dicembre (Sant'Ambrogio a Milano), ecc. Altra consuetudine è quella di "**fare il ponte**", cioè non andare al lavoro nei giorni intermedi tra una festività e il fine settimana.

Per chiederLe... **di fissarmi un appuntamento**: per richiedere un appuntamento. Dopo averlo fissato, si può **spostare** / **rimandare** / **posticipare** / **anticipare** un appuntamento.

Sarebbe possibile	posticipare anticipare spostare rimandare	l'appuntamento al 30 marzo?

Suggerirei di incontrarci il: per proporre una data.

Le sarei grato / a di volermi comunicare... se la data... risulta conveniente: per chiedere conferma della data proposta.

— Prima di spiegarvi perché vi ho chiesto un appuntamento, potreste prestarmi una monetina per il parchimetro?

Concedere appuntamenti

Il signor Mancini risponde alla signora Garcia: le concede un appuntamento e la prega di confermare la sua intenzione di fargli visita.

Italricambi
S.p.A.
Tel. (010) 88.56.92

Viale Cristoforo Colombo, 12
16100 Genova
Telex 45021 ITRBI GE

Genova, 23 febbraio 19..

All'attenzione della Sig.ra Garcia

Spett.le Ufficio Vendite
I.P.C.E.
Rua Oscura, 12
Santander
Spagna

Egregia Signora Garcia,

In riferimento alla Sua cortese lettera del 12 febbraio u.s., **Le do conferma della** nostra piena disponibilità ad effettuare una dimostrazione delle nostre apparecchiature durante la Sua visita a Genova il 21 marzo prossimo.

Le propongo di incontrarci presso gli uffici della Direzione **alle ore 11.30**. **Le sarei grato di volerci confermare** l'appuntamento appena possibile.

Con i migliori saluti.

IL DIRETTORE
Romeo Mancini

COMMENTO

Le do conferma di: per confermare qualcosa. Anche: **Le confermo che**.

Le propongo di incontrarci presso: per proporre un luogo d'incontro.

Alle ore 11.30: l'orario più indicato per fissare appuntamenti d'affari in Italia è dalle 10.00 alle 12.00 di mattina, e dopo le 15.00, perché molti uffici rispettano la tradizionale pausa per il pranzo. Poiché non tutti gli uffici applicano l'**orario continuato**, è facile poter incontrare in ufficio persone, specialmente a livello esecutivo, anche tra le 17.00 e le 19.00. I pranzi d'affari di solito vengono programmati in anticipo. Se si desidera **invitare a cena** una persona con cui si hanno regolari rapporti d'affari, è opportuno estendere l'invito anche al coniuge, e fare della serata un'occasione sociale. Questa è la lista degli **orari di apertura più comuni**:

Uffici commerciali
Gli orari variano leggermente a seconda del luogo. Nell'Italia settentrionale sono pressappoco i seguenti:
dalle 8.30 alle 12.30 e dalle 15.00 alle 17.30 dal lunedì al venerdì;
dalle 8.30 alle 12.30 il sabato.
Nell'Italia centrale e meridionale sono pressappoco i seguenti:
dalle 8.30 alle 12.30 e dalle 16.30-17.00 alle 20.00 dal lunedì al venerdì;
dalle 8.30 alle 12.30 il sabato.

Uffici pubblici
Di solito sono aperti al pubblico dalle 8.30 alle 13.30 dal lunedì al venerdì. A volte è possibile ottenere informazioni anche telefonando nel pomeriggio.

Negozi
Gli orari dei negozi variano sensibilmente da regione a regione o anche da città a paese, ma in generale corrispondono agli orari d'ufficio della zona. È possibile che certi negozi restino aperti di meno al pomeriggio che alla mattina, ad es. dalle 17.00-17.30 alle 19.30-20.00.
Di solito il lunedì sono chiusi parrucchieri, negozi di abbigliamento, profumerie e cartolerie, ma non c'è una vera e propria regola fissa. Spesso i negozi di generi alimentari, inclusi i supermercati, hanno una mezza giornata di chiusura infra-settimanale.

Banche
Hanno in genere i seguenti orari: dalle 8.30 alle 13.45 e dalle 14.45 alle 15.45 circa (solo alcune banche riaprono il pomeriggio). Sabato chiusura.

Le sarei grato di volerci confermare: per chiedere conferma.

Confermare appuntamenti

La signora Garcia conferma l'appuntamento.

I.P.C.E. ** I.P.C.E. ** I.P.C.E. ** I.P.C.E.

Rua Oscura, 12
Santander
(042) 34.56.78

Santander, 1 marzo 19..

Egr. Sig. Romeo Mancini
Italricambi
Viale Cristoforo Colombo, 3
16100 Genova
Italia

Egregio Signor Mancini,

Con riferimento alla Sua lettera del 23 febbraio scorso, **ho il piacere di confermarLe che** la data e l'**ora dell'appuntamento** coincidono con i miei impegni.

Nell'attesa di incontrarLa, La prego di gradire i miei migliori saluti.

Amparo Garcia
Direttore Ufficio Vendite

COMMENTO

Ho il piacere di confermarLe che: per confermare qualcosa (lingua scritta).

L'ora dell'appuntamento: in genere gli uomini e donne d'affari italiani rispettano la **puntualità** e la considerano un segno positivo. Invece nella vita sociale, al di fuori della cultura d'azienda, arrivare con un po' di ritardo a cene, feste, o rinfreschi è considerato perfettamente normale.

Nell'attesa di incontrarLa: frase di chiusura riferita all'appuntamento.

ESERCIZIO 1

Completa la seguente lettera.

__________Dott. ___________ ,
In ___________alla Sua lettera del 15 luglio ___________, vorrei richiederLe un ___________ per il 3 settembre prossimo.
Con l'occasione, potremo ___________del progetto di joint venture che abbiamo lanciato durante il Suo recente ___________a New York.
La prego di volermi ___________al più presto se la ___________Le risulta conveniente.
Con i ___________saluti.

ESERCIZIO 2

Lavorate in due. Prendete a modello la lettera del sig. Mancini datata 23 febbraio e trasformatela in un dialogo telefonico, passando dal linguaggio della corrispondenza commerciale al linguaggio parlato.

Sig.ra Garcia — Pronto.
Sig. Mancini — Buongiorno signora Garcia, sono ______________________________

____

Sig.ra Garcia — Ah, buongiorno. Ha ricevuto la mia lettera?
Sig. Mancini — Certo. Le telefono per ______________________________

____

Sig.ra Garcia — Quando possiamo incontrarci?
Sig. Mancini — Le propongo ______________________________

____

Sig.ra Garcia — Sì, certo. Mi va bene. Ci sarà qualcuno ad incontrarmi all'aeroporto?
Sig. Mancini — Le manderò______________________________?

Sig.ra Garcia — Molto bene, grazie. Arrivederla.
Sig. Mancini — ______________________________

ESERCIZIO 3

Scrivi una breve lettera per confermare l'appuntamento che ti è stato dato per il 13 maggio a Bruxelles dal signor Alfred Delhez. Chiedi se è possibile mandare un'auto a prenderti alla stazione.

Telefonare

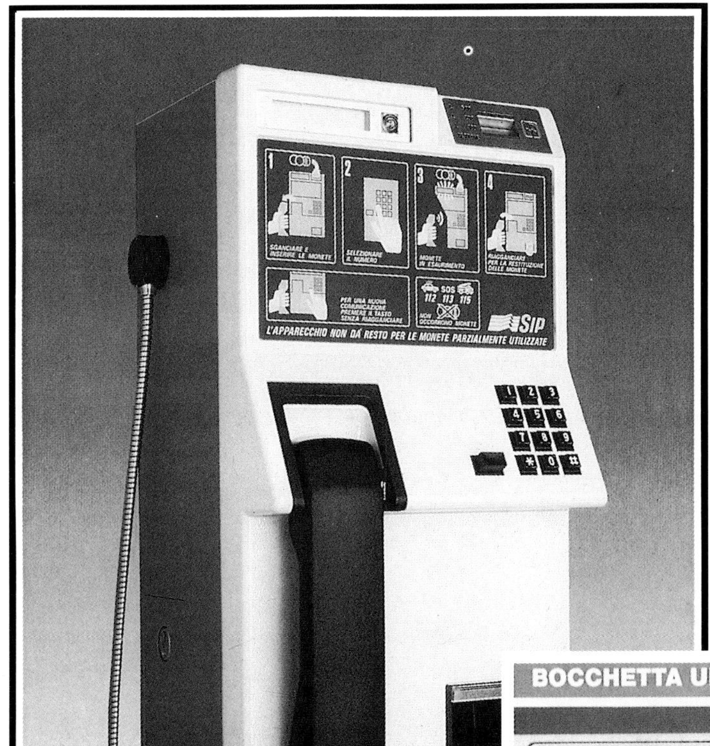

BOCCHETTA UNICA DI INTRODUZIONE MONETE

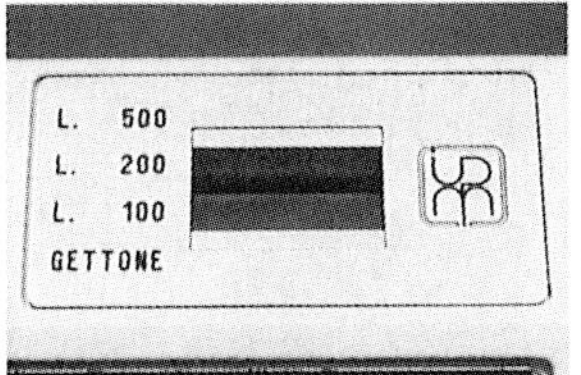

La bocchetta unica di introduzione delle monete accetta 6 tipi di pezzi (5 monete + gettone). Attualmente riconosce le 100, 200 e 500 lire; le due possibilità rimanenti saranno dedicate alle monete di nuovo conio. Le monete non utilizzate vengono automaticamente restituite al riaggancio.

DISPLAY

Il display visualizza il numero telefonico chiamato, il valore delle monete introdotte ed il loro consumo durante la telefonata.

LE CHIAMATE DI EMERGENZA SONO GRATUITE

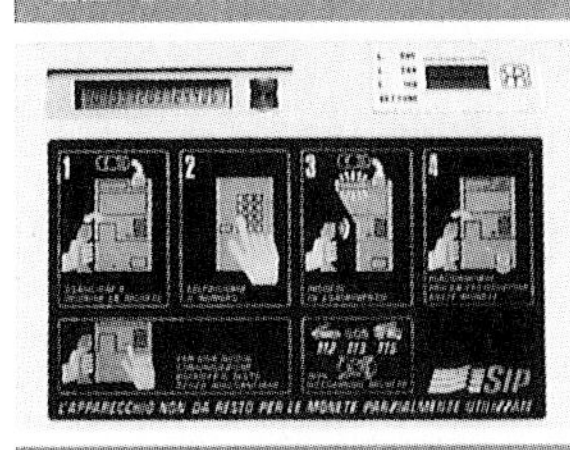

Le chiamate di emergenza sono gratuite. Ecco i numeri SOS: 112 Polizia, 113 Carabinieri, 115 Vigili del Fuoco e, di prossima attivazione, 117 Protezione Civile e 118 Assistenza Ospedaliera. Le telefonate possono effettuarsi anche se l'apparecchio è in condizioni di parziale fuori servizio.

IL TASTO DI RIPRESA DELLA LINEA

Il tasto di ripresa della linea consente senza riagganciare, di effettuare una ulteriore conversazione riutilizzando eventuale credito residuo non recuperabile.

SCHEDA N. 1

COSA MI SERVE PER TELEFONARE DA UN TELEFONO PUBBLICO?
Ti servono monete o gettoni, oppure una carta telefonica.

DOVE POSSO COMPRARE UNA CARTA TELEFONICA?
In tabaccheria, dal giornalaio, nei bar, presso gli uffici SIP, o ai distributori automatici.

DOVE POSSO COMPRARE I GETTONI?
Nei negozi dove c'è un telefono a gettoni, o negli uffici SIP.

QUALI MONETE POSSO USARE PER TELEFONARE?
Monete da 100, 200 e 500 lire.

SCHEDA N. 2

COSA DEVO FARE PER:

- — usare la mia carta di credito telefonica?
- — telefonare "collect"?
- — sapere quanto costerà la telefonata?

Devi telefonare alla SIP.
Chiama il numero 15 se devi telefonare in Europa, il numero 170 per telefonare in altri continenti.
Oppure usa il servizio "Countrydirect" (vedi illustrazione).

SERVIZI TELEFONICI INTERNAZIONALI

SERVIZIO TRAMITE OPERATORE

15

OPERATOR - ASSISTED SERVICE
SERVICE PAR OPERATEUR
TELEFONDIENST DURCH VERMITTLUNG
SERVICIO A TRAVES DE OPERADOR

OLTRE A COLLEGARE TRAMITE OPERATORE TUTTI GLI STATI EUROPEI E DEL BACINO DEL MEDITERRANEO, OFFRE I SEGUENTI SERVIZI PARTICOLARI:

COMUNICAZIONI SPECIALI

CALLS - APPELS - GESPRÄCHE - LLAMADAS

URGENTI: Urgent - Urgents - Eilig - Urgentes
sono quelle che, a richiesta dell'utente, hanno priorità di espletamento sulle altre comunicazioni.

PERSONALI: Personal - Personnels - Mit Personenrufdienst - Personales
sono quelle richieste da utenti che chiedono di essere collegati al numero desiderato con una determinata persona o con un interno.

CON NOTIFICA DI DURATA E DI ADDEBITO: Duration and charges - Durée et coût - Gesprachsdauer und Kosten - Duración y costo
l'utente, all'atto della prenotazione, può chiedere che gli vengano successivamente notificati la durata e l'addebito della comunicazione effettuata.

CON ADDEBITO SU CARTA DI CREDITO TELEFONICA: Credit card - Carte de crédit - Mit Kreditkarte - Tarjeta de crédito
sono quelle richieste da possessori di carte di credito telefoniche, rilasciate dalla SIP e da amministrazioni o concessionarie estere, con addebito della conversazione a carico dell'intestatario della carta di credito telefonica.

CON PAGAMENTO A DESTINAZIONE («R»): Collect - PCV - Auf Empfängerrechnung - Cobro revertido
sono quelle richieste con pagamento della comunicazione a carico dell'utente chiamato. In tal caso il richiedente sarà collegato non appena l'operatore telefonico avrà ottenuto conferma di accettazione del pagamento da parte del richiesto. La tassazione avviene sulla base delle tariffe previste per tale servizio nello stato di destinazione. Allo stesso modo all'utente italiano può pervenire direttamente da un operatore di un paese estero richiesta di accettazione a sostenere il pagamento di una comunicazione telefonica per la quale viene indicata città di provenienza e utente chiamante. Avuta l'accettazione, l'operatore estero mette direttamente in comunicazione l'utente estero chiamante e l'utente italiano. L'addebito a quest'ultimo viene fatto in Italia su richiesta del gestore estero creditore dell'importo.
Da alcuni posti telefonici pubblici è possibile ottenere comunicazioni pagabili all'arrivo chiamando direttamente l'operatore estero del paese di destinazione (servizio «direct» uscente).

CON MEZZI IN NAVIGAZIONE (Servizio radiomobile marittimo): Ships at sea - Navires en navigation - Schiffen auf See - Barcos en navegatión
consente il collegamento con mezzi mobili marittimi in navigazione in tutto il mondo tramite satellite INMARSAT (se la nave dispone delle necessarie apparecchiature) o tramite Stazione Radiocostiera, con tariffazione differente.

CON MEZZI TERRESTRI (Servizio radiomobile terrestre): Mobilephone service - Service de radiotéléphone - Mobilfunkdienst - Servicios móviles
consente il collegamento con mezzi radiomobili terrestri in ambito internazionale, tramite operatore.

SERVIZI TELEFONICI INTERCONTINENTALI

SERVIZIO TRAMITE OPERATORE

170

OPERATOR - ASSISTED SERVICE
SERVICE PAR OPERATEUR
TELEFONDIENST DURCH VERMITTLUNG
SERVICIO A TRAVES DE OPERADOR

IL **170**, OLTRE A COLLEGARE TRAMITE OPERATORE TUTTI GLI STATI EXTRAEUROPEI (VEDI TABELLA A PAGINA SEGUENTE), OFFRE I SEGUENTI SERVIZI PARTICOLARI:

INFORMAZIONI GRATUITE

FREE INFORMATION
INFORMATIONS GRATUITES
GRATISAUSKÜNFTE
INFORMACIONES GRATUITAS:

- Tariffe e relativi orari di applicazione.
- Indicativi (prefissi) di Stati extraeuropei.
- Elenco abbonati extraeuropei.
- Durata e costo delle conversazioni effettuate attraverso il **170**

— **Rates - Country and area codes - Directory assistance - Duration and charges**
— Tarifs - Indicatifs nationaux et interurbains Annuaires téléphoniques - Durée et coût
— **Tarife - Internationale Vorwählnummern Aussereuropäische Telefonbücher - Gesprächsdauer und Kosten**
— **Tarifas - Indicativos nacionales e interurbanos Guias abonados - Duración y costo**

CHIAMATE PERSONALI

- Personnels - Mit Personenrufdienst - **Personales**

Per essere collegati con una determinata persona o con un numero telefonico interno. La tassazione decorre dal momento in cui la persona richiesta o l'interno sono in linea.

CHIAMATE CON ADDEBITO SU CARTA DI CREDITO

Credit card - Carte de credit - Mit Kreditkarte - **Tarjeta de crédito**

Per addebitare il costo della conversazione al titolare della carta di credito telefonica rilasciata dalla SIP e da Amministrazioni o Concessionarie estere.

CHIAMATE CON PAGAMENTO A DESTINAZIONE

- PCV - Auf Empfängerrechnung - **Cobro revertido**

Per addebitare il costo della conversazione all'utente chiamato. Per gli Stati Uniti è ammesso l'addebito anche a carico di un numero diverso da quello richiesto. La tassazione decorre dal momento in cui il destinatario accetta il pagamento e viene messo in collegamento con il chiamante. Le tariffe sono quelle applicate nel Paese di destinazione.

VIP INTERNAZIONALE

Prima di un viaggio all'estero è possibile prenotare, tramite il **170**, una serie di appuntamenti telefonici. L'assistente Italcable raggiungerà il Cliente in qualunque parte del mondo, nell'ora e nel luogo stabilito. In quell'occasione il Cliente potrà essere collegato con chi desidera: la famiglia, l'ufficio, ecc. Il costo delle telefonate verrà addebitato in Italia al numero telefonico specificato dal cliente. Il servizio è a disposizione 24 ore al giorno.

TRADUZIONE IN LINEA

Questo servizio consente di avvalersi dell'assistenza di un interprete per la traduzione istantanea di conversazioni telefoniche dirette in qualunque paese estero. Le traduzioni vengono effettuate in lingua inglese, francese, tedesca ed araba. È sufficiente telefonare al **170** e richiedere una traduzione in linea. Il servizio è disponibile dalle 08,00 alle 21,00, dal lunedì al venerdì.

L'operatore Italcable può essere chiamato anche dall'estero con:

ITALYDIRECT

Il servizio è disponibile da 13 Paesi extraeuropei dai quali è possibile raggiungere direttamente l'operatore in Italia ed ottenere immediatamente il collegamento con il numero e la persona richiesti. Il costo della conversazione viene addebitato al numero telefonico chiamato, alle normali tariffe vigenti in Italia.

Per raggiungere l'operatore Italcable

da:	
AUSTRALIA	0014 881 390
BRASILE (1)	00080 39
CANADA	1 800 363 4039
COREA DEL SUD (2)	009 39
GIAPPONE	0039 391
HONG KONG	008 1391
INDONESIA (1)	00 801 39
MESSICO (3)	—
SINGAPORE	800 3900
STATI UNITI	
via AT&T	1 800 543 7662
via MCI	1 800 234 8259

selezionare il numero sopra indicato da qualsiasi apparecchio telefonico;
da: ARGENTINA
CINA POPOLARE
THAILANDIA

premere il tasto ITALYDIRECT dai telefoni speciali che si trovano negli aeroporti, alberghi, luoghi di interesse turistico e nei centri telefonici pubblici.

(1) Solo dai telefoni privati
(2) Solo dai telefoni pubblici, invece premere il tasto rosso selezionare il numero 20 seguito dal tasto asterisco (20*).
(3) Solo dai telefoni pubblici di Città del Messico, Acapulco, Cancun, Ixtapa e Puerto Vallarta.
Premere due volte il tasto asterisco seguito dal numero 1. (**17)

COUNTRYDIRECT

When in Italy, feel at home with COUNTRYDIRECT service.

Dial 172 1061 for Australia
172 1055 for Brazil
172 1001 for Canada
172 1062 for Indonesia
172 1081 for Japan
172 1011 for U.S.A. (AT & T)
172 1022 for U.S.A. (MCI)

and place your collect or calling card call with your operator in your own language. The service is available from major Italian cities. Hotels and shops exhibiting COUNTRY-DIRECT logo, will be pleased to let you call «Direct» at no extra charges, from their telephone sets.

MAGGIORI INFORMAZIONI E MATERIALE ILLUSTRATIVO SUI SERVIZI OFFERTI POSSONO ESSERE RICHIESTI AL NUMERO VERDE ITALCABLE

IL RICORSO A TALE NUMERO DA QUALSIASI PARTE DEL TERRITORIO NAZIONALE È COMPLETAMENTE GRATUITO

SCHEDA N. 3

DOVE POSSO CERCARE UN NUMERO DI TELEFONO?

Devi consultare un elenco telefonico (guida telefonica), che indica gli abbonati in ordine alfabetico;

BIANCHI Aldo, 19 v. Milano ---------- **934766**
BIANCHI & VERDI (s.r.l.) Ricambi Auto
30 v. Volta ---------- **935776**
ROSSI Mario, 219 v. Po ---------- **935371**
SOCIETÀ COSTRUZIONI MECCANICHE (P.A.)
42 v. Dante ---------- **931241**
VERDI Giovanni, Panetteria, Pasticceria
120 v. Garibaldi ---------- **933152**

oppure

puoi consultare le "Pagine Gialle" (elenco telefonico per categorie), che indica gli abbonati per categorie di servizi, attività, eccetera;

oppure

puoi telefonare al servizio informazioni SIP:

chiama il numero 12 se l'abbonato è in Italia,
il numero 176 se l'abbonato è in Europa
o nel bacino del Mediterraneo,
il numero 170 se l'abbonato è in altri continenti.

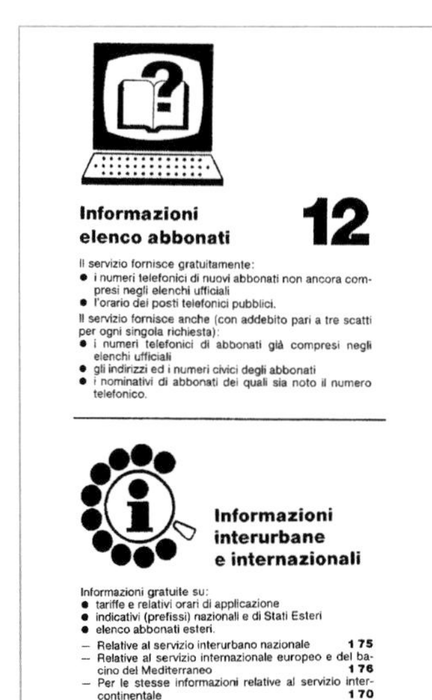

Informazioni elenco abbonati **12**

Il servizio fornisce gratuitamente:
- i numeri telefonici di nuovi abbonati non ancora compresi negli elenchi ufficiali
- l'orario dei posti telefonici pubblici.

Il servizio fornisce anche (con addebito pari a tre scatti per ogni singola richiesta):
- i numeri telefonici di abbonati già compresi negli elenchi ufficiali
- gli indirizzi ed i numeri civici degli abbonati
- i nominativi di abbonati dei quali sia noto il numero telefonico.

Informazioni interurbane e internazionali

Informazioni gratuite su:
- tariffe e relativi orari di applicazione
- indicativi (prefissi) nazionali e di Stati Esteri
- elenco abbonati esteri.

— Relative al servizio interurbano nazionale **175**
— Relative al servizio internazionale europeo e del bacino del Mediterraneo **176**
— Per le stesse informazioni relative al servizio intercontinentale **170**

TAXI

ABBADIA SAN SALVATORE (SI) 0577
PINZUTI R. 75 v. Esasseta ---------- **77 93 42**

BIBBIENA (AR) 0575
BENVENUTI S. 3 v. Fiorentina - Soci -- **56 00 37**

CHIANCIANO TERME (SI) 0578
TAXI
p. Italia ---------- **6 39 89**
v. Roma ---------- **6 31 75**
TAXI v. Baccelli ---------- **6 02 60**

CHIUSI (SI) 0578
COOPERATIVA TASSISTI CHIUSI
p. Dante ---------- **22 72 79**
TAXI p. Dante - Chiusi Stazione ---------- **2 01 78**

"Può dirmi il numero della ditta Rossi & C. di Verona?"

"Per favore può darmi il numero del professor Carlo Bianchi di Milano?"

I prefissi telefonici dei Capoluoghi di provincia

0922	Agrigento	090	Messina
0131	Alessandria	02	Milano
071	Ancona	059	Modena
0165	Aosta	081	Napoli
0575	Arezzo	0321	Novara
0736	Ascoli Pic.	0784	Nuoro
0141	Asti	0783	Oristano
0825	Avellino	049	Padova
080	Bari	091	Palermo
0437	Belluno	0521	Parma
0824	Benevento	0382	Pavia
035	Bergamo	075	Perugia
051	Bologna	0721	Pesaro
0471	Bolzano	085	Pescara
030	Brescia	0523	Piacenza
0831	Brindisi	050	Pisa
070	Cagliari	0573	Pistoia
0934	Caltanissetta	0434	Pordenone
0874	Campobasso	0971	Potenza
0823	Caserta	0932	Ragusa
095	Catania	0544	Ravenna
0961	Catanzaro	0965	Reggio Calabria
0871	Chieti	0522	Reggio Emilia
031	Como	0746	Rieti
0984	Cosenza	06	Roma
0372	Cremona	0425	Rovigo
0171	Cuneo	089	Salerno
0935	Enna	079	Sassari
0532	Ferrara	019	Savona
055	Firenze	0577	Siena
0881	Foggia	0931	Siracusa
0543	Forlì	0342	Sondrio
0775	Frosinone	099	Taranto
010	Genova	0861	Teramo
0481	Gorizia	0744	Terni
0564	Grosseto	011	Torino
0183	Imperia	0923	Trapani
0865	Isernia	0461	Trento
0862	L'Aquila	0422	Treviso
0187	La Spezia	040	Trieste
0773	Latina	0432	Udine
0832	Lecce	0332	Varese
0586	Livorno	041	Venezia
0583	Lucca	0161	Vercelli
0733	Macerata	045	Verona
0376	Mantova	0444	Vicenza
0585	Massa C.	0761	Viterbo
0835	Matera		

SCHEDA N. 4

NUMERO TELEFONICO

824.36.91	otto-due-quattro, tre-sei, nove-uno
50.74.83	cinque-zero, sette-quattro, otto-tre
(06) 91.65.04	prefisso zero-sei, nove-uno, sei-cinque, zero-quattro

LINEA TELEFONICA

segnale di libero

segnale di occupato

PREFISSO

Attenzione:
(055) 97.63.39 — Il prefisso della città è preceduto dallo zero quando sei in Italia e chiami un'altra città italiana,

ma
0039 -55- 97.63.39 — non è preceduto dallo zero quando sei all'estero e chiami l'Italia.

SCHEDA N. 5

CHE TIPO DI MESSAGGIO POSSO LASCIARE IN UNA SEGRETERIA TELEFONICA?

Puoi lasciare il tuo nome e numero telefonico:

"Buongiorno. Sono Mary Smith.
Il mio numero è 63.54.22".

Puoi chiedere di essere richiamato:

"Buongiorno. Sono Mary Smith.
Per favore mi può chiamare
al numero 63.54.22 ? Grazie".

Puoi dire che richiamerai:

"Buongiorno. Sono Mary Smith.
Richiamerò oggi a mezzogiorno".

COME POSSO SAPERE PRIMA SE IL NUMERO CHE CHIAMO HA UNA SEGRETERIA TELEFONICA?

È molto facile: è indicato nell'elenco telefonico.

SEGRETERIA TELEFONICA

Il segno «Ϙ», che precede alcuni numeri telefonici, indica che l'impianto è dotato di una segreteria automatica. In tal caso è opportuno tenersi pronti a dettare, se necessario, un breve messaggio.

ROSSI dr. Mario, Medico Chirurgo
13 p. Duomo Ϙ936118

CHE TIPO DI MESSAGGI CI SONO IN UNA SEGRETERIA TELEFONICA ITALIANA?

Ecco alcuni esempi:

"Sono momentaneamente assente.
Siete pregati di lasciare il vostro nome e numero telefonico, e sarete richiamati. Parlate dopo il segnale acustico".

"I nostri uffici effettuano il seguente orario: dalle nove alle dodici e dalle quindici alle diciannove, escluso il sabato. Siete pregati di richiamare. Grazie".

SCHEDA N. 6

QUANDO COSTA DI MENO TELEFONARE?

Per saperlo, consulta le prime pagine dell'elenco telefonico, che sono qui riprodotte e che indicano le fasce orarie della teleselezione e le tariffe ridotte. Ecco alcuni esempi*:

a) Teleselezione nazionale

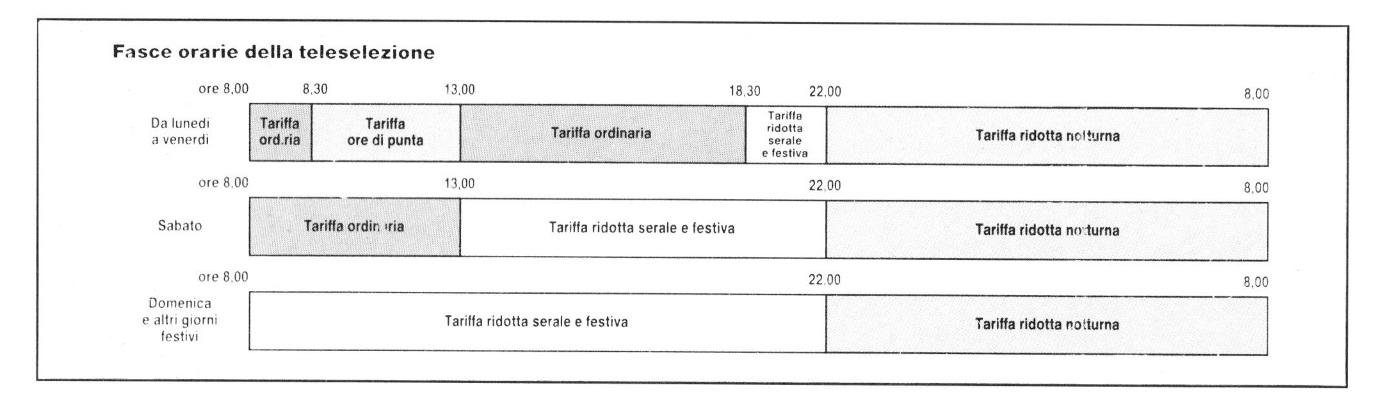

b) Teleselezione internazionale e intercontinentale

Tariffa ore di punta = più cara
Tariffa ordinaria = meno cara
Tariffa ridotta = ancora meno cara
Tariffa ridotta notturna = economica

* Fasce in vigore nel 1991-92.

SCHEDA N. 7

QUANTO COSTA UNA TELEFONATA NELLA STESSA CITTÀ?

Se il telefono è a incasso automatico, per esempio in una cabina telefonica, devi mettere 200 lire nell'apparecchio; quando senti un segnale acustico e vuoi continuare a parlare, devi mettere altre 200 lire nell'apparecchio, e così via.

Se il telefono è a pagamento posticipato, per esempio in un bar, devi pagare quando hai finito di telefonare. Il telefono è collegato a un indicatore di scatti (teletaxe). Chiedi al gestore del bar quanti scatti devi pagare. Il gestore leggerà il tariffario della SIP e ti dirà quanto costa la tua telefonata.

QUANTO COSTA UNA TELEFONATA IN TELESELEZIONE?

Dipende dall'ora in cui telefoni, dalla durata della telefonata e dalla distanza. Il costo dipende anche dal tipo di apparecchio: telefonare da un posto pubblico costa meno che da un hotel, e telefonare da un apparecchio privato costa il minimo (lire 127 o 134 per ogni scatto).

a) Per le telefonate in teleselezione nazionale (in Italia) le tariffe* sono queste:

Comunicazioni teleselettive	Numero scatti alla risposta dell'utente chiamato	Ritmo di conteggio degli scatti durante la conversazione	
		TARIFFA ORDINARIA	**TARIFFA ORE DI PUNTA**
Interurbane settoriali	1 scatto	**1 scatto ogni 150 secondi**	**1 scatto ogni 150 secondi**
Altre interurbane			
fino a 15 km	1 scatto	**1 scatto ogni 72 secondi**	**1 scatto ogni 35 secondi**
da oltre 15 fino a 30 km	1 scatto	**1 scatto ogni 40 secondi**	**1 scatto ogni 24 secondi**
da oltre 30 fino a 60 km	1 scatto	**1 scatto ogni 22,5 secondi**	**1 scatto ogni 15 secondi**
da oltre 60 fino a 120 km	1 scatto	**1 scatto ogni 20 secondi**	**1 scatto ogni 12,5 secondi**
oltre 120 km	1 scatto	**1 scatto ogni 18,5 secondi**	**1 scatto ogni 11,5 secondi**
			1 scatto ogni 11,5 secondi

Comunicazioni teleselettive	Numero scatti alla risposta dell'utente chiamato	Ritmo di conteggio degli scatti durante la conversazione	
		TARIFFA RIDOTTA SERALE E FESTIVA	TARIFFA RIDOTTA NOTTURNA E FESTIVA
Interurbane settoriali	1 scatto	1 scatto ogni 150 secondi	1 scatto ogni 150 secondi
Altre interurbane			
fino a 15 km	1 scatto	1 scatto ogni 96 secondi	1 scatto ogni 144 secondi
da oltre 15 fino a 30 km	1 scatto	1 scatto ogni 52,5 secondi	1 scatto ogni 80 secondi
da oltre 30 fino a 60 km	1 scatto	1 scatto ogni 35 secondi	1 scatto ogni 45 secondi
da oltre 60 fino a 120 km	1 scatto	1 scatto ogni 32 secondi	1 scatto ogni 40 secondi
oltre 120 km	1 scatto	1 scatto ogni 29,8 secondi	1 scatto ogni 37 secondi
			1 scatto ogni 37 secondi

b) Per le telefonate in teleselezione internazionale (Europa e bacino del Mediterraneo) le tariffe* sono queste:

STATO	ALLA RISPOSTA	COSTO INDICATIVO DI 1 MINUTO DA UN APPARECCHIO DI CATEGORIA «A»	
		A TARIFFA INTERA	A TARIFFA RIDOTTA notturna-domenicale
AUSTRIA, CECOSLOVACCHIA, FRANCIA, GERMANIA R.F., GRECIA, JUGOSLAVIA, LUSSEMBURGO, MALTA, PRINCIPATO DI MONACO, SVIZZERA, TUNISIA, UNGHERIA	L. 127 pari a uno scatto	1.219 pari a uno scatto ogni 6,25 secondi	977 pari a uno scatto ogni 7,80 secondi
BELGIO, DANIMARCA, GERMANIA R.D., GRAN BRETAGNA, LIBIA, PAESI BASSI, SPAGNA	L. 127 pari a uno scatto	1.398 pari a uno scatto ogni 5,45 secondi	1.120 pari a uno scatto ogni 6,80 secondi

STATO	ALLA RISPOSTA	COSTO INDICATIVO DI 1 MINUTO DA UN APPARECCHIO DI CATEGORIA «A»	
		A TARIFFA INTERA	A TARIFFA RIDOTTA notturna-domenicale
ALGERIA, CIPRO, FAER ØER, FINLANDIA, IRLANDA, MAROCCO, NORVEGIA, PORTOGALLO, SVEZIA, TURCHIA	L. 127 pari a uno scatto	1.604 pari a uno scatto ogni 4,75 secondi	1.280 pari a uno scatto ogni 5,95 secondi
EGITTO	L. 127 pari a uno scatto	3.629 pari a uno scatto ogni 2,10 secondi	2.931 pari a uno scatto ogni 2,60 secondi

c) Per le telefonate in teleselezione intercontinentale, le tariffe* sono queste:

STATO	ALLA RISPOSTA	COSTO INDICATIVO DI 1 MINUTO DA UN APPARECCHIO DI CATEGORIA «A»	
		A TARIFFA INTERA	A TARIFFA RIDOTTA notturna-domenicale
CANADA, SOMALIA, STATI UNITI (escluso Alaska e Hawaii)	L. 127 pari a uno scatto	3.629 pari a uno scatto ogni 2,10 secondi	2.931 pari a uno scatto ogni 2,60 secondi
ARABIA SAUDITA, BAHREIN, EMIRATI ARABI UNITI, GIORDANIA, IRAN, ISRAELE, KUWAIT, OMAN, QATAR, YEMEN REP. ARABA, SIRIA	L. 127 pari a uno scatto	3.810 pari a uno scatto ogni 2 secondi	non ammessa
ARGENTINA, AUSTRALIA, BRASILE, CILE, COLOMBIA, ECUADOR, MESSICO, PERÙ, URUGUAY, VENEZUELA	L. 127 pari a uno scatto	4.917 pari a uno scatto ogni 1,55 secondi	4.119 pari a uno scatto ogni 1,85 secondi
ANGOLA, CAMERUN, CINA REP. POP., COREA DEL SUD, COSTA D'AVORIO, COSTA RICA, ETIOPIA, FILIPPINE, GABON, GIAPPONE, GUATEMALA, HONG KONG, INDIA, INDONESIA, KENYA, MALAYSIA, NIGERIA, NUOVA ZELANDA, PAKISTAN, PANAMA, SENEGAL, SINGAPORE, SRI LANKA, SUD AFRICA REP., TAIWAN, TANZANIA, THAILANDIA, ZAMBIA, ZIMBABWE	L. 127 pari a uno scatto	5.080 pari a uno scatto ogni 1,50 secondi	non ammessa

* Tariffe in vigore nel 1991-92.

INTERPELLARE AL TELEFONO / RISPONDERE QUANDO SI È INTERPELLATI	
INTERPELLARE	RISPONDERE
Pronto, sono Michel Dupont	Pronto Mi dica
Pronto, c'è la signora Rossi per favore?	No, è fuori Sì, gliela passo
Parlo con il signor Bianchi?	Sì...? Sì, sono io
Con chi parlo, scusi? Chi devo dire?	Sono la segretaria Sono Marcel Dupont

PRENDERE CONGEDO AL TELEFONO / RISPONDERE AL CONGEDO PRENDERE CONGEDO AL TELEFONO DOPO AVER SBAGLIATO NUMERO / RISPONDERE	
PRENDERE CONGEDO	RISPONDERE AL CONGEDO
(FORMALE)	
Buongiorno/Buonasera Arrivederla	Buongiorno/Buonasera Arrivederla
(INFORMALE)	
Ciao Arrivederci A presto Ci sentiamo	Ciao Arrivederci
Scusi, ho sbagliato numero	Non c'è di che

CHIEDERE DI RIPETERE / USO DEL CANALE	
(FORMALE)	*(INFORMALE)*
Come (scusi)? Come ha detto? Può ripetere (per favore)?	Come (scusa)? Come hai detto? Puoi ripetere (per favore)? Cosa?
Non ho capito Non si sente Si sente male	

Lasciare e raccogliere messaggi telefonici

La signora Joanna Gayek di Varsavia vuole fissare un appuntamento con la signora Rossini, che lavora alla Camera di commercio di Trento, e telefona al suo ufficio. La signora non è in ufficio e Joanna lascia un messaggio.

Centralino Pronto, Camera di commercio.
Gayek *Vorrei parlare con la Signora Rossini.*
Centralino Un momento, per favore. Le passo l'ufficio.
Segretario Pronto, con chi parlo?
Gayek *Buongiorno, sono Joanna Gayek. C'è la signora Rossini?*
Segretario La signora Rossini non è in ufficio stamattina. Verrà questo pomeriggio a partire dalle 15.00.
Gayek *Ho capito.* ***Può farle avere un messaggio****?*
Segretario **Dica pure**.
Gayek *Per favore,* ***le faccia sapere che*** *sono a Trento per due giorni e che vorrei fissare un appuntamento con lei per domani.*
Segretario **Può lasciarmi un recapito**?
Gayek *Sono all'hotel Patria.* ***Può farmi richiamare****?*
Segretario Appena arriva la signora Rossini le riferisco il messaggio.
Gayek *Molto gentile. Mi scusi,* ***io con chi parlo****?*
Segretario Sono il segretario personale della signora Rossini.
Gayek *La ringrazio. Buongiorno.*
Segretario Prego, buongiorno.

COMMENTO

Può farle avere un messaggio?: per chiedere a una persona di trasmettere un messaggio.

Dica pure: per ricevere il messaggio. Anche: **Cosa devo riferire? / Mi dica**.

Le faccia sapere che: per chiedere a una persona di dare un preciso messaggio.

Può lasciarmi un recapito?: per chiedere il numero di telefono e/o l'indirizzo di una persona.

Può farmi richiamare?: per chiedere a una persona di fare qualcosa (*chiedere a qualcuno di richiamare*).

Io con chi parlo?: per chiedere al telefono il nome della persona con cui si sta parlando. In Italia spesso *chi risponde al telefono non si presenta*, quindi tocca alla persona che chiama chiedere con chi sta parlando.

ESERCIZIO 4

Il segretario della signora Rossini ha lasciato il seguente messaggio sulla sua scrivania.

comunicazione

La Sig.ra Joanna GAYEK
Per Sig.ra Rossini

☐ è passato ☒ ha telefonato alle ore 11.30
☐ ripasserà alle ore
☐ ritelefonerà alle ore
☒ richiamarlo al N° 892645 Hotel Patria alle ore
☐ ha lasciato la seguente comunicazione:
Desidera fissare un appuntamento per domani. Urgente.

25 03 91
11 30

RICEVENTE

Buffetti 6207 (i)

La signora Rossini ti telefona all'hotel Patria ma tu non ci sei, allora ti lascia un messaggio con il quale ti fissa un appuntamento per domani alle 10.00 nel suo ufficio, stanza 410, primo piano. Prova a immaginare cosa c'è scritto nella comunicazione che troverai all'albergo nella tua casella della posta.

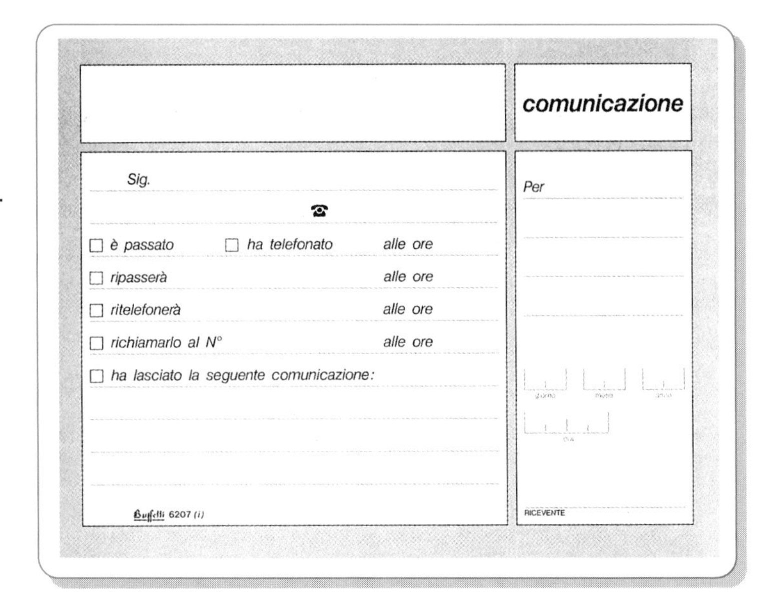

comunicazione

Sig.

☐ *è passato* ☐ *ha telefonato* *alle ore*

☐ *ripasserà* *alle ore*

☐ *ritelefonerà* *alle ore*

☐ *richiamarlo al N°* *alle ore*

☐ *ha lasciato la seguente comunicazione:*

Per

RICEVENTE

Dare direttive al personale

ESERCIZIO 5

Sei ad una riunione. Spiega quali sono le cose che oggi devi far fare a qualcuno.

Es.: La lettera è scritta. (battere a macchina) Devo farla battere a macchina

1. Il bilancio è compilato. (approvare) __________
2. La fotocopiatrice è rotta. (aggiustare) __________
3. L'abbonamento è scaduto. (rinnovare) __________
4. L'ufficio è in disordine. (pulire) __________

ESERCIZIO 6

Spiega al tuo direttore che hai già fatto fare a qualcuno ciò che ti chiede.

Es.: Dovrebbe far portare il caffè.
L'ho già fatto portare.

1. Dovrebbe far spedire quel telex.

____

2. Dovrebbe far richiamare la signora Gayek.

____

3. Dovresti far cercare quelle lettere.

____

4. Dovresti far venire i rappresentanti.

____

ESERCIZIO 7

Rispondi alle domande che ti vengono rivolte da un tuo nuovo collega che vuole imparare come funziona la ditta per la quale lavorate.

Es.: Il Presidente/firmare i contratti/socio
Il Presidente, da chi fa firmare i contratti?
Dal suo socio.

1. Il capufficio/portare il caffè/fattorino

___

2. La segretaria/pulire l'ufficio/impresa di pulizie

___

3. L'ingegnere/prendere i suoi appuntamenti/Carla

___

4. L'amministratrice/controllare il bilancio/ragionier Bossi

___

ESERCIZIO 8

Richiedi al tuo personale di fare queste cose:

Es.: Maria, il contratto è pronto: (firmare-mio socio)
Fallo/lo faccia firmare al mio socio.

1. Cecil, l'avvocato Wilson vuole un appuntamento: (venire-domani)

___

2. Dottor Carresi, le due funzionarie sono arrivate: (passare-mio ufficio)

___

3. Emily, i documenti sono in portineria: (portare-mia scrivania)

___

4. Francesco, il sig. Dubois è arrivato: (aspettare-salottino)

___

RICHIEDERE LUOGO, DATA E ORA DI UN APPUNTAMENTO

Le propongo di Le suggerisco di Vorrei richiederle di	incontrarci incontrare il sig. Rossi	negli uffici della direzione nell'ufficio del sig. Bianchi al Palazzo dei Congressi
Le fa comodo...? Le è possibile...? Le è conveniente...?	fissare un appuntamento	(per) il 10 dicembre alle 10.00

RISPONDERE ALLA RICHIESTA		
Sì, No, non	mi è possibile mi va bene	
Preferirei	spostare anticipare posticipare rimandare annullare	l'appuntamento

ALTRE RICHIESTE			
Vorrei La prego di farmi (lettera)	sapere se è	possibile mandare qualcuno ad incontrarmi/ a prendermi	all'aeroporto alla stazione all'albergo
Sarebbe...?			

RISPOSTE ALLE RICHIESTE		
Un autista Il dott. Carli Un interprete	verrà	ad incontrarla a prenderla

LASCIARE MESSAGGI TELEFONICI		
Scusi, con chi parlo?		
Può far avere ...? Posso lasciare ...? Vorrei lasciare	un messaggio	all'ingegner Torrini al direttore
Gli/le faccia sapere che Gli/le dica che	+ messaggio vorrei fissare un appuntamento sono all'hotel Patria passerà un nostro rappresentante	
Può farmi richiamare...?	dalla signora Bianchi	

<table>
<tr><th colspan="3">RACCOGLIERE MESSAGGI TELEFONICI</th></tr>
<tr><td colspan="3">Scusi, con chi parlo?</td></tr>
<tr><td colspan="3">Di che si tratta?
Mi dica pure
Cosa devo riferire?</td></tr>
<tr><td>Può lasciarmi ...?</td><td colspan="2">il suo numero di telefono
il suo indirizzo
un recapito</td></tr>
<tr><td>Appena arriva
Quando rientra</td><td>l'avvocato
la direttrice</td><td>gli/le riferisco il messaggio
lo/la avverto subito
la faccio richiamare</td></tr>
</table>

FORNIRE INFORMAZIONI SU UNA PERSONA	
La direttrice	non è in ufficio è fuori stanza è in riunione è in viaggio è in ferie non c'è verrà domani

CULTURA D'AZIENDA

Non c'è che l'imbarazzo della scelta
(alcune delle banche dati internazionali più utilizzate)

Nome	*Produttore*	*Contenuto*	*Aggiorn.*	*Costo*	*Distributore*
Agra	Agenzia France Press	Tutti i dispacci d'agenzia	quotidiano		Telesystem Questel bld Vincent Auriol,75013 Parigi,tel.0033.1.45826464
Global Examiner	Extel Financial	Notiz. aziendali, assorbimenti e fusioni, resoconti dei mercati azionari, indici finanziari e tassi valutari di cambio	quotidiano		Extel Financial, bld Bischoffsheim 39 B-1000 Bruxelles tel.0032-2-2191607
Predicast Promt	Predicasts	Informazioni su società, prodotti, previsioni di mercato, joint-venture tratte da 1500 riviste di oltre 50 paesi diversi	settimanale	170mila lire ora	Data-Star,Laupenstrasse18 Ch-3008 Berna,Svizzera tel.004131.509.630 fax.004131.509.675
Dun& Bradstreet	Dun& Bradstreet Europa	Indirizzi, dati su fatturato, bilanci, dirigenti, prodotti di tutte le grandi e medie imprese europee	mensile	140mila lire/ ora	Data-Star,Laupenstrasse18 Ch-3008 Berna,Svizzera tel.004131.509.630
Equities	Datastream	Analisi dei settori e degli indici dei principali mercati internazionali. I dati sono disponibili anche sotto forma di grafico		14,5 milioni/ anno +26 ml l'anno per il collegamento	Datastream, via Pantano 2 Milano, tel.02-8810206
Futures and options	Datastream	Prezzi di contrattazione delle merci e delle option sui vari mercati internazionali			Datastream, via Pantano 2 Milano, tel.02-8810206
Intline	Wefa Group	Dati macroeconomici e finanziari di 33 paesi, strutturati in modo da poter effettuare analisi economiche comparate	quotidiano	5 ml lire/ anno	Wefa Ceis, via Montenapoleone 21 Milano, tel.02-798168
Pc Moneyline	Wefa Group	Tutti i dati (indicatori, medie mobili ecc.) necessari all'utente per prendere decisioni di acquisto-vendita	tempo reale		Wefa Ceis, via Montenapoleone 21 Milano, tel.02-798168
Ted	Cee	Bandi di gara per appalti pubblici di più di 80 paesi. Informazioni in 8 lingue diverse	quotid.	36500 lire/ ora	Echo, servizio utenza L-1023 Lussemburgo tel.00352.488041
Bond	Dialog information services	Dati e quotazioni di titoli azionari e obbligazionari	quotid. dal 1981	3600 lire/ minuto	Dialog Information Services, 3460 Hillview Avenue, Palo Alto, CA94304
Pr Week	Financial Times Business information	Relazioni, notizie e analisi sul settore pubbliche relazioni	settimanale dal 1985	3600 lire/ minuto	
Infocheck	Pergamon Financial Data Service	Profilo di aziende e informazioni creditizie di 200 mila società inglesi	settimanale	2200 lire/ minuto	Pergamon Financial Data Service, Londra
Handelsblatt	Gruppo Editoriale Handelsblatt	Tutti gli articoli del quotidiano Handelsblatt (esclusi statistiche grafici e tabelle)	quotidiano dal 1984	4300 lire/ minuto	Gruppo Editoriale Handelsblatt, Dusseldorf
Financial Times	Financial Times Business Information	Tutti gli articoli specializzati di tipo finanziario tratti dal quotidiano omonimo	quotidiano dal 1985	3600 lire/ minuto	
Dow Jones Service	Financial Times Business Information	Tutte le informazioni tratte dal Dow Jones, dal Wall Street Journal e Barrons Financial Weekly	quotidiano dal 1986	3600 lire/ minuto	
Abce	Ftz Technik, Francoforte	Informazioni su 76 mila aziende tedesche (prodotti, dirigenti, disponibilit creditizie)	trimestrale		
Twp	The Washington Post, Washington	Tutti gli articoli politici ed economici sugli Stati Uniti pubblicati su Washington Post	quotidiano dal 1984	3600 lire/ minuto	
Reuter Pricelink	Reuters	Prezzi azioni, obbligazioni, merci, valute e rate dei principali mercati internazionali	quotidiano	220 mila lire/ ora	Reuters Italia Viale F. Testi, 280 Milano Tel. 02-661291
Reuter Textline	Reuters	Informazioni (finanza, prodotti, costi gestione e lavoro) su società pubbliche e private mondiali, tratte da 14 mila fonti internazionali	quotidiano	220 mila lire/ ora	Reuters Italia Viale F. Testi, 280 Milano Tel. 02-661291

Un annuario per gli affari in Europa

Con un anno di anticipo sul '92 e grazie soprattutto alla cooperazione di Seat, di France Telecom della Bundespost tedesca e di altri enti di telecomunicazioni, l'Europa ha ormai il suo Annuario degli Affari, Europages che si rivolge ad un pubblico di imprese e professionisti su scala continentale.
Europages è una grande guida che contiene informazioni, indirizzi, numeri di telefono e fax di 140.000 aziende in tutta Europa, selezionate in modo particolarmente rigoroso ed efficace.
In che cosa consiste il fatto nuovo? Che chiunque abbia intenzione di trovare clienti o fornitori in Europa, si tratti di un imprenditore, di un responsabile acquisti o di marketing, può ormai iniziare a stabilire i primi contatti per comprare e vendere semplicemente alzando la cornetta del telefono o inviare un fax.
L'Annuario mette a disposizione i fornitori di 11 paesi: Austria, Germania (Rep. Fed .), Spagna, Francia, Belgio, Italia, Gran Bretagna, Lussemburgo, Olanda, Svizzera e Irlanda.

GRAMMATICA

FARE + INFINITO + COMPLEMENTI

FARE	+ INFINITO	che cosa?	a chi? (da chi?)*
Faccio	scrivere	**la lettera**	**alla segretaria (Mary)** da Mary*
Farò	firmare	**il contratto**	**al mio socio**
Ho (già) fatto	prendere	**l'appuntamento**	**al mio assistente**

* **da**, per evitare ambiguità (a Mary potrebbe significare che la lettera è scritta "a Mary", e non "da Mary").

FARE + INFINITO CON PRONOMI DIRETTI E INDIRETTI

Che cosa?	FARE	+ INFINITO	a chi?/da chi?
La (la lettera)	faccio	scrivere	**alla segretaria** da Mary
Lo (il contratto)	farò	firmare	**al mio socio**
L' (l'appuntamento)	ho (già) fatto	prendere	**al mio assistente**

* Il pronome complemento diretto e indiretto segue il verbo coniugato all'infinito, gerundio, participio e alle persone **tu**, **noi**, **voi** dell'imperativo.

FARE + INFINITO CON PRONOMI COMBINATI

A chi?/(da chi?) + che cosa?	FARE	+ INFINITO
Gliela (la lettera, **la**) (alla segretaria, **le***)	faccio	scrivere
Glielo (il contratto, **lo**) (al mio socio, **gli**)	farò	firmare
Gliel' (l'appuntamento, **lo**) (al mio assistente, **gli**)	ho (già) fatto	prendere

* **Le** diventa **gli** nei pronomi combinati.

IMPERATIVO DI FARE	+ PRON. DIR.	+ PRON. INDIR.	+ PRON. COMBINATI
Fai/Fa' (tu)	fal**lo**	fa**gli**	fa**glielo**
Faccia (Lei, lui, lei)	**lo** faccia	**gli** faccia	**glielo** faccia
Facciamo (noi)	facciamo**lo**	facciamo**gli**	facciamo**glielo**
Fate (voi)	fate**lo**	fate**gli**	fate**glielo**
Facciano (Loro, loro)	**lo** facciano	**gli** facciano	**glielo** facciano

PRONOMI COMBINATI
glielo **gliela** **gliel'** **glieli** **gliele**

UNITÀ

8 PRENOTAZIONI

LINGUA

Prenotare un volo

Prenotare un albergo e altri servizi alberghieri

Prenotare un'auto a noleggio

CORRISPONDENZA

Prenotazione alberghiera per lettera o per fax

CULTURA D'AZIENDA

Scandire parole al telefono

Ore in ventiquattresimi

Alberghi

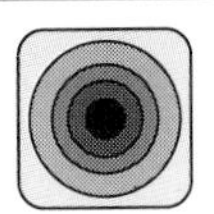

GRAMMATICA

Futuro semplice

Condizionale presente e composto

Prenotare un volo

Il tuo principale ti ha chiesto di prenotargli un volo presso un'agenzia di viaggio italiana. Tu telefoni all'agenzia.

Tu	Buongiorno. Vorrei **prenotare** un volo di **andata e ritorno** per Roma.
Agenzia	*A che nome?*
Tu	Si tratta del mio principale, il signor Nguyen Van Thong.
Agenzia	*Le spiace dirmi **come si scrive**?*
Tu	**"N" come Napoli**, "G" come Genova, "U" come Udine, ipsilon, "E" come Empoli, "N" come Napoli...
Agenzia	*Nguyen Van Thong, va bene, grazie. Quando vuole partire?*
Tu	Il 26 marzo: **c'è posto**?
Agenzia	*Sì, non c'è problema. Il ritorno per quando è?*
Tu	Vorrebbe rientrare il 31 marzo.
Agenzia	*Bene. Che **posto** preferisce?*
Tu	Un finestrino, per favore. Non fumatori.
Agenzia	*Va bene, **è confermato**. Per favore prenda nota del suo numero di prenotazione: IL4326.*
Tu	**Scusi, può ripetere**?
Agenzia	*"I" come Imola, "L" come Livorno, quattro, tre, due, sei.*
Tu	Grazie. **A che ora parte** l'aereo?
Agenzia	*La partenza è prevista alle 18.00 e l'arrivo a **Fiumicino** è per le 8.15 del giorno dopo, ora locale. La persona deve presentarsi al check-in **con un'ora di anticipo sulla partenza**.*
Tu	Va bene. E per il ritorno?
Agenzia	*È confermato per il 31 marzo con partenza alle 11.00 e arrivo alle 14.30 ora locale.*
Tu	Qual è la **tariffa**?
Agenzia	*Il costo è di lire (...). È una tariffa speciale.*
Tu	Va bene. Accettate la carta di credito?
Agenzia	*Certamente. Può far ritirare il biglietto domani.*
Tu	Molte grazie. Buongiorno.
Agenzia	*Grazie a lei. Buongiorno.*

COMMENTO

Prenotare: in treno, al ristorante, a teatro, in una sala per convegni, il cartello con la scritta "**Riservato**" o "**Prenotato**" indica che un posto è stato richiesto e non è più libero. Anche: **Fare** / **cancellare** / **confermare una prenotazione**.

La segretaria del signor Lückert **ha fatto una prenotazione** per lui.
Il signor Maselli **ha cancellato** la sua prenotazione.
L'I.N.C.A. ci **ha confermato** la prenotazione.

Andata e ritorno: i biglietti di viaggio possono essere di **sola andata** oppure di **andata e ritorno**.

Come si scrive?: per richiedere di scandire una parola.

"N" come Napoli: in italiano si usano nomi di città per **scandire al telefono** (**o al telegrafo**) nomi, sigle o parole.

Es.: per scandire al telefono il cognome *"Morris"*, si dirà: **"M" come Milano, "O" come Otranto, "R" come Roma due volte, "I" come Imola, "S" come Salerno** (vedi la lista completa di città comunemente usate in italiano per scandire le parole, sezione Cultura di questa unità).

"A" come Ancona
"B" come Bologna
"C" come Como
"D" come Domodossola
ecc.

C'è posto?: per informarsi sulla disponibilità di posti.

Posto: il tipo di sistemazione a sedere in un mezzo di trasporto o in locali pubblici. Tipi di posto disponibili in aereo: **finestrino**, **centrale**, **corridoio**, **fumatori**, **non fumatori**.

È confermato: per dare conferma di un dato.

Scusi, può ripetere?: strategia comunicativa orale, per controllare un dato.

A che ora parte...?: richiesta dell'orario di **partenza**. In italiano **le ore vengono espresse in ventiquattresimi** (vedi sezione Cultura di questa unità).

> L'aereo partirà alle 18:00 (le 6.00 del pomeriggio).
> Il volo arriverà con un ritardo di dieci minuti.
> La partenza è prevista alle 13:00 (l'1.00 del pomeriggio).
> L'arrivo è previsto con un ritardo di dieci minuti.

Fiumicino: aeroporto di Roma (insieme a **Ciampino**).

Con un'ora di anticipo sulla partenza: un'ora prima della partenza.

Tariffa: prezzo, costo.

ESERCIZIO 1

Lavorate in due. Chiedi all'altra persona di scandire il suo nome e prendi nota, poi scambiatevi i ruoli. Controllate l'esattezza di ciò che avete scritto.

____

____

____

ESERCIZIO 2

L'agenzia di viaggio ha inviato al vostro ufficio un biglietto aereo che non corrisponde a quello da voi richiesto. Rispondi alle domande dell'agente di viaggio per aiutare a identificare il biglietto sbagliato, qui riprodotto:

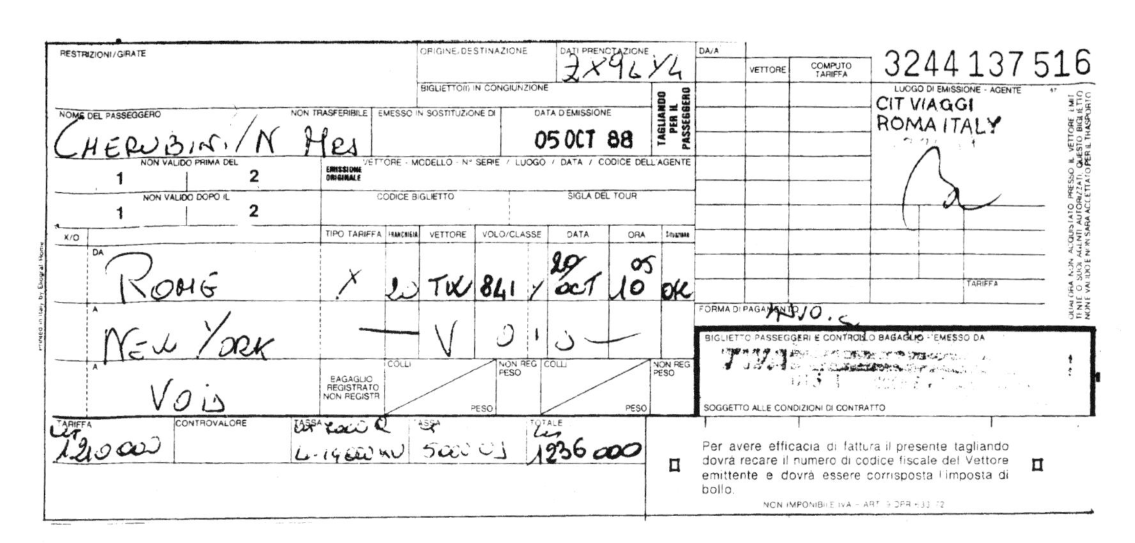

RESTRIZIONI/GIRATE
ORIGINE/DESTINAZIONE
DATI PRENOTAZIONE
DA/A
VETTORE
COMPUTO TARIFFA
3244 137 516
BIGLIETTO(I) IN CONGIUNZIONE
TAGLIANDO PER IL PASSEGGERO
NOME DEL PASSEGGERO
NON TRASFERIBILE
EMESSO IN SOSTITUZIONE DI
DATA D'EMISSIONE 05 OCT 88
LUOGO DI EMISSIONE - AGENTE
CIT VIAGGI
ROMA ITALY
NON VALIDO PRIMA DEL 1 2
EMISSIONE ORIGINALE
VETTORE - MODELLO - N° SERIE / LUOGO / DATA / CODICE DELL'AGENTE
NON VALIDO DOPO IL 1 2
CODICE BIGLIETTO
SIGLA DEL TOUR

X/O		TIPO TARIFFA	FRANCHIGIA	VETTORE	VOLO/CLASSE	DATA	ORA	SITUAZIONE
	DA ROME			TW	841 Y	20 OCT	10 05	OK
	A NEW YORK							
	A VOID							

BAGAGLIO REGISTRATO NON REGISTR
COLLI
PESO
NON REG. PESO
TARIFFA
FORMA DI PAGAMENTO
BIGLIETTO PASSEGGERI E CONTROLLO BAGAGLIO - EMESSO DA
SOGGETTO ALLE CONDIZIONI DI CONTRATTO

TARIFFA	CONTROVALORE	TASSA	TASSA	TOTALE
1210 000				1236 000

Per avere efficacia di fattura il presente tagliando dovrà recare il numero di codice fiscale del Vettore emittente e dovrà essere corrisposta l'imposta di bollo.

QUALORA NON ACQUISTATO PRESSO IL VETTORE EMITTENTE O SUOI AGENTI AUTORIZZATI, QUESTO BIGLIETTO NON È VALIDO E NON SARÀ ACCETTATO PER IL TRASPORTO

1. A che nome è il biglietto?
2. Da dove parte il volo?
3. Dove è diretto il volo?
4. Per che ora è prevista la partenza?
5. Qual è il numero del volo?
6. Quanto costa il biglietto?

ESERCIZIO 3

Ti hanno appena avvisato che domani avrà luogo a Parigi un'importante riunione a cui non vuoi mancare. Telefona all'agenzia di viaggi e fai una prenotazione. Completa il dialogo.

Tu *Buongiorno. Vorrei sapere se c'è ancora ______ nel ______ per ______ di domani.*
Agenzia Sì. Le interessa prenotare?

Tu *Sì. A che ora ______ il volo?*
Agenzia Alle ______

Tu *Va bene. Mi chiamo __________*
Agenzia Come si scrive il cognome?

Tu *" ______ " come ______ , ...*
Agenzia Desidera ______ con la carta di credito?

Tu *Sì. Resti in linea, per favore. Le passo la mia segretaria.*

ESERCIZIO 4

Hai già preparato un memorandum informale per annunciare una tua visita d'affari ad un collega, insieme al tuo assistente. Ora però non hai più la certezza di poter partire perché c'è un contrattempo. Correggi le seguenti frasi del memorandum sostituendo al futuro (che esprime certezza) il condizionale (che esprime possibilità).

Es.: ***Alloggerò* all'hotel Excelsior**
***Alloggerei* all'hotel Excelsior**

1. Il mio assistente ed io **partiremo** prima di mezzogiorno.
____
2. L'aereo non **farà** scalo a Parigi.
____
3. Si **tratterà** di un volo diretto.
____
4. **Ordineremo** un pasto vegetariano.
____
5. **Prenoteremo** dei posti per non fumatori.
____
6. **Arriveremo** ad Amsterdam il giorno in cui inizia il convegno.
____
7. Ci **tratterremo** per cinque giorni.
____

ESERCIZIO 5

Tu stai parlando con il tuo direttore delle vendite, con il quale vorresti andare ad Amsterdam la settimana prossima. Lui è ancora indeciso perché ha un altro impegno, e ti sta facendo delle domande per capire se questo nuovo impegno sarebbe compatibile con quello che ha già preso. Completa le risposte usando il condizionale. Lavorate in due.

Es.: Dove *alloggeremmo*?
Io *alloggerei* da un mio amico, ma se vieni anche tu (noi-potere alloggiare) *potremmo alloggiare* all'hotel Excelsior.

1. Quando **partiremmo**?
   Beh, io **partirei** prima di mezzogiorno, ma se vieni anche tu (noi-potere partire) ______________ nel pomeriggio.

2. Ma si **tratterebbe** di un volo diretto?
   Io **preferirei** fare scalo a Parigi, ma se vieni anche tu (potere trattarsi) ____________________ di un volo diretto.

3. Quindi **arriveremmo** mercoledì mattina?
   A me **andrebbe** bene arrivare di pomeriggio, ma se vieni anche tu (noi-potere arrivare) ____________________ anche di mattina.

4. **Prenoteremmo** dei posti per non fumatori, non è vero...?
   Sai bene che io **preferirei** posti per fumatori, ma se vieni anche tu... (noi-prenotare) ____________________ due posti per non fumatori.

5. Ci **tratterremmo** alla fiera per cinque giorni?
   Mi **piacerebbe** farlo, ma se vieni anche tu (noi-potere trattenersi) ____________________ soltanto tre giorni.

ESERCIZIO 6

Rispondi alle domande del tuo principale, che sta avendo una giornata nera, spiegando perché non ti è stato possibile soddisfare una sua richiesta.
Poiché devi esprimere una impossibilità, usa il condizionale composto.

Es.: Scusi, ma perché oggi non mi ha prenotato il volo?
Glielo *avrei prenotato*, ma c'era un guasto alle linee telefoniche.

1. Senta, perché non mi ha ordinato un pasto vegetariano?
   Gliel' (io-ordinare) ______________________________, ma lei non me l'ha chiesto.
2. Ma perché non mi ha prenotato un posto per fumatori?
   Gliel' (io-prenotare) ______________________________, ma nel volo erano rimasti soltanto i posti per non fumatori.
3. Perché non ha confermato lei la prenotazione?
   L' (io-confermare) ____________________ volentieri, ma l'aveva già fatto la mia collega.
4. Insomma, perché non ha chiamato l'agenzia di viaggi?
   L' (io-chiamare) ____________________ senz'altro, ma aspettavo di parlare prima con lei.
5. Allora, perché non ha partecipato alla riunione del sig. Micheli?
   (Io-partecipare) ____________________, ma il sig. Micheli ha cambiato idea.

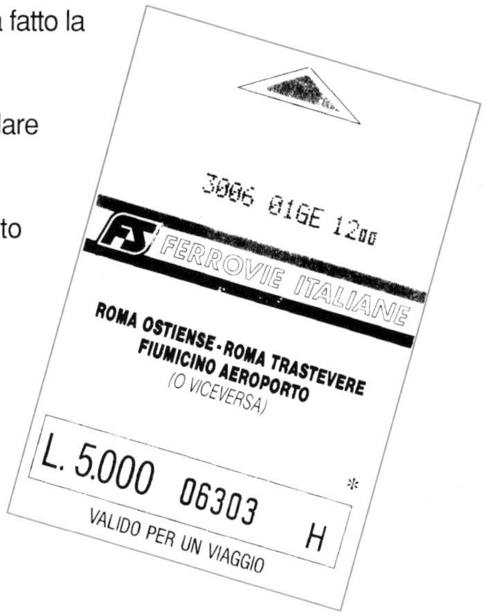

Prenotare un albergo e altri servizi alberghieri

Tu lavori alla ricezione dell'hotel Vesuvio. Compila la scheda di prenotazione per il registro dei clienti sulla base della seguente telefonata da parte di un cliente di Beijing*:

SCHEDA DI PRENOTAZIONE

Nome ____________________

Data di arrivo ____________________

Ora di arrivo ____________________

Data di partenza ____________________

Tipo di camera ____________________

Richieste ____________________

Tu	Buongiorno, Hotel Vesuvio.
Segretaria	*Buongiorno. Chiamo da Beijing*. Sono la segretaria del sig. Wu Huofeng, della Transworld Ltd.* ***Vorrei prenotare*** *una stanza a suo nome.*
Tu	**Per che data** e **per quanti giorni**?
Segretaria	***Dal*** *15* ***al*** *18 luglio incluso,* ***in totale*** *quattro notti.*
Tu	Le va bene **una doppia** con bagno?
Segretaria	*Preferirei una singola con bagno.*
Tu	Sì, è **disponibile**.
Segretaria	*Qual è la* ***tariffa****?*
Tu	La tariffa è di lire (...) per il pernottamento e la prima colazione, più una percentuale del 10% per il servizio.
Segretaria	*Va bene.*
Tu	Le ho prenotato la stanza 401. **A che ora arriverà** il sig. Wu?
Segretaria	*Probabilmente nel primo pomeriggio. Sarebbe possibile mettere a disposizione del sig. Wu un* ***interprete*** *cinese?*
Tu	Certamente, ne prendo nota.
Segretaria	*Vorremmo anche prenotare una* ***sala per conferenze*** *per cinquanta persone circa, per tutta la giornata del 18 luglio.*
Tu	Molto bene. C'è una sala disponibile per quel giorno. Vi servono **apparecchiature video**?
Segretaria	*Sì, e anche una* ***lavagna luminosa****.*
Tu	Benissimo.
Segretaria	*Dobbiamo inviare una* ***caparra****?*
Tu	Sì, con **assegno bancario o carta di credito**, se preferisce. L'importo dell'assegno deve essere l'equivalente di un giorno di soggiorno.
Segretaria	*Manderemo un assegno bancario.*
Tu	**Le dispiacerebbe confermarci la prenotazione** una settimana prima dell'arrivo?
Segretaria	*Senz'altro. La ringrazio.*
Tu	Non c'è di che, buongiorno.
Segretaria	*Buongiorno.*

* *Beijing* = Pechino

COMMENTO

Vorrei prenotare: per richiedere una prenotazione.

Per che data?: per richiedere la data del primo giorno di soggiorno.

Per quanti giorni?: per richiedere la durata del soggiorno.

Dal...... **al**......: per specificare la durata del soggiorno. Per evitare malintesi, è bene specificare se l'ultimo giorno è incluso.

In totale: per precisare la durata del soggiorno.

Una (**stanza**) **doppia**: tipo di stanza richiesta.

> Es.: ***una singola, una doppia a due letti, una doppia matrimoniale, una stanza con bagno, con doccia, con vista, al primo / secondo / (...) piano, una tripla, ecc., una suite. Gli alberghi possono essere di prima, seconda, terza / (...) categoria.***

Disponibile: a disposizione, libera.

Tariffa: il costo della stanza per una notte. La tariffa può includere il **servizio**, la **prima colazione**, il trattamento **mezza pensione** o quello **pensione completa**.

A che ora arriverà...?: per richiedere l'ora di arrivo del cliente il primo giorno.

Interprete: i maggiori alberghi hanno di solito un eccellente servizio di interpretariato; il cliente può comunque decidere di rivolgersi ad un'agenzia di interpreti consultando l'elenco telefonico ("Pagine gialle") alla voce "Interpreti" .

Sala per conferenze: uno dei tanti servizi disponibili in un albergo.

> Es.: ***saletta per riunioni, servizio prenotazione teatro, servizio noleggio auto, parrucchiere, fiorista, ristorante, piano bar.***

Apparecchiature video: includono **videoregistratore** (che per la visione di videocassette registrate all'estero deve essere multistandard), **monitor**, **schermo di proiezione**. In mancanza di un videoregistratore multistandard il cliente può richiedere una **transcodifica** della videocassetta nel sistema in uso nel paese straniero in cui la deve visionare, rivolgendosi ad un'apposita agenzia o laboratorio privato.

Lavagna luminosa: un apparecchio che permette di proiettare su di uno schermo dei grafici o testi scritti su speciali fogli trasparenti.

Caparra: deposito per garantire la prenotazione, di solito la tariffa di 1-3 giorni di soggiorno.

Assegno bancario / **Carta di credito**: mezzi di pagamento.

Le dispiacerebbe confermarci la prenotazione: per richiedere successiva conferma della prenotazione.

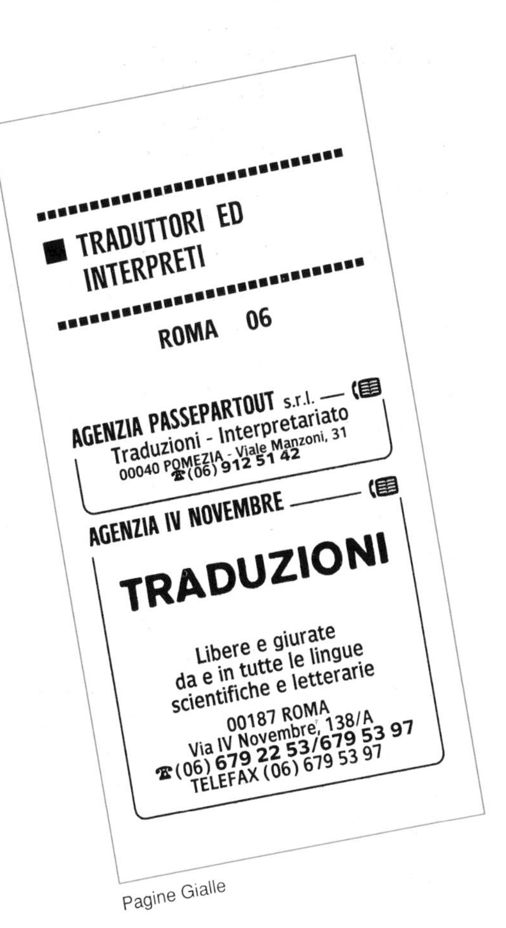

Pagine Gialle

Prenotazione alberghiera per lettera o per fax

Cablevision, Inc.
5 Mackeson Rd.
London WW32LU

6 novembre 19..

Preg.mo Hotel Stella
Via delle Quattro Fontane, 55
00184 Roma

Vorremmo prenotare una stanza a due letti con bagno, trattamento mezza pensione, e una singola con bagno, trattamento pensione completa, dal 12 al 14 gennaio incluso. Se possibile, gradiremmo che la stanza singola avesse una bella vista.

Vorremmo conoscere il prezzo tutto compreso entro il più breve tempo possibile.

Distinti saluti.

Valerie Smith

RISPOSTA POSITIVA

Hotel Stella
Via delle Quattro Fontane, 55
00184 Roma
Tel. (06) 87.54.22
Fax (06) 87.54.00

12 novembre 19..

All'attenzione della Sig.ra V. Smith

Cablevision, Inc.
5 Mackeson Rd.
London WW 32LU

Gentile Signora Smith,

Abbiamo ricevuto la Sua cortese richiesta del 6 novembre u.s. e La ringraziamo.

Abbiamo il piacere di offrirLe, per il periodo da Lei richiesto, una stanza a due letti con bagno al prezzo complessivo, per trattamento mezza pensione, di Lit. (...) al giorno; e una singola con vista e con bagno privato al prezzo complessivo, per trattamento pensione completa, di Lit. (...) al giorno. Il prezzo della sistemazione include una percentuale del 10% per servizio.

Se la nostra proposta è di Suo gradimento, La preghiamo di confermare al più presto la prenotazione.

AssicurandoLa della nostra migliore attenzione, Le porgiamo i più distinti saluti.

IL DIRETTORE
Giorgio Roversi

RISPOSTA NEGATIVA

FAX

A: Valerie Smith — Fax 01-3738695
DA: Hotel Stella — Fax 06-875400
Data: 10/11/19... — Totale pagine 1

Riferimento: Prenotazione 6/11/19...

Abbiamo ricevuto la Sua cortese richiesta del 6 novembre scorso e La ringraziamo.

Ci dispiace informarLa che non abbiamo stanze disponibili nel periodo da Lei richiesto.

Le consigliamo di rivolgersi all'hotel Repubblica o all'albergo Unione.

Nell'augurarci che possa reperire una opportuna sistemazione, restiamo a Sua disposizione per eventuali richieste future e porgiamo i più distinti saluti.

ESERCIZIO 7

Completa la scheda di prenotazione alberghiera.

Tu lavori per la Società ATHENA di Patrasso e vuoi partecipare, insieme a tre altri colleghi, al convegno A.I.S. che avrà luogo a Riccione. Prenota per quattro persone.

PER LA PRENOTAZIONE ALBERGHIERA TAGLIARE E SPEDIRE IL PRESENTE FOGLIO DEBITAMENTE COMPILATO

PROMHOTELS RICCIONE
V.le C. Battisti 5
47036 RICCIONE (FO)
tel. 0541/604160 fax. 601775
tlx. 550561 rihoti.

CONVEGNO A.I.S.
RICCIONE 26-27-28 aprile 19...
Scheda di prenotazione alberghiera
La presente scheda deve giungere a PROMHOTELS entro il 20 marzo 19...

Sig. ....

Via ....

C.A.P. .... Città ....

tel. ....

Vi prego prenotare le seguenti stanze:
n. .... singole con servizi
n. .... doppie con servizi
n. .... doppie con letto aggiunto con servizi
n. ....

Data di arrivo .... Data di partenza ....

☐ per pranzo
☐ per cena
☐ dopo cena

In albergo classificato:
☐ 2 stelle; ☐ 3 stelle; ☐ 4 stelle.

Con il seguente trattamento:
☐ pensione completa; ☐ mezza pensione;
☐ pernottamento e colazione.

Allego assegno di L. ....
(equivalente ad un giorno di soggiorno per persona) quale caparra per la presente prenotazione. Provvederò al saldo del soggiorno alberghiero direttamente in albergo alla partenza; dal conto verrà detratto il valore della caparra inviata.

Data ....

Firma ....

ESERCIZIO 8

Sei un rivenditore di apparecchiature tecnologiche per la didattica delle lingue straniere e vuoi recarti al congresso dell'Università di Bologna. Completa la scheda di prenotazione alberghiera.

L'ITALIANISTICA NELL'UNIVERSITA'. RICERCA E DIDATTICA
Bologna, 2-3-4 Maggio 19...

SCHEDA DI PRENOTAZIONE ALBERGHIERA

Da inviare a **SERCOOP Congressi, Via Crociali 2, 40138 Bologna** entro il **28 Febbraio 19...**

Cognome e Nome ______________________________

Indirizzo ______________________________

Cap e Città ______________________________

Telefono e Telefax ______________________________

Categoria	**Camera singola**	**Camera doppia**
****	■ £. 119.000	■ £. 179.000
***	■ £. 84.000	■ £. 116.000

Data di arrivo ______________ Data di partenza ______________

Data ______________ Firma ______________

Per la prenotazione è necessario inviare un deposito pari alla prima notte nella categoria prescelta a SERCOOP Congressi a mezzo assegno circolare o bancario intestato "**Deposito per Hotel**" ; Vi verrà inviato un voucher con il nome dell'albergo prenotato per Voi. Nel caso che la categoria prescelta fosse completa, Vi verrà prenotato l'albergo della categoria superiore e ad esaurimento delle camere singole Vi verranno prenotate camere doppie uso singolo.

SERCOOP Congressi
Via Crociali n. 2
40138 Bologna
Tel. 051/300811-12
Telefax 051/309477

— Attenta! Il direttore ha di nuovo una di quelle sue giornate...

Prenotare un'auto a noleggio

Durante un tuo prossimo viaggio d'affari in Italia avrai bisogno di spostarti in auto. Telefona ad un'agenzia di noleggio italiana per prenotare un'auto.

Tu Buongiorno, **vorrei prenotare un'auto a noleggio**.
Agenzia *Per che periodo?*
Tu Dal 2 al 5 giugno.
Agenzia *Con o senza **autista**?*
Tu Senza autista.
Agenzia **Le interessa** un noleggio a **chilometri illimitati o per chilometro**?
Tu A chilometri illimitati. Qual è la tariffa per quattro giorni?
Agenzia ***Dipende dal** tipo di auto.*
Tu Vorrei un'auto **a quattro porte, con aria condizionata** e di buona **cilindrata**.
Agenzia *Allora le consiglio una Fiat Regata, con tariffa di lire (...) per quattro giorni.*
Tu Va bene. Il prezzo è tutto compreso?
Agenzia *No. Al totale va aggiunto il 19% di **I.V.A.**, più un'eventuale assicurazione. Dove desidera **ritirare la macchina**?*
Tu *All'aeroporto di Milano Linate. Arriverò verso le 15.30 del 2 giugno.*
Agenzia *Benissimo. Troverà le chiavi al nostro stand dell'aeroporto. Dove intende restituire la macchina?*
Tu A Roma, se possibile all'aeroporto di Fiumicino, la sera del 5 giugno.
Agenzia *Certamente. La macchina **va restituita** col **serbatoio** pieno.*
Tu Va bene. Se volessi prolungare il noleggio, cosa dovrei fare?
Agenzia *Ci deve avvertire un giorno prima della **scadenza del contratto**.*
Tu Ho capito. E per il pagamento?
Agenzia *Se è **in contanti va fatto in via anticipata**, altrimenti può lasciarmi il numero della sua carta di credito e il costo del noleggio le verrà addebitato al termine del contratto, quando restituirà l'auto.*
Tu Allora le do il numero della mia carta di credito (...). Senta, ho una **patente** straniera, ci sono problemi?
Agenzia *No. Le patenti sono tutte valide, eccetto quelle **non leggibili**.*
Tu Quindi non c'è problema. Molte grazie.
Agenzia *Grazie a lei. Buongiorno.*
Tu Buongiorno.

COMMENTO

Vorrei prenotare un'auto a noleggio: per prenotare **auto / macchine / vetture a noleggio.**

Autista: chi guida autoveicoli per mestiere.

Le interessa ...... **o** ......**?**: per proporre un'opzione.

Chilometri illimitati: la tariffa si riferisce a un numero illimitato di chilometri.

Per chilometro: la tariffa si riferisce al prezzo al chilometro. In entrambi i casi, il conteggio dei chilometri si farà sulla base del numero segnato dal contachilometri all'inizio e alla fine del contratto.

Dipende da (+ articolo): per indicare l'origine di una differenza.

A quattro porte: vs. **a due porte**.

Con aria condizionata: uno degli accessori di un'auto, come ad es.: **autoradio, radiotelefono.**

Cilindrata: può essere **grossa** o **piccola**, indica la potenza di un'**auto**, **moto** o altra vettura.

Le consiglio: per dare un consiglio, un parere.

I.V.A.: Imposta sul Valore Aggiunto.

Ritirare la macchina: contrario di *restituire la macchina.*

Va restituita: deve essere restituita.

Serbatoio: recipiente che contiene la benzina.

Scadenza del contratto: il giorno in cui termina il contratto.

In contanti: pagamento con denaro in monete o biglietti bancari.

Va fatto: deve essere fatto.

In via anticipata: in anticipo, cioè prima di usufruire della macchina, quando si firma il contratto di noleggio.

Patente: documento che autorizza alla guida di un autoveicolo.

Non leggibili: scritte in una lingua che fa uso di un diverso sistema di scrittura (caratteri arabi, cinesi, cirillici, ebraici, giapponesi, greci, ecc.).

ESERCIZIO 9

Devi recarti a Milano, Venezia, Firenze e Napoli per affari e vuoi noleggiare un'auto. Hai a disposizione otto giorni. Non sai ancora per quanti chilometri dovrai viaggiare. Vuoi un'auto di piccola cilindrata. Consulta la tabella e individua l'opzione più conveniente, poi lascia un memorandum alla tua assistente con le istruzioni per la prenotazione del noleggio.

AUTONOLEGGIO - RENT A CAR

CENTRI PRENOTAZIONI - RESERVATIONS CENTRES
FIRENZE - Via L. Alamanni, 7/A r.
Tel. (055) 298.639 / 293.186 - Telex 571274

DIREZIONE - HEAD OFFICE
FIRENZE - Via L. Alamanni, 7/A r.
Tel. (055) 298.639 / 293.186 - Telex 571274

AUTONOLEGGIO SENZA AUTISTA / DRIVE YOURSELF

GRUPPO GROUP	TIPO VETTURA TYPE OF CAR		PER Km.	ORA ECC. HOUR IN EXCESS	PER GIORNO PER DAY	PER SETTIMANA PER WEEK	A Km. ILLIMITATI / UNLIMITED MILEAGE					INCLUSI 200 Km. 200 Km. INCLUDED NON VALIDO PER VIAGGI A LASCIARE NO ONE WAY RENTAL	
							3 GG DAYS	4 GG DAYS	5 GG DAYS	6 GG DAYS	PER SETTIMANA PER WEEK	1 DAY	WEEK END
O	PANDA 30	Lit.	399	4.180	25.300	151.800	N. A.	N. A.	N. A.	N. A.	N. A.	78.100	58.600
A	PANDA 750	Lit.	486	5.130	30.800	184.800	249.700	299.600	349.600	399.500	499.400	93.500	60.800
B	FIAT UNO CITROEN AX	Lit.	537	6.780	40.700	244.200	296.400	355.700	415.600	474.300	592.900	104.500	68.500
C	NUOVA RITMO	Lit.	583	8.060	48.400	290.400	351.400	421.700	492.000	562.300	702.900	118.100	82.600
D	CITROEN BX FIAT REGATA FORD ORION	Lit.	660	9.160	55.000	330.000	395.400	474.500	553.600	632.700	790.900	157.800	103.300
E	CITROEN 1900D REGATA STW CROMA CONVERTIBILE	Lit.	880	14.480	86.900	521.400	507.600	609.180	710.710	812.200	1.015.000	173.800	115.700
F	ARGENTA 120 AUTO A/C	Lit.	1012	20.160	121.000	726.000	660.000	792.000	924.000	1.056.000	1.320.000	228.800	182.500
G	MINIBUS 9 Posti	Lit.	913	15.950	96.250	577.500	543.400	652.000	760.700	869.400	1.086.800	227.100	166.100

1. nome e n. di telex dell'agenzia
2. tipo di auto
3. giorno e mese inizio
4. giorno e mese fine contratto
5. a km. illimitati o per km.
6. tariffa 8 giorni

memo

15/4

Germaine,
per favore mandi un telex a ______ (1.)
______ (2.) e mi prenoti una ______
dal ______ (3.) al ______ (4.). Il noleggio
deve essere ______ (5.)
La tariffa per otto giorni è
di Lit. ______ (6.).
È urgente. Grazie.

ESERCIZIO 10

Compila il seguente "Test dell'automobilista"*

Il test dell'automobilista

- Mantieni sempre la massima concentrazione alla guida? (Evitando di distrarti con i passeggeri, di ammirare il panorama, ecc.) sì no
- Se hai bambini a bordo, li metti in condizioni di sicurezza prima di partire? sì no
- Rispetti sempre i segnali stradali? (Non sono un obbligo fastidioso, ma utili avvertimenti nel tuo interesse) sì no
- In colonna, mantieni sempre le distanze di sicurezza? (Tenendo d'occhio inoltre gli stop delle vetture che precedono) sì no
- In città, stai attendo al comportamento, non sempre prevedibile, dei pedoni? sì no
- Se ascolti l'autoradio, la tieni a giusto volume? (La musica troppo alta non lascia sentire i segnali degli altri) sì no
- Quando guidi, ti limiti nel fumo? (È un pericoloso fattore di deconcentrazione) sì no
- Verifichi spesso l'efficienza della tua vettura? (In particolare i pneumatici, lo sterzo, i freni e le luci) sì no
- Ricordi sempre che la tua macchina non è un autobus (numero dei passeggeri) nè un TIR (sovraccarichi e ingombri pericolosi)? sì no
- E infine, metti e fai mettere ai passeggeri le cinture di sicurezza? sì no

Con 9 o 10 "sì" sei un automobilista perfetto, o quasi, con 7-8 "sì" sei ancora un buon guidatore, con 6 "sì" sei appena sufficiente. Ma se scendi sotto questo limite, cerca di correggere le tue abitudini di guida.

Le cinture di sicurezza

La tua auto è predisposta all'installazione delle cinture di sicurezza, se addirittura non le ha già in dotazione: chi le usa può ridurre della **metà** gli esiti di un incidente.

* *Il triangolo. Guida per l'automobilista,* Pubblicazione distribuita a cura degli agenti del Gruppo Tirrena Assicurazioni, s.d. (cfr. anche i testi e la vignetta segg.).

Prendi nota dei seguenti dati utili per chi guida in Italia

Le informazioni

Prima di affrontare un viaggio è bene informarsi sulle condizioni delle strade. Puoi farlo facilmente telefonando allo 06-4477 dell'ACI. Il centro di assistenza telefonica è in funzione 24 ore su 24 e fornisce tutte le informazioni possibili sulle strade, il traffico, la circolazione e le condizioni meteorologiche. Tutte queste notizie, inoltre, vengono trasmesse da "Onda Verde", su Radio 1, più volte al giorno.

Le cinture di sicurezza

La tua auto è predisposta all'installazione delle cinture di sicurezza, se addirittura non le ha già in dotazione: chi le usa può ridurre della **metà** gli esiti di un incidente.

Il soccorso

Per un incidente o anche solo per un guasto, puoi chiamare il Soccorso stradale ACI: telefona al 116. Se sei in autostrada, raggiungi una colonnina di soccorso (ce n'è una ogni 2 km). Premendo l'apposito pulsante segnalerai la tua posizione all'officina dell'ACI più vicina, che provvederà ad inviare uno dei 3000 carri attrezzi dislocati lungo tutta la Penisola.

Il costo per il soccorso stradale è di 5.000 lire per i soci ACI. I non soci pagano invece 55.000 lire.

raggiungi la più vicina colonnina di soccorso

Le assicurazioni per l'automobilista

Responsabilità civile auto verso terzi e trasportati (obbligatoria per legge)
Incendio auto. Furto (totale o parziale) e altri danni al tuo veicolo. Infortuni.
L'agente di Assicurazione è sempre il tuo miglior consulente e potrà indicarti numerose altre garanzie.
Chiedi a lui inoltre come rendere più sicura la tua polizza auto: hai, per esempio, un massimale sufficiente? Quello obbligatorio per legge è ancora inadeguato. Un massimale più alto, in linea anche con i livelli della Comunità Europea, costa solo poche migliaia di lire in più e ti mette al sicuro.

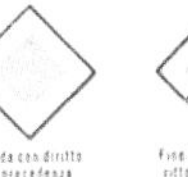

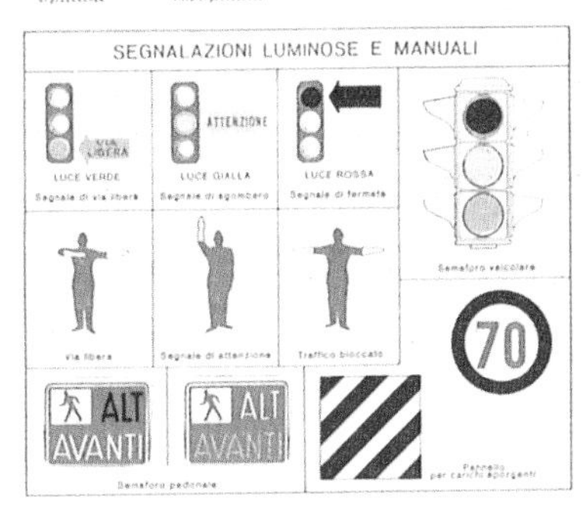

PRENOTARE

Vorrei	prenotare	un volo	diretto con scalo a + Città	
		una camera	singola doppia matrimoniale	con bagno con doccia con vista
		un'auto	con/senza autista con aria condizionata	
Sarebbe possibile...?		un/un'interprete una sala per conferenze delle apparecchiature audiovisive		
Dobbiamo inviare...?		una caparra un assegno bancario		
Preferirei Preferirebbe Preferiremmo Preferirebbero	partire		di mattina di pomeriggio di sera	
	una stanza con bagno privato			
	il trattamento		di mezza pensione di pensione completa	
	pagare	con assegno bancario con la carta di credito		
	un (posto)	finestrino centrale corridoio	per fumatori per non fumatori	
	un'auto	di piccola/grande cilindrata		

RICEVERE PRENOTAZIONI

A che nome?
Per che data?
Per quanti giorni?
Per quante persone?
Le dispiacerebbe confermarci la prenotazione…?
Le interessa…o…?

È (non è) disponibile
È confermato
Dipende da (+ articolo)

Come si scrive…?
Le spiace ripetere…?

CULTURA D'AZIENDA

SCANDIRE PAROLE AL TELEFONO

"A" come Ancona
"B" come Bologna
"C" come Como
"D" come Domodossola
"E" come Empoli
"F" come Firenze
"G" come Genova
"H" di hotel
"I" come Imola
"J" di jolly*
"K" come Kennedy*
"L" come Livorno
"M" come Milano
"N" come Napoli
"O" come Otranto
"P" come Palermo
"Q" come Quarto
"R" come Roma
"S" come Salerno
"T" come Torino
"U" come Udine
"V" come Venezia
"W" come Washington*
"X" ics*
"Y" ipsilon*
"Z" come Zara

* Lettere che non fanno parte dell'alfabeto italiano.

ORE IN VENTIQUATTRESIMI

Sono le (è l' + sing.)	una	1.00
Alle (all'+ sing.)	due	2.00
	tre	3.00
	quattro	4.00
	cinque	5.00
	sei	6.00
	sette	7.00
	otto	8.00
	nove	9.00
	dieci	10.00
	undici	11.00
	dodici (mezzogiorno)	12.00
	tredici	13.00
	quattordici	14.00
	quindici	15.00
	sedici	16.00
	diciassette	17.00
	diciotto	18.00
	diciannove	19.00
	venti	20.00
	ventuno	21.00
	ventidue	22.00
	ventitrè	23.00
	ventiquattro (mezzanotte)	24.00

Camere con vista

L'esterno e una delle suites dell'hotel Bonaparte

Un nuovo hotel è sorto nel cuore di Milano, a due passi dal Catello Sforzesco, costruzione, risalente al Trecento, circondata dal lussureggiante Parco Sempione.
E' il Bonaparte Hotel, un "relais di città" unico nel suo genere, commisurato alle necessità della capitale economica e già indispensabile punto di riferimento per uomini d'affari e turisti internazionali.
Pensato in grande per pochi e selezionati ospiti, il nuovo hotel nasce dall'esperienza del residence che ha operato per parecchi anni nello stesso edificio, ora completamente rinnovato dall'architetto Augusto Savini.
Un grande ambiente con ricettività contenuta: questo è il "trait d'union" con il recente passato del Bonaparte e con la vocazione alberghiera dei suoi proprietari e gestori, nonché il suo punto di forza all'inizio del nuovo decennio.
Lo spazio, opportunamente attrezzato, è infatti l'elemento che caratterizza il nuovo hotel, insieme alla posizione esclusiva e strategica per la sua clientela.
Ben distribuito negli ambienti comuni - dalla hall, alla sala ristorante, agli ampi corridoi- lo spazio trionfa all'interno di ogni camera e di ogni *suite*, che si affacciano sui tre piani alti dell'albergo, con eccellente vista e al riparo da ogni rumore.
Grazie a questa scelta dimensionale, inedita per le strutture alberghiere di Milano, ciascun appartamento vive di almeno due ambienti utilizzabili anche separatamente: la zona notte, elegante e confortevole, e un salotto-studio di dimensioni variabili.
Alcune *suites*, in particolare, sono attrezzabili per il lavoro, predisposto per ospitare un vero e proprio centro operativo che soddisfa egregiamente le esigenze di praticità e riservatezza dell'uomo d'affari.
Nell'arredamento è stata posta una cura attenta nell'accostamento di colori e materiali: il tono caldo del mogano è stato scelto come filo conduttore accostandolo a morbide *nuances* di rosa e biscotto, appena contrappuntate da sfumature di azzurri e turchese dei rivestimenti, dei tessuti e delle moquette.
Gli ambienti luminosi e accoglienti sono perfettamente insonorizzati e dotati di ogni *comfor*t e, a questo livello di ospitalità, corrisponde un adeguato servizio di ristorazione in camera, personalizzato e attivo a ciclo continuo dalle 7.00 a.m. alle 01.00 a.m.
Anologhi criteri ispirano la gestione del *restaurant grill*, ideale per *brunch* e colazioni di lavoro, della sala *breakfast* e dell'american bar, riuniti in un

unico luminoso ambiente che si affaccia sul Castello.
Una saletta attrezzata per *meeting*, riunioni, *show-room* e un ampio garage con 60 posti auto per i clienti e i loro ospiti completano il profilo del Bonaparte Hotel che, in sintesi, si propone oggi come la soluzione più comoda e confortevole per un viaggio d'affari o una vacanza a Milano. **(S.C.)**

Bonaparte Hotel
Via Cusani, 13
20121 Milano
Tel. 02/8560

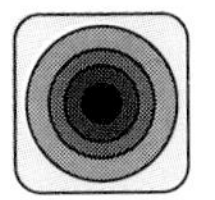

GRAMMATICA

FUTURO*	CONDIZIONALE SEMPLICE**
sarò	sarei
avrò	avrei
parl-erò	parl-erei
tem-erò	tem-erei
part-irò	part-irei
potrò	potrei
dovrò	dovrei
vorrò	vorrei
andrò	andrei
verrò	verrei
saprò	saprei
farò	farei

* Il futuro dell'indicativo esprime un'azione realmente futura.
** Il condizionale semplice esprime un'azione realizzabile dal momento presente in poi.

CONDIZIONALE COMPOSTO***
sarei stato
avrei avuto
avrei parlato
avrei temuto
sarei partito
avrei potuto
avrei dovuto
avrei voluto
sarei andato
sarei venuto
avrei saputo
avrei fatto

*** Il condizionale composto esprime un'azione che non si è realizzata nel passato, ma anche un'azione che non è realizzabile nel futuro.

N.B. La scelta di **essere** o **avere** per i verbi **potere**, **dovere**, **volere** dipende dal verbo che segue: **Avrei potuto telefonare** / **Saresti potuto venire**.

UNITÀ

9 INCONTRI D'AFFARI

LINGUA

Descrivere un'azienda

Descrivere il proprio lavoro

CULTURA D'AZIENDA

Tipi di società

Organigrammi aziendali

L'euroetichetta degli affari

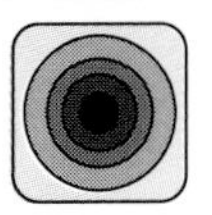

GRAMMATICA

Discorso diretto e indiretto (Parte I)

Descrivere un'azienda

Il signor Gustav Van Es, direttore della Società Van Gerwen di Haarlem, sta visitando lo stabilimento principale della azienda dolciaria De Rosa di Milano. È ricevuto dal direttore, il signor Luigi Marchesi, e dalla direttrice della Divisione prodotti, la signora Laura Romei. Il signor Van Es fornisce una descrizione della sua azienda.

Marchesi Buongiorno. Lei conosce la signora Romei? È la responsabile della Divisione prodotti. Il signor Van Es, direttore della Van Gerwen.

Van Es *(Stretta di mano) Molto piacere, Gustav Van Es.*

Romei Piacere, Laura Romei. Ha trovato facilmente lo stabilimento?

Van Es *Nessun problema. È stato facilissimo.*

Marchesi **Si accomodi**. Se per lei va bene, direi di iniziare subito la riunione, così potremo avere il tempo di mostrarle i nostri impianti.

Van Es ***Con piacere**. La nostra società è molto interessata a discutere un accordo con la De Rosa. Ora vorrei darvi una serie di informazioni di base che vi permetteranno di conoscere meglio la nostra organizzazione.*

Marchesi Molto bene, ci dica.

Van Es *La Società Van Gerwen **è stata fondata nel** 1892, **a** Haarlem. Come potete leggere sull'**opuscolo**, dal 1980 **fa parte del Gruppo** Ixfam, che comprende altre tre società industriali e ha un fatturato di 180 miliardi.*

Romei Qual è il **fatturato** della Van Gerwen?

Van Es *L'anno scorso è stato di 30 miliardi.*

Romei Capisco. Qual è la vostra **linea di prodotti**?

Van Es ***Produciamo** per due terzi cacao in polvere, e per un terzo cioccolato confezionato. Abbiamo uno **stabilimento principale** a Haarlem e due **stabilimenti** a Utrecht e Eindhoven, per un totale di 200 dipendenti.*

Marchesi Che **quota di mercato** controllate?

Van Es *Abbiamo il controllo del 65% del settore cacao in polvere, e di circa il 20% del settore del cioccolato confezionato.*

Romei Chi è il vostro **maggiore cliente**?

Van Es *La Wilson Corporation di Filadelfia, che acquista circa il 60% dei nostri prodotti.*

Romei **Che percentuale di prodotto esportate** in Italia?

Van Es *Per ora il mercato italiano assorbe solo il 10% della nostra produzione, ma in futuro **desideriamo potenziare** le esportazioni di prodotto confezionato e, come voi sapete, stiamo pensando alla De Rosa come interlocutore privilegiato.*

Marchesi Sì, capisco.

COMMENTO

Si accomodi: per invitare una persona a sedersi.

Con piacere: per accettare un invito.

È stata fondata nel...... **a**......: per dare informazioni su tempo e luogo di fondazione di un'azienda.

Opuscolo: pubblicazione di divulgazione pubblicitaria. Anche: **pieghevole**, **dépliant** (fr.).

Fa parte del Gruppo......: per indicare l'appartenenza di un'azienda a un **gruppo industriale**, che comprende varie **aziende consociate**.

Fatturato: l'insieme dell'importo delle fatture emesse da un'azienda.

Es.: ***Il fatturato* è *in aumento / in diminuzione.***

Linea di prodotti: il tipo di prodotti che un'azienda produce.

Produciamo: infinito **produrre**.

Stabilimento principale: anche: **casamadre**, **sede centrale**.

Stabilimenti: anche: **fabbriche**, **unità produttive**, **succursali**, **filiali**.

Dipendenti: le persone che **dipendono** dal potere direttivo e disciplinare di un datore di lavoro: **impiegati, operai.**

Quota di mercato: la parte del mercato globale di un certo prodotto (es.: il mercato del caffè, del petrolio, del cacao) che un'azienda copre con la vendita del proprio prodotto.

Maggiore cliente: il cliente più importante, quello che ha il più alto volume di acquisti.

Che percentuale di prodotto esportate?: per informarsi sulla quantità di prodotto immesso nel mercato estero.

Desideriamo potenziare: per esprimere progetti futuri (vedi Esercizio 5).

ESERCIZIO 1

Il sig. Marchesi riferisce a un consigliere delegato l'incontro avuto col sig. Van Es.

Consigliere Quando è stata fondata la Van Gerwen?

Marchesi ______________________________

Consigliere Dov'è la sede centrale?

Marchesi ______________________________

Consigliere Ha delle consociate?

Marchesi ______________________________

Consigliere Cosa produce?

Marchesi ______________________________

Consigliere Quanti dipendenti ha?

Marchesi ______________________________

ESERCIZIO 2

La sig.ra Romei ha dettato un memorandum alla sua segretaria sulla riunione avuta col sig. Van Es. Il dittafono non ha registrato alcune parole. Inseriscile tu.

Il sig. Van Es, ____________ della Società Van Gerwen, durante la visita di oggi presso i nostri uffici ci ha fornito le seguenti informazioni sulla sua azienda:

A) La Van Gerwen appartiene a un ____________ industriale a cui fanno capo quattro società.

B) La Van Gerwen ha un ____________ di circa ____________ miliardi, e cioè ____________ sesto di quello del Gruppo Ixfam.

C) Il sig. Van Es ha affermato che la Van Gerwen ha il ____________ del 65% del ____________ del cacao in polvere e del ____________ del settore del cioccolato confezionato.

D) Il maggiore ____________ della Van Gerwen è la ____________ di Filadelfia.

E) La Van Gerwen esporta attualmente il 10% della sua ____________ in Italia, ma intende ____________ le esportazioni nel nostro paese e considera la De Rosa come ____________ privilegiato.

ESERCIZIO 3

Lavorate in due. Fornisci informazioni sull'azienda per la quale lavori, utilizzando il seguente schema:

1. Nome/Ragione sociale dell'Azienda
2. Data di fondazione
3. Sede Centrale
4. Altri stabilimenti
5. N. dipendenti
6. Fatturato
7. Quote di mercato

TIPI DI SOCIETÀ

Società in nome collettivo (S.n.c.)
Società in accomandita semplice (S.a.s.)
Società per azioni (S.p.a.)
Società a responsabilità limitata (S.r.l.)
Società cooperative

La tua azienda è una società?

Che tipo di società è?

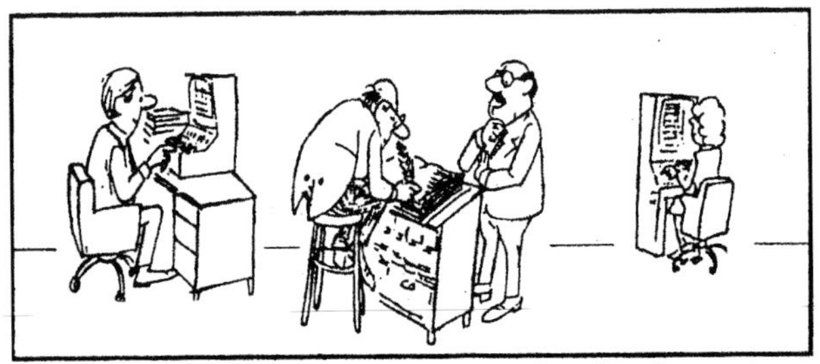

— Da quanto tempo lavorate nella nostra ditta, Rossi?

— Ma certo! Gli affari vanno bene, come sempre.

— Beh, io... ehm... niente, lasciamo perdere!

ESERCIZIO 4

Tu lavori per uno studio specializzato in consulenza di relazioni pubbliche e stai illustrando in una conferenza stampa un nuovo accordo firmato dalla tua azienda. Rispondi alle domande dei giornalisti sulla base delle informazioni contenute nel comunicato stampa.

Accordo per il Gruppo Shandwick e lo Studio Mailander

Lo Studio Mailander di Torino, specializzato in consulenza di relazioni pubbliche, ha firmato un accordo di cooperazione con il Gruppo Shandwick, leader mondiale del settore, rappresentato in Italia da Scr Associati e da Guastalla-Lucchini. L'accordo, primo nel suo genere per quanto riguarda un'agenzia di relazioni pubbliche in Piemonte, prevede un intenso scambio di know-how e una collaborazione preferenziale per i clienti delle due società. Lo Studio Mailander opera da cinque anni a Torino e fra i suoi clienti figurano la Borsa Valori di Torino, Zuest Ambrosetti, Finmeccanica, Hansgrohe, F.lli Defendini. Nel 1990 il fatturato dello Studio Mailander ha superato il mezzo miliardo di billing con cinque addetti. Il Gruppo Shandwick fattura in Italia 11 miliardi di lire in onorari netti con oltre 75 addetti, mentre a livello mondiale i suoi ricavi superano 180 milioni di dollari in 20 Paesi in cui è presente con più di cento uffici.

Dottoressa Mailander, amministratore delegato.

Lavorate in gruppo:

1. Da chi è stato firmato l'accordo?
2. Ci può descrivere il vostro nuovo partner?
3. Che tipo di cooperazione prevede l'accordo?
4. Quando è stato fondato lo Studio?
5. Di che cosa si occupa?
6. Che fatturato ha?
7. Lo Studio opera soltanto in Italia?
8. Chi ne è l'amministratore delegato?

ESERCIZIO 5

Stai partecipando a una riunione d'affari nella quale rappresenti una società internazionale di moda maschile che ha appena costituito una società affiliata in Italia.
Esponi gli obbiettivi futuri della società, sulla base dei 5 punti contenuti nel comunicato. Sostituisci le parole fra parentesi con dei sinonimi.

In primo luogo, in futuro ci interessa ____________ (potenziare) la nostra posizione nel mercato italiano.

In secondo luogo, vogliamo continuare a __________ (operare) in Italia con il successo che ha già __________ (caratterizzato) in passato la nostra __________ (opera). Infatti, ci interessa __________ (sottolineare) il valore del nostro marchio.

In terzo luogo, intendiamo __________ (proseguire) a __________ (privilegiare) la qualità rispetto alla quantità.

In quarto luogo, attueremo una politica __________ (distributiva) che avrà come fine quello di __________ (situare) i nostri prodotti in negozi di alta qualità, cosa che già facciamo __________ (a livello) internazionale.

In ultimo, miglioreremo in ogni __________ (settore) il contatto e i servizi da fornire __________ (ai nostri clienti).

COSTITUITA LA HUGO BOSS ITALIA S.P.A.

La Hugo Boss ha costituito una società affiliata in Italia, con sede a Milano, in via Tortona 15, che è divenuta pienamente operativa dal primo luglio 1990. Amministratore Delegato e Direttore Vendite è stato nominato il dott. Mario Birocchi. Il motivo che sottende a tale decisione deve individuarsi nell'importanza che deve essere ricondotta non solo e non tanto al volume d'affari conseguibile, ma all'influenza, costantemente esercitata dagli stilisti italiani, sullo sviluppo e sulle linee di tendenza del mercato mondiale della moda. La nostra azienda, che produce principalmente (o esclusivamente) moda maschile, si è trasformata negli ultimi 20 anni da un produttore orientato al mercato interno a un gruppo internazionale che ha assunto sempre maggiore rilievo nel settore dell'abbigliamento uomo. Nell'ambito di questa internazionalizzazione, abbiamo sempre mantenuto una particolare attenzione nei confronti del mercato italiano, e, avendo raggiunto una consistente presenza in numerosi punti vendita, abbiamo avvertito la necessità di trasformare la nostra organizzazione commerciale in un forma più immediata e diretta rispetto a quella sino ad oggi utilizzata allo scopo. La costituzione della Hugo Boss Italia è un altro passo all'interno della strategia a lungo termine del gruppo, mirata ad assicurare la più ampia presenza nel mercato internazionale dei nostri marchi. A tale scelta sottende l'avvertita esigenza di conseguire i seguenti obiettivi.

1 - potenziare la nostra posizione nel mercato italiano;
2 - continuare ad operare in Italia con il successo che ha già caratterizzato in passato la nostra opera sottolineando, così, il valore del nostro marchio;
3 - proseguire a privilegiare la qualità rispetto alla quantità;
4 - attuare una politica distributiva finalizzata a situare i nostri prodotti nei negozi qualitativamente più elevati, così come facciamo a livello internazionale;
5 - migliorare in ogni settore il contatto e i servizi da fornire ai nostri clienti.

Le passate esperienze e i confortanti risultati conseguiti ci fanno ritenere che il potenziamento della nostra presenza in Italia ci consentirà di assicurare l'auspicato successo commerciale e di immagine al nostro marchio Hugo Boss.

ESERCIZIO 6

Tu lavori per un'azienda italiana che opera nel settore delle costruzioni e ha come obbiettivo l'industrializzazione edilizia. Devi presentare l'azienda a un potenziale nuovo socio e intendi utilizzare una lavagna luminosa per illustrare:

a) una "carta d'identità" dell'azienda
b) le aree strategiche in cui opera
c) la sua organizzazione interna

Completa gli schemi sulla base delle informazioni contenute nei riquadri 1 (schema a), 2 (schema b) e 3 (schema c) del testo.

Il futuro è nelle aree strategiche

AUGUSTO RIZZI

1

Ventidue società collegate, cinquanta impianti di produzione, 130 centri di assistenza e 3 mila dipendenti. Tradotto in termini economici, tutto ciò significa un fatturato consolidato 1990 di 270 miliardi con un un utile netto di 20. É la carta di identità del Gruppo Rdb, una delle realtà più interessanti e complesse del mondo imprenditoriale delle costruzioni. Come si muove dal punto di vista organizzativo, produttivo e tecnico un'industria che ha fatto dei componenti e dei sistemi per l'edilizia il suo punto di forza? *Costruire* lo ha chiesto all'ingegner Giorgio Sabelli, direttore generale del gruppo.

Quali sono i campi di intervento attuali del gruppo?

"Credo che, innanzi tutto, vada definita con esattezza la missione del gruppo, riassunta nello slogan 'Rdb per l'industria'. Per noi significa porsi come protagonisti dello sviluppo dei procedimenti costruttivi in Italia e portare alla logica del mondo delle costruzioni un contributo mirato alla costruzione di un processo efficiente, non solo fornendo prodotti e componenti, ma anche attraverso interventi sui servizi, sia sul versante della consulenza tecnica che su quello organizzativo. Con un obiettivo preciso: l'industrializzazione edilizia. L'Rdb degli anni Novanta opera in due diverse aree strategiche: il comparto dell'edilizia tradizionale e quella dell'edilizia prefabbricata. Nel primo come fornitore di componenti di elementi strutturali e di servizi di consulenza, nel secondo come fornitore di sistemi strutturali, spingendo l'intervento fino alla fase del montaggio e, in qualche caso, della consegna chiavi in mano dell'edificio. In queste due aree identifichiamo due segmenti di mercato fondamentali. Per il tradizionale, quello dell'edilizia residenziale, allargabile al terziario e al sociale. Per la prefabbricazione, l'edilizia destinata ad attività economiche e infrastrutturali. Ovviamente le due aree hanno sia potenzialità di sviluppo sia caratteristiche molto specifiche. Nel campo residenziale l'obiettivo è rappresentato dal miglioramento del rapporto tra attività produttiva e attività di impiego, aiutando l'integrazione tra le varie fasi del processo edilizio e dei componenti stessi con le fasi impiantistiche e di finitura. Ovviamente senza trascurare l'aspetto qualitativo dei prodotti. Nel settore industriale abbiamo invece individuato la necessità di lavorare sul fronte del miglioramento dell'aspetto architettonico e formale degli edifici e di adeguare sempre più gli edifici alle nuove esigenze prestazionali e funzionali".

2

La scadenza del '93 impone un'adeguamento agli standard europei. Ma la situazione delle strutture di accreditamento e certificazione nazionale non è delle migliori. Come si è tutelata Rdb?

É senza dubbio un problema critico, e non solo per la nostra azienda, alla quale penso debba competere da questo punto di vista un ruolo trainante. Come gruppo, disponiamo di un centro tecnologico, che non esito a definire il più attrezzato ed efficiente in Italia, impegnato in ricerche sia di base che sperimentali nel campo delle tecnologie di prodotto e di processo. Inoltre, il centro è attrezzato per tutte le certificazioni e le prove previste in campo strutturale dalle normative europee. Insomma, è il cuore dello sviluppo tecnologico aziendale. Il laboratorio che opera all'interno del centro tecnologico, dal canto suo, dispone di tutte le caratteristiche per essere accreditato a livello europeo. Anzi, la pratica di riconoscimento è già in corso presso il Sinal, l'organismo che raggrupperà tutti i laboratori accreditati, e penso che entro qualche mese dovremmo ottenere il relativo imprimatur. Ma non ci siamo fermati qui. Sia in ambito Assobeton che Andil ci siamo impegnati per sviluppare un processo che porti alla certificazione dell'idoneità aziendale e dei prodotti.

Una volta riconosciuto a livello europeo, il vostro centro tecnologico sarà aperto ad altre realtà del settore?

É una condizione indispensabile perche si possa ottenere l'accreditamento.

Le attività di ricerca del Centro consentono previsioni sui cambiamenti che interesseranno i prodotti e i componenti del futuro?

Il cambiamento sarà nei processi, soprattutto per quanto riguarda il suo controllo e l'adeguamento agli standard qualitativi. E i prodotti, ovviamente, ne risentiranno e si evolveranno integrandosi agli altri coponenti, acquisendo grande flessibilità produttiva e nuove prestazioni. Cosi, un componente da solaio che oggi risponde essenzialmente a requisiti statici e, in qualche caso, economici, dovrà essere in grado di rispondere a esigenze di isolamento acustico, di resistenza all'incendio, di coibentazionne termica. E, lo ripeto, di integrazione con gli altri componenti: solaio-muro, solaio-travi, solaio-impianti. Insomma, dovrà arricchirsi di nuove prestazioni, già incorporate nel manufatto al momento dell'uscita dai centri di produzione.

Un approccio diverso al mondo delle costruzioni richiede un'organizzazione aziendale molto calibrata. Come si è modificato in questi ottanta anni di storia il gruppo Rdb?

Fino agli anni Sessanta Rdb si è caratterizzata come una struttura organizzata per funzioni aziendali con un grosso peso delle funzioni tecnico-produttive. In sostanza, legandosi sia allo sviluppo della tecnologia produttiva che dei servizi tecnici. La fase successiva è stata stimolata dall'allargamento della presenza su tutto il territorio nazionale e dalla necessità di adeguare la produzione e i servizi alle caratteristiche dei mercati specifici. Dal 1983 a oggi l'organizzazione aziendale è stata affidata a tre livelli strutturali: operativo, specialistico e strategico. Al primo, gestito dai direttori di area, è stato affidato il compito di seguire la produzione, le vendite e tutti gli aspetti connessi alla soddisfazione della domanda locale. Al secondo livello, la cui responsabilità è stata affidata ai responsabili delle unità laterizi, prefabbricati e prodotti speciali, è stato demandato il compito di sviluppare le risorse tecniche e tecnologiche: dai prodotti, sistemi e processi produttivi alla formazione e aggiornamento permanente nelle aree tecnico-produttive. Infine, al terzo livello, nel quale rientra ovviamente l'alta direzione del gruppo, la competenza di aspetti come il marketing, gli acquisti, la gestione amministrativa, del personale e del sistema informativo.

Il passaggio successivo, che riguarda gli anni Novanta è quello della specializzazione per aree strategiche di attività nel campo tradizionale e dei prefabbricati, mantenendo la suddivisione per aree di mercato e la centralizzazione delle altre unità. Solo così saremo in grado di rispondere, con processi produttivi e di vendita specifici, in modo più puntuale alle esigenze espresse da ogni mercato.

3

SCHEMA A - CARTA D'IDENTITÀ DELL'AZIENDA

Ragione Sociale ______________________________
N. Impianti ______________________________
N. Centri Assistenza ______________________________
N. Dipendenti ______________________________
Fatturato ______________________________
Utile netto ______________________________

SCHEMA B - AREE STRATEGICHE

EDILIZIA ------------------------------------ —— fornisce

COMPONENTI ------------------------------

SERVIZI ------------------------------------

EDILIZIA ------------------------------------ —— fornisce

SCHEMA C - ORGANIZZAZIONE AZIENDALE

LIVELLO OPERATIVO —— gestito da

DIRETTORI DI AREA

competenze

PRODUZIONE

LIVELLO ---------------------------- —— gestito da

RESPONSABILI DI UNITÀ

competenze

SVILUPPO RISORSE TECNICHE E _

PRODOTTI

FORMAZIONE/--------------------------

AREE ---------------------------------------

LIVELLO STRATEGICO —— gestito da

----

competenze

MARKETING

GESTIONE ---------------------------------

GESTIONE ---------------------------------

GESTIONE ---------------------------------

Rispondi alle domande:

1. Quanti impianti produttivi possiede il Gruppo?
2. In quali aree strategiche opera?
3. Che cosa fornisce?
4. In quanti e quali livelli è suddivisa l'organizzazione aziendale?
5. Quali sono le competenze dei direttori di area?
6. Chi è responsabile dello sviluppo di risorse tecnologiche?

Descrivere il proprio lavoro

Nelle Unità da 1 a 5 hai imparato a descrivere il tuo lavoro nel contesto della ricerca di un impiego. Nell'Unità 6 hai imparato a presentarti o a presentare fra loro persone specificando le mansioni. Ora imparerai a dare e ricevere informazioni su lavoro, competenze e responsabilità nel contesto dei rapporti d'affari. Osserva il seguente esempio di organigramma.

ESEMPIO DI ORGANIGRAMMA LINEARE O DI FAYOL*

(Ogni organo dipende da un organo superiore. La divisione dei compiti avviene in base alle varie fasi del processo produttivo).

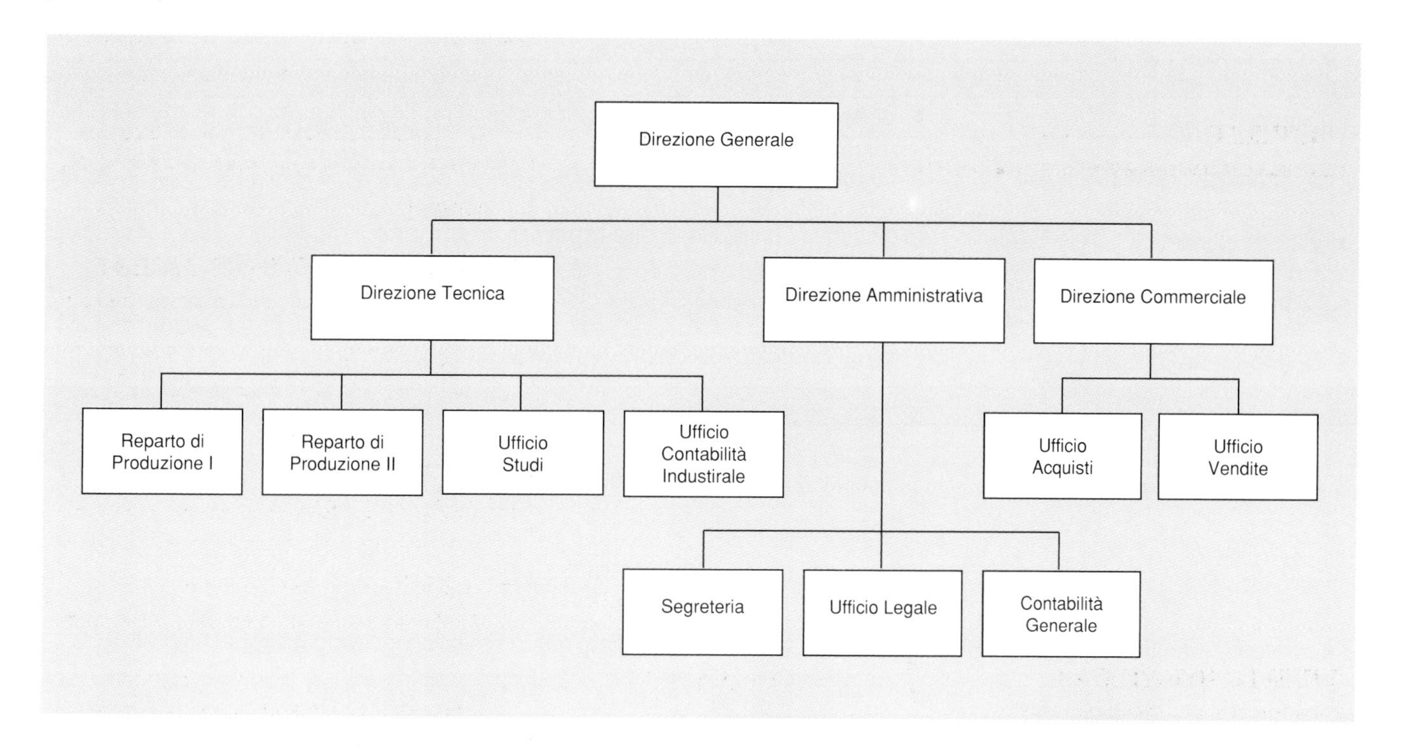

* Cfr. E. Levi, *Ragioneria applicata*, Milano, Tramontana, 1969, vol. II, p. 14. (L'organizzazione di un'azienda può avere, oltre all'ordinamento gerarchico o verticale o lineare o di Fayol, un ordinamento funzionale o orizzontale o di Taylor, dove lo stesso organo di direzione può essere collegato con tutti gli uffici o reparti di grado inferiore: la divisione dei compiti avviene cioè in base alla competenza degli organi. Infine un'azienda può avere un ordinamento misto che combina l'organizzazione lineare e quella funzionale).

ESERCIZIO 7

a) Osserva il seguente schema:

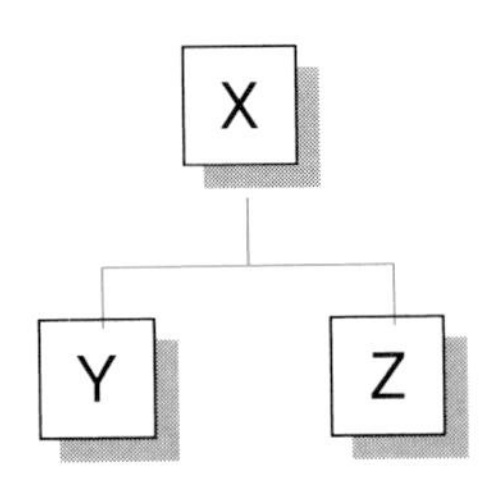

Es.: Il sig. Rossi, direttore dell'Ufficio X, *è responsabile* degli Uffici Y e Z
Il sig. Bianchi, direttore dell'Ufficio Y, *dipende* dall'Ufficio X.
Il sig. Verdi, direttore dell'Ufficio Z, *dipende* dall'Ufficio X.
Il sig. Rossi *dirige* l'Ufficio X.
Il sig. Neri *lavora* nell'Ufficio Z.

b) Stai spiegando ad un'assemblea dei soci l'organizzazione della azienda in cui lavori. Sostituisci alle lettere X, Y e Z tre organi compatibili (vedi organigramma) e descrivi la struttura come nell'esempio.

ESERCIZIO 8

La stenografa ha fatto un po' di confusione nel prendere nota di funzioni e competenze delle persone che hanno partecipato a una riunione.
Correggi la lista combinando le funzioni con le rispettive competenze.

1. Direttore tecnico	1. Sono avvocato e dirigo un ufficio che dipende dalla direzione amministrativa.
2. Direttore dell'Ufficio Acquisti	2. Lavoro nel Reparto produzione.
3. Vice-direttore dell'Ufficio Studi	3. Sono responsabile di due reparti di produzione.
4. Capo della Segreteria	4. Dipendo dal direttore dell'Ufficio Studi.
5. Direttore dell'Ufficio Legale	5. Dipendo dal Capo della Segreteria.
6. Operaio	6. Dirigo l'Ufficio Acquisti.
7. Dattilografo	7. Sono il segretario del direttore amministrativo e dirigo il mio ufficio.

ESERCIZIO 9

Lavorate in due. Utilizzate i dati dell'esercizio precedente e scambiatevi informazioni secondo il seguente modello:

Persona A: **Che lavoro fa**?

Persona B: **Sono** avvocato.

Persona A: ***Di che cosa si occupa***?

Persona B: a) **Sono** responsabile dell'Ufficio Legale.
b) **Lavoro** nell'Ufficio Legale
c) **Mi occupo** di assicurazioni.

ESERCIZIO 10

Descrivi il tuo lavoro e le tue competenze ad un collega, sulla base dello schema dell'Esercizio 9.

ESERCIZIO 11

Osserva e commenta i tre diversi tipi di organigrammi.

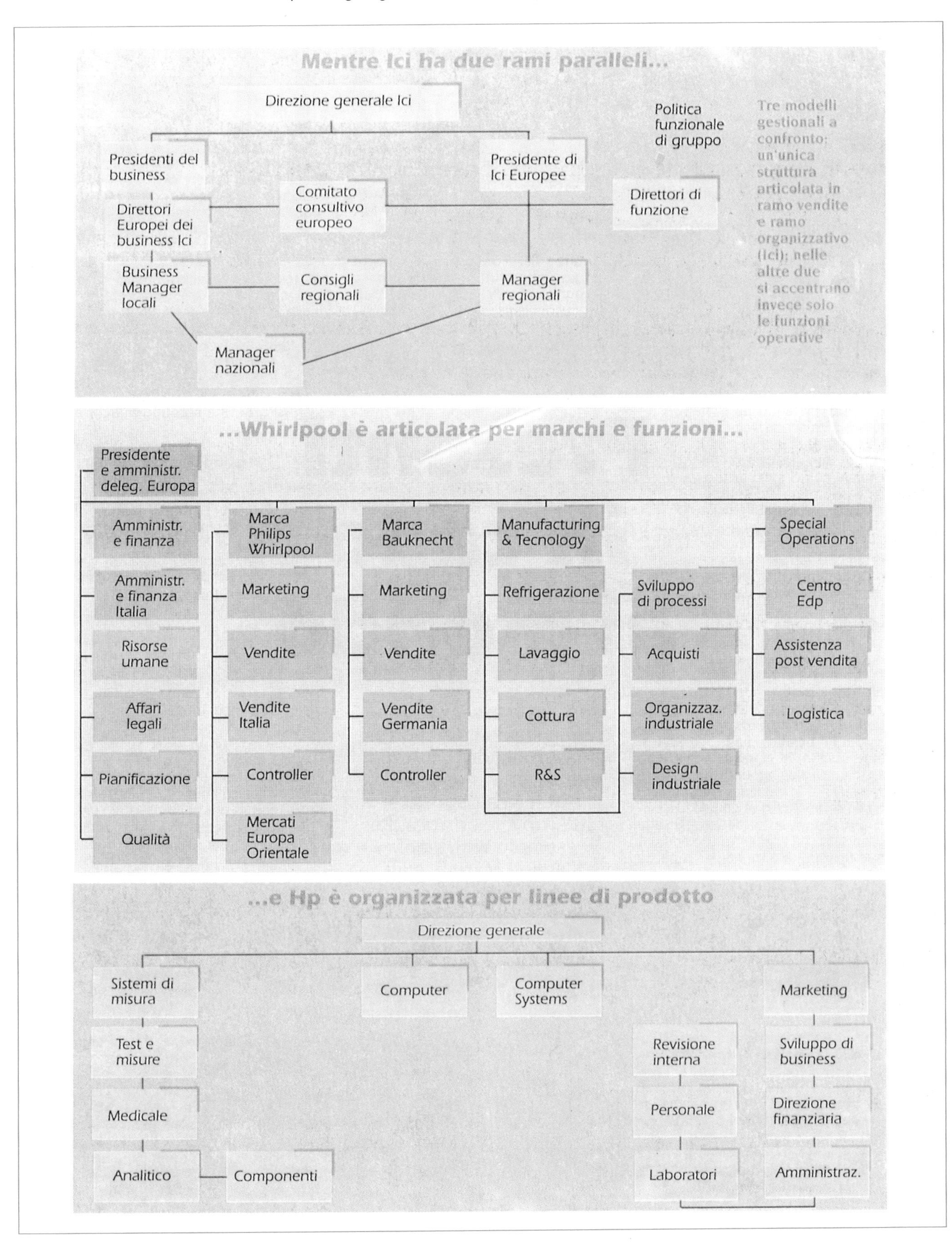

CULTURA D'AZIENDA

È innegabile che ogni cultura ha i suoi stereotipi e le sue norme e consuetudini di comportamento: la cultura d'azienda non fa eccezione. Con l'allargarsi dei mercati, l'impatto socio-culturale dell'espansione tecnologica e la caduta delle barriere linguistiche e politiche internazionali, diventa sempre più vitale per chi opera nel mondo degli affari conoscere culture aziendali straniere con cui deve apprendere a dialogare, a negoziare con successo.

Solo recentemente, sotto la spinta evolutiva delle relazioni d'affari internazionali, si è iniziato a studiare il fenomeno della cultura d'azienda da un'angolazione contrastiva, che mette in luce gli aspetti chiave della cultura d'impresa in differenti paesi.

Senza dubbio questo interesse dipende non solo da esigenze di carattere puramente intellettuale o sociale, ma anche dallo sviluppo della comunicazione d'impresa, che studia le migliori strategie per far avanzare la politica e gli obiettivi di un'azienda.*

Inoltre si guarda con crescente attenzione a strategie comunicative sempre più sofisticate, quali la soluzione creativa dei conflitti (*creative conflict resolution*) e l'approccio vincente (*win-win approach*) dove grazie a una migliore comunicazione si impara a risolvere i problemi in modo che da ambo le parti vi siano solo "vincitori" e non "vinti"; gli studi di questo genere applicati alla comunicazione d'impresa sono abbondanti, specialmente in campo anglosassone.

Ma se è importante comunicare meglio per poter raggiungere meglio i propri obiettivi commerciali, dalla vendita di prodotti alla conclusione di un accordo di fusione, allora occorre conoscere le regole del gioco: le norme e consuetudini di comportamento, l'"etichetta" aziendale internazionale. Occorre cioè riconoscere un concetto fondamentale: gli affari sono una forma di comportamento culturale.

L'articolo che segue, "Il nuovo manuale dell'euroetichetta"**, scritto da un giornalista economico specializzato in tematiche europee, presenta alcune riflessioni su questo tema, che sarà interessante verificare insieme.

---

* Chi desidera approfondire l'argomento della comunicazione nelle imprese potrà consultare due volumi pubblicati in Italia: N. Damascelli, *La comunicazione nelle imprese. Elementi introduttivi per il management,* Milano, Franco Angeli Libri, 1988, 102 pp.; E. Salem, *Che cos'è la comunicazione d'impresa,* Milano, Lupetti & Co. Editore, 1988, 215 pp.

** Si tratta di una recensione al recente testo di J. Mole, *Mind Your Manners*, Londra, Industrial Society, 1991, 200 pp.

BRUXELLES TREND

di Charles Goldsmith*

IL NUOVO MANUALE DELL'EUROETICHETTA

Il mercato unico europeo del 1992 armonizzerà molte leggi e standard di lavoro sotto un ombrello comune, ma le notevoli differenze che riguardano l'etichetta negli affari saranno molto più lente a scomparire.
Un complimento in Danimarca può essere interpretato come una pesante mancanza di rispetto in Grecia, creando attriti che nessuna direttiva dei burocrati di Bruxelles può placare in fretta.
In un libro pubblicato di recente, *Mind your manners* (edito dalla Industrial society, Londra, 200 pagine), il consulente aziendale John Mole, mette in luce le gaffe che il manager europeo di successo dovrebbe evitare, 1992 o meno.
Per manager e dirigenti italiani il libro contiene sia utili suggerimenti sugli usi e costumi del mondo degli affari in altri paesi Cee, sia un'analisi su come gli altri europei reagiscono alle peculiarità a volte singolari del costume italiano negli affari.
"Una reazione frequente al diverso modo di fare che hanno gli altri consiste nel giudicare o accondiscendere, con luoghi comuni quali "tipico tedesco/italiano/britannico", o qualcosa di più pesante", dice Mole, che esorta i lettori "a sospendere il giudizio e chiedersi il perchè di tale reazione".
La chiave della cultura italiana degli affari, dice l'autore, è la flessibilità. "Flessibilità significa ignorare le procedure come parte della routine", spiega. "Protocolli, regole, tabelle organizzative, potranno anche essere compilati e definiti nei minimi particolari, ma saranno ignorati tanto in linea di principio quanto nella pratica".
In Germania, per contrasto, il "rispetto per la perfezione" ha favorito una cultura manageriale basata su una meticolosa pianificazione ed esecuzione, poichè "cogliere al volo le opportunità è visto meno come un talento e più come un fallimento nell'organizzazione".
Il direttore della delegazione Fiat alla Comunità europea, Salvatore Rossetti, dice che gli italiani "sono più flessibili nell'adattarsi ai bisogni del mercato". Secondo lui le differenze in flessibilità tra diverse nazionalità sono evidenti anche nelle relazioni quotidiane tra chi vende o presta i servizi e i clienti. "Ero in un ristorante di Bruxelles con un importante visitatore italiano, che voleva olio d'oliva nella sua insalata. Quando lo chiese, il cameriere rispose che nell'insalata c'era già aceto, quindi non c'era ragione di volere olio d'oliva. Ora, io credo che se il cliente vuole l'olio, gli vada data la bottiglia dell'olio, perchè non c'è alcuna ragione per essere così rigidi", dice Rossetti.
Il consenso, nel processo decisionale degli italiani, è essenziale, dice Mole, perchè, "gli italiani in genere si ritengono in grado di fare il lavoro meglio dei loro capi, e non accettano di buon grado gli incarichi se non provano un personale interesse in ciò che devono fare".
Le riunioni di lavoro in Italia sono descritte come meno strutturate e molto più informali che nella maggior parte dei paesi europei, un "libero scambio di opinioni, commenti e idee" dove ognuno ha il diritto di dire la sua; sebbene non necessariamente con lo stesso peso. "Il peso dell'idea sta non nell'idea stessa, ma nell'importanza e influenza di chi la esprime", dice Mole. "Agli ultimi arrivati e dirigenti junior sarà accordata la cortesia di essere ascoltati e il loro apporto sarà ben accettato. Ma in qualche modo il loro contributo alla fine sarà ignorato".
Agli stranieri che conducono affari in Italia viene consigliato di apprezzare il ruolo dell'arte e della letteratura nel mondo aziendale, poichè "essere colti non è una graziosità sociale ma una necessità sociale".
Nomi come Aristotele, Umberto Eco e Adam Smith facilmente compaiono nelle conversazioni d'affari mondane in Italia, dice il libro e "questo tipo di citazioni potrebbe sembrare pretenzioso per chi ha un background in cui la familiarità con la letteratura e i classici è considerata qualcosa di estraneo al business". Molti europei del Nord fraintendono l'atteggiamento italiano nei riguardi della puntualità, spiega Mole. "Il tardare deliberatamente è visto come una sciatteria", ma gli italiani più di altri popoli comprendono il fatto che una varietà di eventi possa far arrivare qualcuno in ritardo, e "non vi verrà rinfacciato se vi scuserete sinceramente". In Italia è considerato peggio che arrivare in ritardo, spiega Mole, l'interrompere una riunione perchè sta andando oltre il tempo prestabilito.
I meeting multiculturali rappresentano un'importante sfida per i manager in Europa, poichè preparazione e aspettative variano molto. Tedeschi, olandesi e danesi prepareranno scalette per le riunioni nei minimi dettagli, mentre italiani, spagnoli e britannici scriveranno giusto qualche appunto sull'aereo, perchè credono che "quel che è effettivamente detto nelle riunioni sia molto più importante di ciò che è stato abbozzato in via preliminare".
La maggiore lacuna del libro sta nella scarsità di aneddoti a supporto di alcune delle generalizzazioni; buona parte del lavoro è esposta in uno stile secco e didattico. Ma forse questa era proprio l'intenzione dell'au-

BRUXELLES TREND

Il bon ton paese per paese

Ecco alcune caratteristiche nazionali descritte nel libro Mind your manners

Francia

La parola "intellettuale" non è un termine con connotazioni negative come in alcuni paesi, poichè i francesi apprezzano il pensiero astratto e la teoria. Il duro lavoro è ammirato ma il restringere i propri orizzonti al solo lavoro non lo è.

Germania

L'irascibilità, considerata un privilegio gerarchico in alcuni paesi, è vista come "rozza, e un segno di debolezza" in Germania. Lo scherzare tra estranei tende a far sentire imbarazzati e non a proprio agio i tedeschi.

Italia

La flessibilità è la chiave della cultura aziendale.
Portare il lavoro a casa, o ricevere a casa telefonate di lavoro è inusuale.

Olanda

La cultura aziendale è basata sull'egalitarismo. La gerarchia è un "vantaggio necessario", mentre il potere è "mascherato più che deriso".
L'abbigliamento è generalmente informale, la camicia senza cravatta e il pullover sono tollerati in alcune aziende.

Spagna

La forte leadership è molto importante, poichè "il condividere il processo decisionale con i subordinati può essere considerato come una debolezza ed è più probabile che generi insicurezza che impegno". Approvazioni e riconoscimenti sono rari, e poco tollerati, poichè "si presume comunque di star facendo bene il proprio lavoro".

Gran Bretagna

I britannici preferiscono "il pragmatismo alla teoria, e il saper cogliere le opportunità alla pianificazione". Gli incarichi dovrebbero essere "impartiti come educate richieste", poichè la gentilezza è essenziale nelle relazioni di lavoro.

Belgio

A causa della divisione linguistica (e non solo), francofona e fiamminga il compromesso è un elemento essenziale in tutti gli accordi, e "c'è un grande impegno nel trovare la soluzione più che nell'avere ragione".
Gli stranieri dovrebbero imparare almeno qualche vocabolo di francese o fiammingo, a seconda di che parte del paese visiteranno.

Danimarca

Le riunioni sono frequenti e con un'agenda preparata meticolosamente.
Nonostante alti livelli di vita, l'ostentazione è disapprovata.

Grecia

Nelle riunioni, il confronto non solo è tollerato, ma incoraggiato: "Ognuno, a turno, sarà ascoltato e confutato energicamente".
L'abbigliamento è più informale che negli altri paesi Cee, con l'eccezione del settore bancario.

Irlanda

L'atteggiamento verso le donne nel posto di lavoro "resta tradizionale e conservatore".
Rilassati e bonari, i manager irlandesi sono però durissimi negoziatori. Provare per credere.

Lussemburgo

Gli appunti personali, anche se fatti senza malizia, sono spesso visti come "aggressivi e rozzi".
Sebbene tutti parlino francese e tedesco, gli stranieri dovrebbero imparare qualche parola di lussemburghese.

Portogallo

Si ritiene un paese atlantico, non mediterraneo, quindi è considerato una "gaffe assimilare il Portogallo alla Spagna".
L'abbigliamento è basato su giacca e cravatta, con poca distinzione tra il lavoro e la vita sociale.

tore. I comportamenti stereotipati, come le barzellette, coincidono con la nascita stessa del genere umano, ma Mole avverte che le incomprensioni derivanti dagli stereotipi sono argomento per nulla comico, soprattutto per il portafoglio.
Evitare tali incomprensioni "renderà la collaborazione non necessariamente più armoniosa ma almeno più produttiva", dice. "E questa, dopotutto, è la sfida del mercato unico".

* *Charles Goldsmith è un giornalista economico specializzato in tematiche europee*

ESERCIZIO 12

Distingui le affermazioni vere da quelle false sulla base dell'articolo.

	V	F
1. Le riunioni d'affari in Italia sono eccessivamente formali e strutturate	☐	☐
2. La cultura d'impresa italiana è basata sulla flessibilità	☐	☐
3. Gli italiani hanno un alto concetto delle proprie capacità professionali rispetto ai loro superiori	☐	☐
4. Il personale italiano ha un profondo bisogno di partecipazione decisionale	☐	☐
5. L'interesse personale per un dato lavoro da svolgere non condiziona il modo in cui un italiano affronta quel lavoro	☐	☐
6. In Italia il valore dato alle idee di chi parla a una riunione non è influenzato dalla sua posizione gerarchica	☐	☐
7. In Italia interrompere una riunione perché sta superando il tempo prestabilito è considerato un gesto negativo	☐	☐

— Dovrete usare i vostri cervelli, signori: il computer è guasto!

— Sinceramente, signori, non ho tutte queste cose da dire!

ESERCIZIO 13

La tabella contenuta nell'articolo presenta alcune norme di comportamento che sarebbero tipiche dell'"euroetichetta" aziendale: discuti il contenuto della tabella in base alla tua personale esperienza e visione del mondo degli affari *nel tuo paese*:

1. Ti sembra che le caratteristiche nazionali indicate per il tuo paese corrispondano al vero?
2. È comune portarsi il lavoro a casa o ricevere a casa telefonate di lavoro? Pensi che sia una buona idea?
3. Che tipo di abbigliamento è consigliabile in ufficio? A una riunione?
4. È importante che una riunione si svolga nella lingua del tuo paese o è tollerabile che alcune persone si esprimano in altre lingue senza il contributo di un interprete?

5. Il confronto o la contestazione aperta delle idee degli altri è tollerato in una riunione? Perché?
6. Il personale tiene molto a ricevere riconoscimenti e approvazioni dai superiori? Tu ci tieni? Perché?
7. In affari è considerato più positivo saper cogliere le opportunità e improvvisare, o pianificare?
8. Si preparano agende meticolose per le riunioni di lavoro? Vengono rispettate?
9. Prima di una riunione d'affari è abitudine parlare del più e del meno con un ospite straniero oppure si preferisce cominciare subito a parlare di affari? Nel primo caso, di che cosa si parla di solito?
10. Lo scherzare fra estranei è visto positivamente o è imbarazzante?
11. La gerarchia e il potere sono contestati o accettati all'interno di un'azienda?
12. È importante per un uomo o una donna d'affari avere anche interessi intellettuali?
13. Le riunioni d'affari sono numerose? Cosa intendi per "numerose"?
14. Ti sembra possibile generalizzare norme e consuetudini di comportamento paese per paese? Perché?
15. C'è una norma che ti sembra comune e applicabile a tutti i paesi del mondo nel campo degli affari? Qual è?

ESERCIZIO 14

1. Elenca 3 norme di comportamento negli affari che hai osservato all'estero e che ti piacerebbe "importare" nel tuo paese.
2. Elenca 3 norme di comportamento negli affari che hai appreso nel tuo paese e che vorresti "esportare" all'estero.
3. Fai alcuni esempi di stereotipi comuni nel tuo paese su come vengono percepiti uomini e donne d'affari di altri paesi, e verificali attraverso la discussione.
4. Richiedi ai partecipanti alla discussione di fare alcuni esempi di stereotipi comuni nel loro paese su come vengono percepiti uomini e donne d'affari del tuo paese, e esprimi il tuo punto di vista.

— E va bene, ragioniere, andatevene pure a casa a riposare!

GRAMMATICA

DISCORSO DIRETTO E INDIRETTO (PARTE I)

Il discorso diretto contiene le precise parole detta da una persona, ed è racchiuso fra virgolette.

Es.: Il direttore ha detto: "*Questa è la mia nuova segretaria*".

Il discorso indiretto serve per riferire ciò che ha detto una persona, senza usare le sue precise parole.

Es.: Il direttore ha detto *che quella era la sua nuova segretaria.*

Nel passaggio dal discorso diretto al discorso indiretto è necessario fare alcuni cambiamenti nella frase riferita, perché i rapporti di spazio e di tempo sono cambiati. I cambiamenti riguardano:

a) parti del discorso
b) tempi e modi dei verbi (vedi Unità 10)

PARTI DEL DISCORSO CHE CAMBIANO NEL PASSAGGIO

DAL DISCORSO DIRETTO...	→	... AL DISCORSO INDIRETTO
PRONOMI PERSONALI di 1ª e 2ª pers.	→	PRONOMI PERSONALI di 3ª pers.
io, tu		lui, lei
noi, voi		loro
a me, a te		a lui, a lei
a noi, a voi		a loro
Dissero: "Noi lavoriamo a Roma".		**Dissero che loro lavoravano a Roma.**
POSSESSIVI di 1ª e 2ª pers.	→	POSSESSIVI di 3ª pers.
il mio, il tuo		il suo
il nostro, il vostro		il loro
Disse: "Vendo il mio prodotto".		**Disse che vendeva il suo prodotto.**
ESPRESSIONI DI TEMPO	→	
oggi		quel giorno
ora		allora
ieri		il giorno prima
poco fa		poco prima
scorso (il mese scorso)		precedente (il mese precedente)
domani		il giorno dopo
tra poco		poco dopo
prossimo (il mese prossimo)		seguente (il mese seguente)
Disse: "Ho telefonato ora".		**Disse che aveva telefonato allora.**
AVVERBI DI LUOGO	→	
qui, qua		lì, là
Disse: "L'ufficio è qui".		**Disse che l'ufficio era lì.**
DIMOSTRATIVI	→	
questo, questa		quel, quello, quell', quella
questi, queste		quei, quegli, quelle
Disse: "Questo biglietto è scaduto".		**Disse che quel biglietto era scaduto.**
VERBO "VENIRE"	→	VERBO "ANDARE"
Chiese: "Devi venire in Italia?"		**Chiese se dovessi andare in Italia.**

UNITÀ

10 Descrizioni di Prodotti e Procedimenti

LINGUA

Descrivere un prodotto

Descrivere un procedimento

CULTURA D'AZIENDA

Pubblicità e sponsorizzazioni

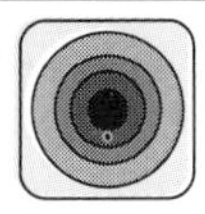

GRAMMATICA

Discorso diretto e indiretto (Parte II)

Descrivere un prodotto: prodotto, prestazioni, settori di applicazione

Il responsabile del settore fibre di un'azienda chimica descrive uno dei suoi prodotti a un pubblicista. Ecco l'intervista*:

Pubblicista Che cos'è esattamente il Lycra?

Manager *È un **marchio** creato dalla nostra Divisione tessile.*

Pubblicista **Vuole dire che** non si tratta di un tessuto?

Manager *Esattamente. Il marchio **denomina** un filato elastico sintetico **usato in campo** tessile in combinazione con altre fibre e in percentuale variabile dall'1 al 20%.*

Pubblicista Quali sono le **prestazioni del prodotto**?

Manager *La fibra fornisce a qualsiasi tessuto elasticità, comfort, resistenza e drappeggio. È **realizzata in** diversi tipi, anche sottilissimi, e può essere tesa da quattro a sette volte la sua lunghezza. La fibra ha un **peso** inferiore di un terzo a quello della gomma e una resistenza maggiore all'azione dell'acqua salata e del cloro.*

Pubblicista I principali **settori di applicazione** del prodotto sono quello degli elastici per biancheria intima e dei costumi da bagno, non è vero?

Manager *È esatto. Ma il prodotto è presente anche nel settore sportivo, per esempio nella realizzazione di tute da palestra e attrezzature da ciclismo e da sci, e nel settore dell'abbigliamento e della moda, in particolare il comparto delle calze da donna, che è un settore in piena espansione.*

Pubblicista Ci sono nuovi **settori di applicazione in via di sviluppo**?

Manager *Certamente. Stiamo progettando applicazioni del filato nel settore delle calzature sportive e di tessuto, e nel settore dei tessuti-non-tessuti, ad esempio quelli usati nel campo medico, nella produzione della finta pelle e dei rivestimenti interni di alcuni prodotti da valigeria.*

Pubblicista Il prodotto finito nelle sue fasi di lavorazione ha delle **controindicazioni ecologiche**?

Manager *Non in modo particolare. Si tratta di un prodotto sintetico che come tale non si autodistrugge e non è biodegradabile. Nella produzione però **non usa alcun tipo di componente dannoso** per l'ambiente. L'azienda è molto sensibile a queste problematiche e attua dei **processi di riciclo** in tutto ciò che è possibile.*

* Riduz. dal testo promozionale "Du Pont. Un successo di nome Lycra," *Management*, marzo 1991, n. 3, p. 144-145.

COMMENTO

Marchio: segno o nome che contraddistingue un prodotto.

Vuole dire che...?: per chiedere di esplicitare un'affermazione.

> Vuol dire che si tratta di un tessuto?
> Si tratta di un tessuto, non è vero?

Risposta:

> Esattamente/Non esattamente
> Sì, è esatto/No, non è esatto

Denomina: dà il nome a, designa con un nome.

Usato in campo (+ campo/settore): il campo di applicazione di un prodotto.

Il prodotto è usato in campo	tessile industriale alimentare ecc.

Prestazioni del prodotto: il rendimento, l'opera o l'attività fornita da un prodotto.

La fibra fornisce	elasticità comfort resistenza	a ogni tessuto

È realizzato/a in (+ materia/tipologia): per indicare la materia di cui è fatto un prodotto o il modo in cui è prodotto:

Il prodotto è realizzato in	molti tipi ferro legno plastica serie

Peso: una delle caratteristiche fisiche di un prodotto.

peso
dimensioni
altezza
lunghezza
larghezza
volume
ecc.

Settori di applicazione: i settori in cui viene usato il prodotto.

Settore	elastici bagno sportivo abbigliamento moda ecc.

Settori di applicazione in via di sviluppo: nuovi settori in cui è vantaggioso usare il prodotto e che sono ricercati di solito dagli uffici tecnici di un'azienda (Ufficio sviluppo, Ufficio ricerche, ecc.).

Controindicazioni ecologiche: circostanze che sconsigliano l'uso di una sostanza perché dannosa all'ambiente.

Non usa ... **componenti dannosi**: il processo di produzione avviene senza uso di sostanze pericolose per l'ambiente.

Processi di riciclo: il **riciclo**, o **riciclaggio**, comune in molte tecnologie fra cui la chimica, consiste nel sottoporre un prodotto o sostanza allo stesso ciclo di lavorazione più di una volta.

ESERCIZIO 1

Stai facendo una relazione durante una riunione fra colleghi di lavoro. Riferisci le affermazioni del Manager secondo l'esempio (vedi anche Grammatica).

Es.: "Il Lycra è un nostro marchio, creato dalla nostra Divisione tessile".
Il responsabile (affermare) ha affermato che il Lycra è un loro marchio, creato dalla loro Divisione tessile.

1. "Questo non è un tessuto ma un nostro filato elastico sintetico".
   Il responsabile (precisare) ______________________________
   ____

2. "Noi qui realizziamo diversi tipi di fibra".
   Il responsabile (dire) ______________________________
   ____

3. "Ci sono quattro settori di applicazione del nostro prodotto; inoltre stiamo studiando l'uso del prodotto anche in due nuovi settori".
   Il responsabile (affermare) ______________________________
   e (aggiungere) ______________________________

4. "La produzione di questo prodotto non usa alcun tipo di componente dannoso all'ambiente".
   Il responsabile (annunciare) ______________________________
   ____

ESERCIZIO 2

Lavorate in due e alla fine dell'esercizio scambiatevi i ruoli. Sei un rappresentante: descrivi i due prodotti ad un cliente, che ti farà domande su:

— tipo di prodotto
— materiali/tecnologia
— settori di applicazione
— prestazioni

Inizia presentandoti in questo modo: "Buongiorno. Sono un rappresentante dell'azienda/istituto... Sono qui per descriverle il nostro prodotto".

ARREDAMENTI "EXECUTIVE"
TIPO DI PRODOTTO Nuova linea di divani in pelle per arredamento d'ufficio
MATERIALI Pelle (rivestimenti) Acciaio (schienale)
SETTORI DI APPLICAZIONE Arredamento per uffici Arredamento per sale riunione Arredamento per sale d'attesa
PRESTAZIONI Comfort eccezionale Schiena flessibile

ISTITUTO "PUBBLICITALIA"
TIPO DI PRODOTTO Ricerche di controllo su impatto, gradimento e ricordo di messaggi pubblicitari su tutti i media
TECNOLOGIA Rilevazioni telefoniche computerizzate
SETTORI DI APPLICAZIONE Settore industriale Settore terziario Settore agenzie specializzate
PRESTAZIONI Servizio flessibile e rapido Controllo costante delle rilevazioni

ESERCIZIO 3

Descrivi un prodotto che ti è familiare, secondo il modello dell'Esercizio 2.

Descrivere un prodotto: prezzi

Osserva la scheda tecnica e la descrizione pubblicitaria di questi prodotti:

Nuovo prezzo eccezionale:
da L. 1.190.000*

PCS 86 - 286 - 386sx, tre Personal Computer professionali ad un prezzo straordinario, oggi con una grande opportunità in più: 9 pacchetti software per affrontare subito il nuovo scenario del mercato europeo.
Elaborato nelle sette principali lingue europee, il software 1992 è costituito dall'integrato Microsoft Works 2, da un database sulle 3000 principali aziende europee, dal pratico dizionario "Collins ON-LINE", da "Euroletter", raccolta di formule idiomatiche e convenzioni grafiche per la corrispondenza commerciale, ed ancora da altri pratici software per lavorare con facilità nella nuova Europa.

PCS 86-286-386sx

MODELLO	MICROPROCESSORE	RAM	UNITÀ DISCO	VIDEO VGA	PREZZO (IVA ESC.)
PCS 86 SD	NEC V30 10 MHz	640 Kb	FD 720 Kb	14" B.N.	L. 1.190.000
PCS 86 DD	NEC V30 10 MHz	640 Kb	2 FD 720 Kb	14" B.N.	L. 1.540.000
PCS 86 HD20	NEC V30 10 MHz	640 Kb	FD 720 Kb/HD20 Mb	14" B.N.	L. 1.900.000
PCS 286 DD	80286 12 MHz	1 Mb	2 FD 1.44 Mb	14" B.N.	L. 1.990.000
PCS 286 HD20	80286 12 MHz	1 Mb	FD 1.44 Mb/HD 20 Mb	14" B.N.	L. 2.340.000
PCS 286 HD40	80286 12 MHz	1 Mb	FD 1.44 Mb/HD 40 Mb	14" B.N.	L. 2.590.000
PCS 386sx HD 40	80386sx 16 MHz	1 Mb	FD 1.44 MB/HD 40 Mb	14" B.N.	L. 3.750.000
PCS 386sx HD 100	80386sx 16 MHz	1 Mb	FD 1.44 Mb/HD 100 Mb	14" B.N.	L. 4.390.000

Tutti i modelli includono nel prezzo la dotazione di software di base (MS-DOS 3.3 - GW-BASIC- TUTORIAL) e dei software contenuti nel Package Europa 1992. Sono disponibili anche con video a colori VGA (14" 0.39 dot pitch) con un supplemento prezzo di L. 400.000.

Questo software accresce il valore del già alto standard qualitativo della gamma professionale Olivetti PCS, caratterizzata da elevate prestazioni in termini di potenza, velocità (HD veloci con tempo di accesso fino a 19 ms), ampia configurabilità (3 slot di espansione), qualità d'immagine (controller VGA integrato e monitor 14"), versatilità (l'ambiente MS-DOS consente illimitate applicazioni).
Con in più la garanzia della rete capillare di servizio e assistenza Olivetti.
Il package Europa 1992 vi aspetta insieme ai tre modelli PCS presso i Concessionari e Rivenditori autorizzati PC di Olivetti Office Italia e presso gli altri Rivenditori PCS**.

La nostra forza è la vostra energia

olivetti
OLIVETTI OFFICE

** Negozi qualificati di elettrodomestici e HI-FI, Rivenditori prodotti per ufficio, Computer Shop, Centri Metro, Librerie qualificate Pirola-Maggioli, negozi Expert.

* IVA esclusa. Prezzi e caratteristiche tecniche soggetti a variazioni senza preavviso. Collins ON-LI

Un cliente si presenta da un rivenditore autorizzato per acquistare un computer per il suo ufficio.

Cliente Vorrei scegliere un personal computer professionale per il nostro ufficio. Abbiamo visto la pubblicità della vostra **offerta speciale. Che prezzo ha** il modello PCS 86 SD?

Commesso *È un **prezzo** eccezionale: 1.190.000 lire più IVA. Si tratta di un modello che include anche nove pacchetti di software elaborati in sette lingue europee.*

Cliente Che differenza di prezzo c'è fra il modello PCS 86 SD e il PCS 86 HD 20?

Commesso *C'è una differenza di 710.000 lire.*

Cliente Non mi sembra conveniente. I modelli sono disponibili con video a colori?

Commesso *Certamente. Possiamo includere un video a colori VGA con un **supplemento sul prezzo**.*

Cliente Mi interessa. Di quanto è il supplemento?

Commesso *È di 400.000 lire.*

Cliente Ah. A quanto ammonta **l'IVA**?

Commesso *Al 19% sul prezzo di vendita.*

Cliente Può calcolarmi il costo totale del modello PCS 86 SD con il video a colori?

Commesso *Certo. Allora: abbiamo il prezzo di listino, più il supplemento video, più l'IVA. In totale 1.892.000 lire.*

Cliente L'articolo mi interessa, però avevamo preventivato una spesa minore. D'altra parte vorrei il modello con video a colori. È possibile ottenere uno **sconto**?

Commesso	*Possiamo discuterne con il titolare. Mi segua.*
Titolare	Il prezzo è già scontato, si tratta di **un affare**. Posso farle solo uno sconto del...%, tenendo conto che lei è un buon cliente e che paga **per contante**.
Cliente	**Va bene. Lo compro.** Quando potete consegnarlo?
Commesso	*Al massimo entro lunedì prossimo.*
Cliente	C'è un supplemento da pagare per la consegna?
Commesso	*No. La consegna è **gratuita**.*

COMMENTO

Offerta speciale: una proposta di prezzo particolarmente conveniente in un negozio.

Che prezzo ha......?: per informarsi sul costo di un prodotto.

Che prezzo ha?
Quanto costa?

Prezzo: il valore di scambio di una merce, la somma di denaro necessaria per comprare una merce.

Prezzo	
	alto poco conveniente
	basso conveniente scontato eccezionale stracciato

Supplemento sul prezzo: una somma di denaro da pagare in più.

C'è un supplemento da pagare (Di) quanto è il supplemento	per il video a colori? per la consegna?

IVA / I.V.A.: Imposta sul Valore Aggiunto.

Sconto: una riduzione del prezzo.

È possibile ottenere Può farmi	uno sconto?

Un affare: un acquisto molto conveniente.

Per contante: forma di pagamento immediata per mezzo di biglietti di banca o di monete.

Lo sconto si applica sui pagamenti	per contante
Lo sconto non si applica sui pagamenti	a rate

Va bene. Lo compro: per concludere un acquisto.

Gratuito: senza alcun compenso.

dimostrazione consegna assistenza	gratuita

ESERCIZIO 4

Descrivi a una collega d'ufficio il computer che hai appena acquistato:

Marta	Allora, hai comprato il computer? Com'è?
Tu	*È un modello in offerta _________, un vero_________.*
Marta	Davvero? Quanto costa?
Tu	*Costa _________ più un _________ per il video a colori.*
Marta	Un video a colori? Ma l'hai detto al Dott. Franceschi?
Tu	*Non credo che penserà che il _________ è troppo alto: ho un asso nella manica...*
Marta	Ah sì? Uno dei tuoi soliti trucchi?
Tu	*Figurati. Ma no, è solo che sono riuscito a ottenere uno _________!*

— Cerchiamo di essere realistici, signori! Il nostro prodotto è proprio disgustoso!

— ... più l'IVA, s'intende.

Descrivere un prodotto: costi di produzione, vendite

ESERCIZIO 5

Il tuo direttore commerciale ti ha chiesto di compilare un grafico, sui costi di produzione delle auto prodotte da varie industrie, sulla base del seguente comunicato.

"Secondo uno studio della McKinsey intitolato Steering the European car industry through the 1990s, la Volkswagen ha un indice di costi di produzione fra i più alti del settore (140 nell'indagine della società di consulenza) a fronte di un valore pari a 100 di Toyota, Honda e Nissan in Giappone, 110-115 della Nissan negli stabilimenti britannici di Sunderland, 120 di Peugeot e Renault, 120-125 della Fiat, 125-130 di Rover e Volvo e 130-135 di Ford e General Motors. I problemi? Fondamentalmente due, secondo la dettagliata analisi condotta dall'autorevole mensile tedesco Manager magazin: produttività e costo del lavoro"*.

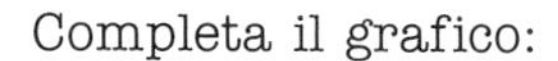

Completa il grafico:

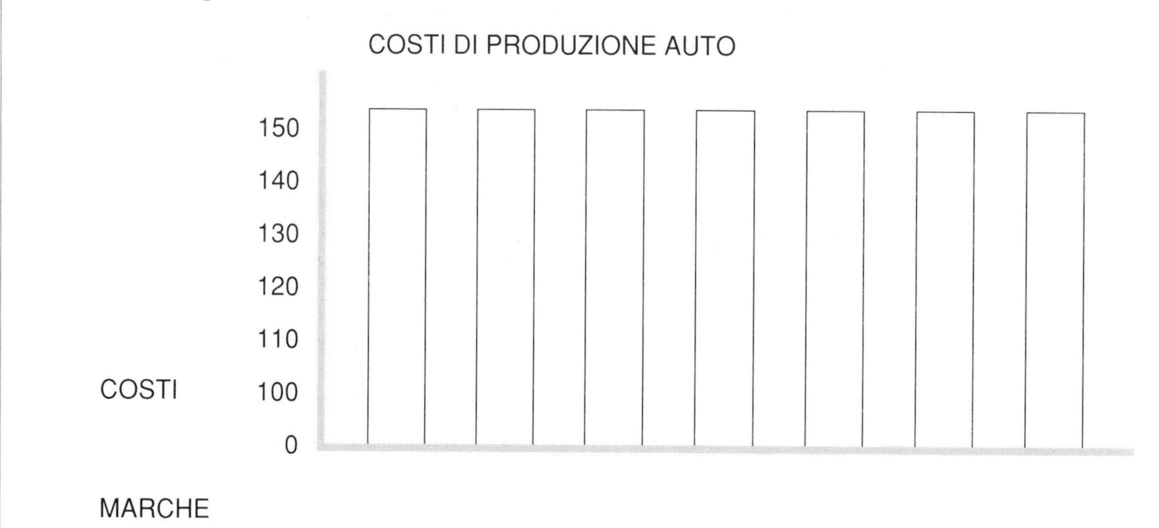

* "InGolfati", *Panorama,* 7 aprile 1991, p. 246.

ESERCIZIO 6

a) Osserva il seguente grafico:

GRAFICO DELLE VENDITE - PRIMO QUADRIMESTRE 19____

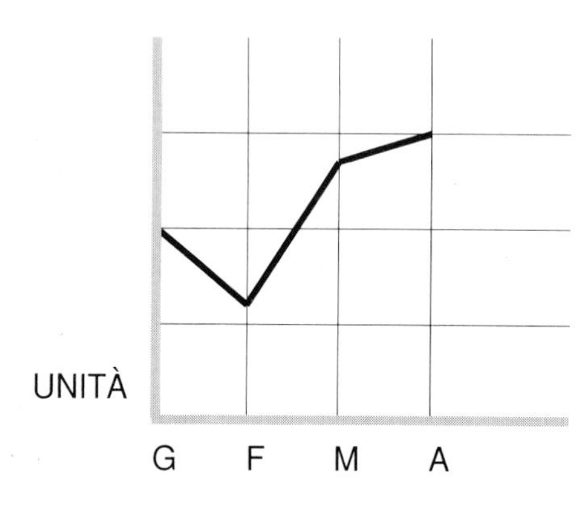

A febbraio	le vendite sono scese c'è stata una flessione delle vendite la ditta "X" ha diminuito le vendite
A marzo	le vendite sono salite c'è stata una crescita delle vendite la ditta "X" ha aumentato le vendite
Le vendite di marzo sono state in linea con le vendite di aprile	

b) Devi scrivere un breve resoconto per il tuo giornale aziendale. Leggi la scheda sulla performance dell'Aprilia e completa il testo.

PERFORMANCE

L'IMPENNATA DELL'APRILIA

Dopo aver dedicato il 1987 a rafforzare la sua presenza sul mercato italiano, Ivano Beggio punta ora sull'estero, per portare a 120 miliardi, nel 1988, il fatturato dell'Aprilia, l'azienda motocilistica di Noale (Venezia) il cui giro d'affari l'anno scorso è cresciuto del 40 per cento, passando da 62,8 a 88,4 miliardi. Beggio, titolare di un gruppo che comprendende anche la Giomo cucine, ritiene infatti che almeno 8-10 miliardi arriveranno dalla sola Spagna, dove l'Aprilia è da quest'anno presente grazie all'accordo con la principale casa locale, la Derby, che distribuisce le moto veneziane sul territorio iberico.

L'ottimo 1987 ha consentito all'Aprilia di salire dal sesto al terzo posto nella graduatoria delle marche più vendute in Italia, alle spalle di Honda e Gilera-Piaggio. In un anno disastroso per le due ruote motorizzate, falcidiate da una flessione del 32 per cento dell'immatricolato, l'Aprilia ha aumentato le vendite di moto targate da 10.153 a 14.431 unità. A fare la parte del leone sono state le 125 centimetri cubici, con oltre 11 mila pezzi venduti. Nel primo quadrimestre del 1988 la distribuzione di moto targate, in Italia, è in linea con l'anno scorso, ma all'Aprilia si attendono un'impennata con il lancio dei nuovi modelli di 125 cc., la stradale "Sintesi" e la custom "Red Rose". In netta crescita (più 24 per cento rispetto ai primi quattro mesi del 1987) risultano intanto le vendite dei ciclomotori da 50 centimetri cubici.

Maurizio Maggi

L'Aprilia ____________ le vendite di moto targate da 10.153 a 14.431 unità.

Le moto ____________ sono state le 125 centimetri cubici, con oltre 11.000 pezzi venduti.

Quest'anno la distribuzione in Italia di moto targate è ____________ l'anno scorso.

Le vendite dei ciclomotori da 50 cc. sono in netta ____________.

ESERCIZIO 7

Tu lavori per un'agenzia pubblicitaria e stai mostrando il tuo portfolio ad un cliente che desidera affidarti la pubblicità di un suo articolo di abbigliamento maschile. Rispondi alle sue domande cercando di mettere in luce le differenze fra le due pubblicità.

— Comunicazione di servizio per il reparto vendite: «Vergogna!».

PUBBLICITÀ N. 1

PUBBLICITÀ N. 2

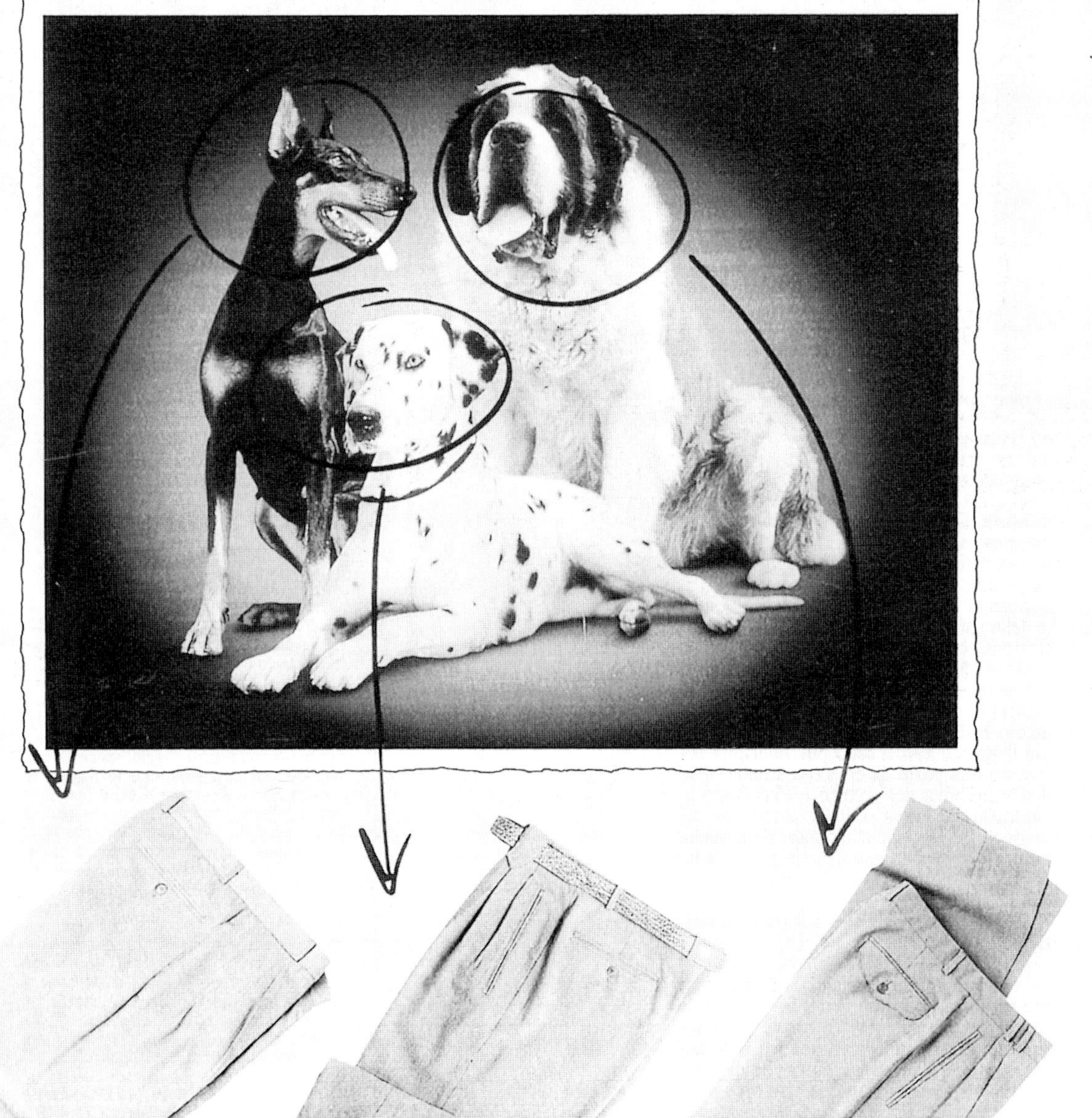

1. Che prodotto è reclamizzato?

   N. 1 ____________________
   N. 2 ____________________

2. A che tipo di consumatore si rivolge la pubblicità?
   (sesso - età - livello culturale)

   N. 1 ____________________
   N. 2 ____________________

3. Che tipo di messaggio o idea viene associato al prodotto?

   N. 1 ____________________
   N. 2 ____________________

4. Sono presenti degli status symbol?

   N. 1 ____________________
   N. 2 ____________________

5. Che tipo di atmosfera emotiva è presente?

   N. 1 ____________________
   N. 2 ____________________

6. Quale slogan viene usato?

   N. 1 ____________________
   N. 2 ____________________

7. Quali sono le associazioni mentali che provoca la presenza del cane nell'immagine?

   N. 1 ____________________
   N. 2 ____________________

8. Che tipo di sponsorizzazione consiglierebbe per il prodotto? (sportiva - culturale)

   N. 1 ____________________
   N. 2 ____________________

ESERCIZIO 8

Lavorate in due. Un cliente e un pubblicitario stanno discutendo come impostare la pubblicità fotografica di un certo prodotto. Il pubblicitario farà al cliente delle domande, e il cliente avrà già preparato delle risposte, sui seguenti dati:

1. Tipo di prodotto
2. Tipo di pubblico da raggiungere
3. Tipo di messaggio o idea da associare al prodotto
4. Tipo di atmosfera emotiva del messaggio
5. Slogan
6. Tipo di immagine aziendale da trasmettere
7. Tipo di sponsorizzazione eventuale.

Descrivere un procedimento

Un ricercatore di un centro studi spiega ad un responsabile dell'Ufficio tecnico di un'azienda come si svolge una procedura di autocontrollo.

Ricercatore	**Prima di tutto**, la procedura di autocontrollo deve essere effettuata per ogni impianto di produzione e comprende otto **fasi**. **Primo**, ogni giorno viene prelevato un campione del prodotto; **secondo**, vengono verificate ogni settimana le caratteristiche dei campioni raccolti; **terzo**, i dati vengono registrati su schede.
Tecnico	*A chi devono essere inviate le schede?*
Ricercatore	**Una volta compilate**, le schede vanno inviate al nostro Ufficio tecnico. **A questo punto**, il nostro ufficio **non solo** controlla le informazioni **ma** le compara **anche** ai parametri stabiliti; **durante la fase seguente**, le invia al Centro Studi principale, che ne certifica la veridicità.
Tecnico	*Capisco. Cosa accade se le verifiche corrispondono alle prescrizioni tecniche?*
Ricercatore	Inizia l'**ultima fase**, in cui viene rilasciato un certificato di conformità che viene rinnovato di anno in anno.

COMMENTO

Prima di tutto: per iniziare a descrivere la prima fase di un procedimento, oppure per introdurre, come in questo caso, delle osservazioni generali.

Fasi: le varie parti in cui è possibile dividere un procedimento. Per indicare l'ordine di svolgimento delle fasi si possono usare espressioni come:

Nella prima Nella seconda Nella terza .... Nell'ultima	fase

Oppure si può prendere una fase specifica come punto di riferimento:

Prima di Durante/In Dopo	questa fase

Primo: per indicare ciò che corrisponde al numero uno in una classificazione o successione di fasi.

1° primo	6° sesto
2° secondo	7° settimo
3° terzo	8° ottavo
4° quarto	9° nono
5° quinto	10° decimo
	ecc.

Una volta + participio passato: **una volta compilate le schede** significa: **dopo che le schede sono state compilate**.
L'espressione serve per segnare il passaggio da una fase all'altra (N.B.: il participio richiede l'accordo).

> Es.: **Una volta venduta, la merce viene spedita al compratore.**
> **Una volta firmato, l'assegno viene inviato al creditore.**
> **Una volta convocati i soci, si presenta il bilancio.**

A questo punto: per concentrare l'attenzione sull'inizio di una certa fase o su un momento importante.

Non solo...... **ma anche**: per distinguere due momenti di una fase.

Durante la fase seguente: per concentrare l'attenzione sulla fase che segue. Osserva questo schema cronologico:

(prima)	Durante la fase precedente
(ora)	Durante questa fase
(poi)	Durante la fase seguente

Ultima fase: la fase finale che chiude il procedimento.

ESERCIZIO 9

Elenca le otto fasi contenute nel dialogo, usando i numerali.

> Es.: **Primo, ogni giorno si preleva un campione del prodotto; secondo,...**

ESERCIZIO 10

Descrivi il procedimento necessario per svolgere dall'inizio alla fine una delle seguenti attività:

a) Catalogare un documento
b) Battere a macchina il testo di una lettera
c) Chiedere un aumento di stipendio
d) Lavarsi i denti

ESERCIZIO 11

Osserva il prospetto di pagina 193, che riflette il contenuto del dialogo. Prepara una nuova versione grafica del prospetto dove le fasi della procedura di autocontrollo siano facilmente identificabili e schematiche.

ESERCIZIO 12

Descrivi un procedimento che ti è familiare nel lavoro che svolgi.
Usa liberamente le espressioni contenute nel Commento, cercando di rendere la tua esposizione scorrevole e non ripetitiva.

Pavitalia: le garanzie per il progettista ed il committente

il marchio Pavitalia

Garantisce all'utilizzatore che ogni azienda ammessa:
- ha la volontà di produrre un massello di qualità;
- ha i mezzi e gli impianti per produrlo e controllarlo;
- si impegna a rispettare le specifiche tecniche dell'Associazione redatte in un'ottica di difesa del consumatore;
- è impegnata a sottoporre la produzione alle procedure di autocontrollo previste dall'Associazione e ad accettare i controlli ispettivi destinati a verificare la veridicità dell'autocontrollo per garantire qualità e costanza del prodotto.

l'autocontrollo

La procedura di autocontrollo viene effettuata per ogni singolo impianto di produzione.
Ogni giorno viene prelevata e marcata una campionatura di masselli.
Settimanalmente vengono verificate:
- tolleranze dimensionali
- peso specifico
- assorbimento d'acqua
- resistenza a compressione

I dati dell'autocontrollo vengono registrati su apposite schede.
Copie delle schede sono inviate all'Ufficio Tecnico Pavitalia.
Le informazioni contenute vengono controllate e comparate con i parametri stabiliti dall'Associazione e con i dati rilevati dalle visite effettuate dalla Pavitalia, quindi inviate al Centro Studi OIKOS di Bologna che ne certifica la veridicità.
Se tutte le verifiche risultano conformi alle prescrizioni tecniche Pavitalia viene rilasciato un certificato di conformità. Tale certificato è soggetto a revoca se nel corso dei controlli periodici la produzione dovesse rivelarsi non conforme agli standard Pavitalia. In ogni caso il certificato viene rinnovato di anno in anno.

1° Trofeo Pavitalia

Riservato a Progettisti, Enti committenti, Studenti, Fotografi professionisti ed amatori.

Per informazioni: SEGRETERIA PAVITALIA
Via Milano, 22 - 31050 Olmi di Treviso - Tel. 0422/792446

CULTURA D'AZIENDA

CHI MI AMA MI COMPRI*

Nel 1987, in Italia, le aziende hanno speso quasi 11 mila miliardi per comunicare qualcosa a segmenti più o meno vasti della società italiana. Per fare questo hanno acquistato quasi quattro pagine su dieci dei periodici, fino a 12 minuti ogni ora nelle televisioni commerciali e nelle radio e grandi spazi sui muri e nelle strade delle città. E, in un inseguimento sempre più minuto e mirato del cittadino consumatore, i messaggi pubblicitari arrivano a occhieggiare dalle bustine dei fiammiferi, sfrecciano dai lunotti posteriori dei taxi, ammoniscono dai severi pacchi di sale, dalla sommità delle schedine del Totocalcio, dai sacchetti di plastica dei supermarket, aggiungendo altro denaro, non sempre quantificabile, al denaro ufficialmente speso "in pubblicità".

Sono soldi spesi bene? Non è sempre possibile dirlo. A volte sono soldi spesi benissimo. Nel 1972 Jesus Jeans riuscì, grazie alla pubblicità, a conquistare di colpo una notorietà, un'autorevolezza e una quota di mercato importante nel mercato dei jeans, insidiando in Italia il primato di Levi's e di Wrangler.
Altre volte sono soldi buttati al vento. Tutti coloro che hanno cercato di insidiare la triade Ramazzotti-Montenegro-Averna nel mercato degli amari ci hanno rimesso qualche decina di miliardi. "Metà dei soldi che spendo in pubblicità sono sprecati. Il problema è che non so quale metà", è l'osservazione semiseria di un industriale americano che viene spesso ripetuta all'inizio dei libri sulla pubblicità. Noi la ripetiamo, perché riflette assai bene la natura della pubblicità, scienza umana, come la sociologia e la psicologia, e in quanto tale, mai completamente riconducibile a formule matematiche e mai completamente verificabile.

SPONSORIZZAZIONE O PUBBLICITÀ?**

Ci sono molti equivoci da chiarire sulla natura della sponsorizzazione, il primo dei quali è la frequente confusione e identificazione con la pubblicità, non solo da parte dell'opinione pubblica, ma anche delle aziende e dei loro management. Si tratta invece di due attività di comunicazione del tutto distinte, con caratteristiche assolutamente divergenti.
La principale riguarda il modo di coinvolgimento del pubblico, la cui attenzione e ricezione nel caso della pubblicità è passiva mentre in quello della sponsorizzazione è attiva. Ogni messaggio pubblicitario è concepito infatti per suscitare l'interesse di persone che lo ricevono quasi sempre senza alcun preavvertimento, ma soprattutto senza che da parte loro ci sia un'esplicita volontà di ricevere informazioni sul soggetto del messaggio stesso.
La differenza rispetto alla sponsorizzazione risulta allora lampante: in questo caso infatti il pubblico di un evento sponsorizzato è mosso da un interesse ben preciso, consapevole, per la manifestazione sportiva, culturale o televisiva in questione. L'intenzionalità del coinvolgimento è un primo e importante valore positivo della sponsorizzazione, in quanto produce l'associazione fra l'evento, oggetto dell'interesse attivo, e lo sponsor, percepito come il soggetto che ne consente lo svolgimento.
Vi è poi un altro fondamentale aspetto in cui pubblicità e sponsorizzazione si differenziano, la capacità di trasmettere informazioni specifiche sul protagonista della comunicazione. È chiaro infatti che la prima è in grado di permettere una comunicazione relativamente completa ed esaustiva, tanto quanto la seconda ne è impedita dal ruolo secondario in cui lo sponsor è per forza di cose costretto dalla natura stessa della sponsorizzazione che premia innanzitutto o l'evento o il personaggio-campione.

* Cfr. E. Pirella, P. Vaccari, "La pubblicità", in *Che cos'è la comunicazione d'impresa*, op. cit., p. 21-22.
** Cfr. D. Paolini, "Le sponsorizzazioni", ibidem, p. 82-83.

ESERCIZIO 13

Prepara un breve discorso di tre minuti in cui spieghi perché secondo te i soldi spesi in pubblicità sono spesi bene oppure spesi male. Usa la seguente traccia per preparare il discorso:

1. Due argomenti a favore della tua tesi
2. Almeno un esempio
3. Conclusione

ESERCIZIO 14

Distingui le affermazioni vere da quelle false.

	V	F
1. Sponsorizzazione e pubblicità sono due attività comunicative molto diverse fra loro	☐	☐
2. Il pubblico è coinvolto dalla pubblicità in modo attivo	☐	☐
3. Esistono almeno tre tipi di sponsorizzazione	☐	☐
4. Il pubblico di un evento sponsorizzato partecipa attivamente all'evento	☐	☐
5. La pubblicità permette ai suoi protagonisti di comunicare bene con il pubblico	☐	☐
6. La sponsorizzazione favorisce la comunicazione fra lo sponsor e il pubblico	☐	☐

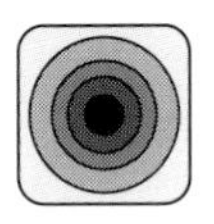

GRAMMATICA

DISCORSO DIRETTO E INDIRETTO (PARTE II)

Nel passaggio dal discorso diretto al discorso indiretto si usano verbi come **dire**, **affermare**, **dichiarare**, **raccontare**, **precisare**, **aggiungere**, **chiedere**, **ripetere**, **rispondere**, **annunciare**, **esclamare**, **ordinare**, ecc., seguiti da **che**.

Tempi e modi dei verbi cambiano secondo i seguenti schemi:

SCHEMA 1

TEMPI E MODI DEI VERBI DIPENDENTI NEL PASSAGGIO

DAL DISCORSO DIRETTO...		... AL DISCORSO INDIRETTO
VERBO PRINCIPALE AL PRESENTE: **dice*** PASSATO PROSSIMO: **ha detto**** FUTURO: **dirà***	——►	VERBI DIPENDENTI
Il dott. Rossi **dice**/**ha detto**/**dirà**: "..."		Il dott. Rossi **dice**/**ha detto**/**dirà** che...
PRESENTE "Noi **produciamo** solo auto".	——►	PRESENTE ... loro **producono** solo auto.
FUTURO (SEMPLICE E ANTERIORE) "Noi **produrremo** solo auto quando **saremo entrati** nella CEE".	——►	FUTURO (SEMPLICE E ANTERIORE) ... loro **produrranno** solo auto quando **saranno entrati** nella CEE.
PASSATO PROSSIMO "Noi **abbiamo prodotto** solo auto".	——►	PASSATO PROSSIMO ... loro **hanno prodotto** solo auto.
PASSATO REMOTO "Noi **producemmo** solo auto".	——►	PASSATO REMOTO ... loro **produssero** solo auto.
IMPERFETTO "Noi **producevamo** solo auto".	——►	IMPERFETTO ... loro **producevano** solo auto.
CONGIUNTIVO "Voglio che **produciamo** solo auto". "Volevo che **producessimo** solo auto".	——►	CONGIUNTIVO ... vuole che **producano** solo auto. ... voleva che **producessero** solo auto.
IMPERATIVO "**Produciamo** solo auto!".	——►	Congiuntivo oppure "DI" + INFINITO Il dott. Rossi chiede/ha chiesto/ chiederà che **producano** (**di produrre**) solo auto.

* Se chi riferisce il discorso usa un verbo principale al presente o al futuro (Il Dott. Rossi **dice/dirà**), i tempi dei verbi dipendenti non cambiano, eccetto l'imperativo (vedi schema 1).

** Se – come spesso accade negli affari, dove dominano l'immediatezza e i tempi brevissimi –, chi riferisce il discorso usa un verbo principale al passato prossimo (Il Dott. Rossi **ha detto**) per esprimere un'azione già avvenuta ma *ancora legata al presente*, i tempi dei verbi dipendenti non cambiano, eccetto l'imperativo (vedi schema 1):

Es.: Il Dott. Rossi ha detto [recentemente]: "Noi produrremo solo auto".
Il Dott. Rossi ha detto che loro *produrranno* solo auto.

ATTENZIONE:
Se però chi riferisce il discorso usa un verbo principale al passato prossimo ma sente l'azione non legata al presente bensì ad un passato più lontano, i tempi dei verbi dipendenti cambiano (vedi schema 2):

Es.: Il Dott. Rossi ha detto [lontano nel tempo]: "Noi produrremo solo auto".
Il Dott. Rossi ha detto che loro *avrebbero prodotto* solo auto.

SCHEMA 2

TEMPI E MODI DEI VERBI DIPENDENTI NEL PASSAGGIO

DAL DISCORSO DIRETTO...	→	... AL DISCORSO INDIRETTO
VERBO PRINCIPALE AL PASSATO REMOTO: **disse***** IMPERFETTO: **diceva***** TRAP. PROSS.: **aveva detto*****	→	VERBI DIPENDENTI
Il dott. Bianchi **disse/diceva/aveva detto**: "..."		Il dott. Bianchi **disse/diceva/aveva detto** che...
PRESENTE "Noi **vendiamo** case".	→	IMPERFETTO ... loro **vendevano** case.
FUTURO (SEMPLICE E ANTERIORE) "Noi **venderemo** case quando **avremo formato** una società".	→	CONDIZIONALE COMPOSTO ... loro **avrebbero venduto** case quando **avrebbero formato** una società
PASSATO PROSSIMO E PASSATO REMOTO "Noi **abbiamo venduto** case". "Noi **vendemmo** case."	→	TRAPASSATO PROSSIMO ... loro **avevano venduto** case;
IMPERATIVO "**Vendiamo** case!"	→	CONGIUNTIVO oppure "DI" + INFINITO Il dott. Bianchi chiese/chiedeva/aveva chiesto che **vendessero** (**di vendere**) case.
IMPERFETTO "Noi **vendevamo** case".	→	IMPERFETTO ... loro **vendevano** case.
CONGIUNTIVO "Voglio che **vendiamo** case". "Volevo che **vendessimo** case".	→	CONGIUNTIVO ... voleva che loro **vendessero** case.

*** Se chi riferisce il discorso usa un verbo principale al passato remoto, all'imperfetto o al trapassato prossimo (Il Dott. Rossi **disse/diceva/aveva detto**) i tempi dei verbi dipendenti cambiano.

N.B.: L'imperfetto indicativo e il congiuntivo non cambiano nel passaggio dal discorso diretto al discorso indiretto, indipendentemente dal tempo del verbo principale.

L'uso di "**di**" + infinito può creare ambiguità di significato.

MANUALE DI CORRISPONDENZA COMMERCIALE

Introduzione alla Corrispondenza Commerciale

LINGUA

Il linguaggio della lettera commerciale

CORRISPONDENZA

Come intestare una busta

Uso della maiuscola

Punteggiatura

Sillabazione

CAP dei capoluoghi di provincia

Abbreviazioni commerciali

Sigle dei capoluoghi di provincia

CULTURA D'AZIENDA

Il servizio postale italiano

GRAMMATICA

Pronomi personali

Aggettivi e pronomi possessivi

Numerali

Percentuali

APPENDICE

Modelli di lettere commerciali

Il linguaggio della lettera commerciale

IMPOSTAZIONE TIPOGRAFICA

Una lettera d'affari ha un **formato** convenzionale che varia leggermente da paese a paese e che bisogna imparare a riprodurre. L'immagine dell'azienda dipende molto non solo dal modo in cui la la lettera commerciale viene scritta, ma anche da come viene impostata tipograficamente.

Le **parti essenziali** di una lettera commerciale italiana, che studieremo una per una in questa unità, sono le seguenti:

a) l'intestazione
b) la data
c) l'indirizzo del destinatario
d) la distribuzione
e) i riferimenti
f) l'oggetto
g) la formula iniziale
h) il corpo della lettera
i) la frase di chiusura
l) la firma
m) gli allegati
n) le sigle

Questo è il formato più moderno e comune in Italia:

INTESTAZIONE

DATA

INDIRIZZO DEL DESTINATARIO

DISTRIBUZIONE

RIFERIMENTI

OGGETTO

FORMULA INIZIALE

CORPO DELLA LETTERA

....

....

....

....

....

FRASE DI CHIUSURA

FIRMA

ALLEGATI

SIGLE

TAVOLA 7 - FORMATO

ESERCIZIO 1

Identifica le varie parti di questa lettera circolare.

1

Milano, 12 ottobre 19... 2

Gent. Sig.ra
Luisa Rossi
Via XX Settembre, 11
10100 Torino

3

Gentile cliente, 4

scade fra pochi giorni il suo abbonamento Europ Assistance.

Di conseguenza termina di usufruire delle garanzie che il servizio "Viaggi NoStop" ha previsto per lei e, se prescelte, per la sua famiglia, la sua casa e il suo veicolo in Italia e all'estero.

Da oltre vent'anni, al più piccolo o grande problema, siamo vicini ai nostri abbonati per soccorrerli, consigliarli e risolvere qualsiasi "intoppo" per un buon proseguimento del viaggio o per un tranquillo rientro a casa.

Rinnovare il suo abbonamento significa proteggere e garantire tutti i suoi viaggi e le sue vacanze per un anno intero a tariffe veramente interessanti; ancora più convenienti se, in questa fase di rinnovo, sceglierà i forfait 365 giorni a tariffe speciali.

Troverà, allegato alla presente, il nuovo libretto condizioni 1989 sul quale sono riportate tutte le prestazioni relative ai servizi che vorrà rinnovare o sottoscrivere; la preghiamo cortesemente di prendere visione delle stesse e conservare il libretto, a cui allegare il nuovo abbonamento, come un utilissimo "compagno di viaggi".

Nella pagina seguente troverà invece le tariffe e il coupon per procedere al rinnovo; segua solo le semplici istruzioni per la compilazione dopo che avrà selezionato le opportunità a lei più confacenti.

Tra tutte quelle che l'abbonamento annuo può offrirle le vorremmo segnalare una piacevole novità: "Gommone Noproblem", utilissimo a chi va per mare e in grado di garantire, al battello pneumatico, una serie di prestazioni tecnico/operative nell'area mediterranea.

Augurandoci di continuare ad averla fra i nostri affezionati clienti la preghiamo gradire i nostri più cordiali saluti. 5

EUROP ASSISTANCE ITALIA S.p.A.
Maurizio Negri
(Direttore Vendite Italia Dettaglio)

6

Scadenza Abbonamento: 04-01-19...

N.B. Qualora al ricevimento della presente Lei avesse già rinnovato il suo abbonamento, consideri questa lettera un'occasione per salutarla e per augurarle viaggi sereni.

Europ Assistance Italia S.p.A. - Cap. Soc. Lire 4.200.000.000 Inter. Vers. - Sede Sociale Piazza Trento, 8 - 20135 Milano - Reg. Soc. N. 134796 - C.C.I.A. Milano N. 754519 - Part. IVA 00776030157 - Cod. Fisc. 80039790151

a) Intestazione

Di solito è già stampata e contiene la ragione sociale (se si tratta di un'azienda) o il nome del mittente (se si tratta di una persona), l'indirizzo, i numeri di telefono, fax, telex, partita I.V.A., conto corrente, ecc.

b) Data

Si scrive sotto l'intestazione verso il margine di destra:

LOCALITÀ	+ VIRGOLA	+ GIORNO	+ MESE	+ ANNO
Roma	,	15	settembre	19...

c) Indirizzo del destinatario

È scritto sotto la data, o allineato al margine di sinistra o verso il margine di destra partendo dalla metà del rigo.

Se si tratta della ragione sociale di un'azienda, normalmente si premette la dicitura **Spett. (Spettabile) e/o Ditta**:

Spett. Ditta Franceschi & Rossi

Spett. Franceschi & Rossi

Ditta Franceschi & Rossi

Se si tratta di una persona, il nome e cognome sono preceduti dagli appellativi **Sig. (Signor), Sig.ra (Signora), Sig.na (Signorina)**. Spesso il nome e cognome sono preceduti da un titolo professionale.

TITOLI PROFESSIONALI

ABBREVIAZIONE	MASCHILE	FEMMINILE
Dott. (m.)/Dott.ssa (f)	Dottor(e)	Dottoressa
Prof. (m.)/Prof.ssa (f.)	Professor(e)	Professoressa
Avv. (m./f.)	Avvocato	Avvocatessa
Ing. (m./f.)	Ingegner(e)	(raro: Ingegnera)
Rag. (m./f/)	Ragionier(e)	Ragioniera
Arch. (m./f.)	Architetto	Architetta

N.B.: Nella lingua scritta i titoli professionali si abbreviano quando precedono immediatamente il nome e cognome:

Prof. Mario Rossi

ma: Gentile professore,

Nei titoli maschili terminanti in ***-e,*** questa vocale cade quando il nome e/o cognome seguono immediatamente dopo (vedi anche Unità 3, *Presentazioni*):

Professor Rossi

ESERCIZIO 2

Completata:

1. ____________________ Luigi Micheli. (Signore)
2. ____________________ Carla Bossi. (Ingegnere)
3. ____________________ Anselmo Neri. (Avvocato)
4. Gentile ______________, (Professoressa)
5. Gentile ______________, (Ragioniere)

Il nome e cognome del destinatario sono preceduti da appellativi onorifici, alcuni dei quali (**Chiarissimo**, **Pregiatissimo**) non sono usati in francese, inglese e altre lingue:

I. INDIRIZZO - DESTINATARIO		
Spett. (Ditta) (Spett.) Ditta	Marelli I.R.C.A. Marconi & Rossi S.p.a. F.lli Amendola & C.	formale
Spett.	Compagnia di Assicurazioni S.E.A. Società Renzulli Fondazione Europa Industria del Mobile S.r.l.	
	Ufficio Vendite Ufficio del Personale Segreteria	
Spettabili	Cementifici Riuniti Raffinerie I.CO.SA.	
Egr. (Egregio/a) Gent.mo/a (Gentilissimo/a)	Sig. Franco Romani Sig.ra Alda Morelli Sig.na Rosa Laurito Avv. Morena Fineschi Ing. Luigi Sena	
Ch.mo/a (Chiarissimo/a) Preg.mo/a (Pregiatissimo/a)	Sig. Franco De Marchi Prof.ssa Carla Esposito	molto formale
Preg.mi	Sigg. Marconi & Rossi S.p.a.	formale

Se la lettera è indirizzata all'attenzione di una particolare persona in una ditta, ufficio, dipartimento ecc., si scriverà la seguente dicitura sottolineata, due righe al di sopra dell'indirizzo:

<u>Alla cortese attenzione di (+ art.) + Nome/Cognome</u>

<u>Alla cortese attenzione del Sig. Esposito</u>

<u>Alla cortese attenzione della Dott.ssa M. Lucani</u>

L'indirizzo del destinatario può essere allineato al margine di sinistra (vedi modello "blocco", Tavola 8 o scritto a partire dal centro del rigo verso il margine di destra (vedi modello "classico", Tavola 9):

II. INDIRIZZO - DESTINAZIONE

Ubicazione e numero civico		Ind.*	c.a.p.**	Località	Paese
Via (V.)	Argine Grosso (,) 14	I-	50124	Firenze	Italia
Corso (C.so)	Libertà (,) 78	I-	97100	Ragusa	Italia
Viale (V.le)					
Borgo (B.go)					
Piazza (P.za)					
Largo (L.go)					

* Indicativo del paese.
** Codice di avviamento postale.

Spett. Martini & C.
Piazza Libertà, 78
I-97100 Ragusa
Italia

Spett. Ufficio del
Personale
Società CA.RE.MA.
Via Argine Grosso, 14
I-50124 Firenze
Italia

N.B.: la **virgola** prima del numero civico è opzionale; **l'indicativo del paese** e il **paese** sono utilizzati solo nella corrispondenza proveniente in Italia dall'estero.

Ogni località italiana ha un suo **codice di avviamento postale** (**c.a.p.**). Le grandi città hanno un **c.a.p. principale (es.: 10100 Torino, 50100 Firenze**) e vari **c.a.p. secondari** (**es. 10146 Torino, 50126 Firenze**) per distinguere fra loro le varie zone postali. In mancanza del c.a.p. secondario, è consigliabile inserire comunque il c.a.p. principale per permettere una maggiore velocità di consegna della corrispondenza (vedi la lista dei c.a.p. principali dei capoluoghi di provincia italiani, Tavola 10).

ESERCIZIO 3

Scrivi correttamente i seguenti indirizzi:

1. Spett. Ditta Italmobile, Piazza Galimberti, 223, 10124 Torino.
2. Spettabili Oreficerie Vicentine, Via Roma, 43, 36100 Vicenza.
3. (Ing. Mauro Costi), Spett. Società Industriale E.M.A., Largo Argentina 316, 00100 Roma.
4. Egr. Avv. Mauro Torti, Borgo Ognissanti, 2, 50100 Firenze.
5. Spett. Cooperativa Agricola, Viale Repubblica, 9, 85100 Potenza.
6. (Prof.ssa Luisa Bini), Ufficio Ricerca, Casa Editrice Milani, Via dei Miracoli, 11, 86170 Isernia.

d) Distribuzione

La distribuzione serve ad indicare le altre persone a cui è stata inviata la lettera e va allineata al di sotto dell'indirizzo, preceduta dalla sigla **e, p.c** (e, per conoscenza):

Spettabile Ditta Marelli
Via Santa Reparata, 90
74100 Taranto

e, p.c.

Dott. Claudio Roversi
Società Fondiaria
Lista di Spagna, 9
30100 Venezia

e) Riferimenti

I riferimenti indicano la data della lettera a cui si risponde (**Vs. Rif...**), la data della lettera da noi scritta in precedenza (**Ns. Rif...**) oppure un codice o numero di protocollo. Vanno allineati al margine di sinistra:

Vs. Rif. 5/12/19...

Prot. N. 000-12-234

f) Oggetto

Si scrive al margine di sinistra, prima della formula iniziale, per indicare l'argomento che ha motivato la stesura della lettera, ad es.: **richiesta di catalogo; invio di contratto; avviso di tratta; ordine:**

Oggetto: richiesta di catalogo

Oggetto: Vs. ordine del 15/9/19...

g) Formula iniziale

La formula iniziale si scrive al margine di sinistra, senza rientro, ed è sempre seguita da una virgola. Deve riflettere il modo in cui il destinatario è stato indicato nell'indirizzo. Nelle lettere commerciali italiane dallo stile più moderno, la formula iniziale può venire omessa, ma nella corrispondenza personale è necessaria. Ecco alcuni esempi:

lettera indirizzata a un uomo:

Egregio	Signore, Ingegnere, Dott. Rossi,

lettera indirizzata a una donna:

Gentile Egregia	Signora, Prof.ssa Ludovici, Dottoressa,

lettera indirizzata a una ditta o a varie persone:

Spettabile	Ditta, I.R.C.A.,
Pregiatissimi Signori,	

lettera indirizzata a una persona che si conosce bene:

Mio caro sig. Sgrò, Cara signora Fusco,	(formale-amichevole)
Caro Franco,	(informale)

h) Corpo della lettera

È la parte più importante della lettera (vedi Modelli di lettere commerciali in Appendice), che deve essere scritta secondo tre criteri fondamentali:

* precisione * concisione *chiarezza

Bisogna cioè riuscire ad esporre le idee sapendo che ogni dettaglio conta come un impegno preciso, che non si può trascurare nessun dettaglio importante, che si deve evitare di dire ciò che è superfluo e che bisogna esprimere le idee chiaramente e con una progressione logica.

Ogni paragrafo deve contenere un'idea, ogni idea deve essere espressa in un paragrafo.

Il primo capoverso di ogni paragrafo può iniziare dal margine di sinistra (modello "blocco", vedi Tavola 8), oppure può avere un rientro di 5 o 10 battute (modello "classico" vedi Tavola 9).

MODELLO "BLOCCO"

TAVOLA 8 - BLOCCO

N.B.: data e firma sono allineate verso il margine di destra. L'indirizzo del destinatario, il corpo della lettera e gli altri elementi sono allineati al margine di sinistra.

MODELLO "CLASSICO"

TAVOLA 9 - CLASSICO

N.B.: ogni capoverso (la prima riga di un paragrafo) rientra di 5-10 battute. L'indirizzo del destinatario si scrive a partire dal centro del rigo. Se la frase di chiusura forma un paragrafo a parte (es.: **Con i migliori saluti.**), va allineata ai capoversi.

In una lettera commerciale indirizzata ad una azienda si userà la seconda persona plurale dei vari pronomi, scritti con la lettera maiuscola (vedi schema grammaticale):

pronome personale soggetto

Voi

Abbiamo ricevuto il telex con il quale Voi ci informate che...

pronome personale complemento oggetto diretto e indiretto

Vi

Vi preghiamo di confermare la prenotazione...

Vi confermiamo che la merce è stata inviata il...

Se la corrispondenza è indirizzata ad una persona, si useranno i pronomi personali di terza persona singolare, forma di cortesia, scritti con la lettera maiuscola (vedi schema grammaticale):

pronome personale soggetto

Lei

Se Lei desidera un estratto conto più recente...

pronome complemento oggetto diretto

La

Un nostro rappresentante La incontrerà il 10 marzo prossimo...

pronome complemento oggetto indiretto

Le

Abbiamo il piacere di inviarLe il nostro listino prezzi...

Anche la persona degli aggettivi e pronomi possessivi, anch'essi scritti con la lettera maiuscola, concorderà con il tipo di destinatario (vedi schema grammaticale):

Vostro	Suo
Vostra	Sua
Vostri	Suoi
Vostre	Sue

Vi ringraziamo del Vostro ordine del...

Come da Sua richiesta del...

Il ***primo paragrafo*** del corpo della lettera inizia di preferenza con la lettera maiuscola, con frasi del tipo:

In riferimento alla Vostra lettera del...

Facendo seguito alla Sua cortese richiesta del 22 febbraio u.s., ...

Espressioni come: "We thank you for your letter of...", o "Je vous remercie de votre lettre du ..." sono meno comuni in italiano.

La circostanza in cui si scrive una lettera commerciale può essere sistematizzata in tre principali categorie: a) scrivere per la prima volta ad un corrispondente; b) rispondere ad un corrispondente; c) sollecitare la risposta di un corrispondente.

a) **Scrivere per la prima volta ad un corrispondente.**
In questo caso è consigliabile venire al punto fin dalle prime righe:

(Richieste)

Gradiremmo ricevere un Vostro catalogo...

Desideriamo conoscere i prezzi di listino dei seguenti prodotti...

(Offerte)

Ci risulta che importate la merce che noi produciamo...

(Ordinazioni)

Vogliate spedirci al più presto possibile...

b) **Rispondere ad un corrispondente:**
È consigliabile fare riferimento alla lettera a cui si risponde accennando in poche parole al suo contenuto:

(Referenze)

In riferimento alla Sua lettera del ..., nella quale mi richiede...

(Ricevimento di assegno)

Vi ringraziamo della Vostra lettera del... contenente assegno per Lit...

(Reclamo)

Siamo contrariati di rilevare che la merce ordinata il... non ci è ancora pervenuta.

c) **Sollecitare la risposta di un corrispondente.**
Si cercherà in questo caso di ricordare i termini della lettera precedente, allegandone una fotocopia, e di mantenere un atteggiamento non impaziente.

(Richiesta di pagamento)

Ci permettiamo di ricordarVi che la nostra fattura... non è stata ancora saldata.

In riferimento alla nostra lettera del... ci sembra opportuno farVi notare che...

*L'**ultimo paragrafo*** della lettera contiene espressioni come:

Restando in attesa di un Suo cortese riscontro...

Contando su una Vostra pronta risposta...

Rimanendo a Vostra disposizione per...

In attesa di incontrarLa personalmente...

Vi siamo grati per la Vostra cortese attenzione...

i) Frase di chiusura

La frase di chiusura, che deve essere adeguata al tono della lettera ed al registro linguistico usato, può essere contenuta nell'ultimo paragrafo:

Restando in attesa di un Suo cortese riscontro, **La prego di gradire i miei migliori saluti.**

Oppure può formare un paragrafo a parte:

Ci auguriamo che la nostra offerta sia di Vostro gradimento e restiamo in attesa del Vostro ordine.

Con i migliori saluti.

Studiamo ciascuno dei due casi separatamente.

A. **La frase di chiusura è un paragrafo indipendente:** inizia con la lettera maiuscola e termina con un punto, concludendo la lettera. Si scrive al margine di sinistra, con o senza rientro (vedi Tavole 8 e 9).

DISTINTI SALUTI
Distinti saluti. Gradite distinti saluti. Gradite i nostri più distinti saluti.

MIGLIORI SALUTI
Con i migliori saluti. Gradite i nostri migliori saluti.

CORDIALI SALUTI
Cordiali saluti. Gradite i nostri più cordiali saluti.

FORMULA INIZIALE	SALUTARE RESTANDO IN ATTESA DI RISPOSTA		
Spett. Ditta,	Gradite, frattanto,	(i nostri più)	distinti saluti. cordiali saluti.
		i (nostri)	migliori saluti.
Egr. Sig. Rossi,	Gradisca, frattanto,	(i miei più)	distinti saluti. cordiali saluti.
Gentile Sig.ra Bianchi,		i (miei)	migliori saluti.

B. La frase di chiusura fa parte dell'ultimo paragrafo: inizia con la lettera minuscola e conclude il paragrafo e la lettera.

DISTINTI SALUTI		
... (e) distintamente	Vi La	saluto. salutiamo.
... (e) porgo porgiamo	(i più) distinti saluti.	

MIGLIORI SALUTI	
... (e) porgo porgiamo	(i) migliori saluti.

CORDIALI SALUTI		
... (e) cordialmente	Vi La	saluto. salutiamo.
... (e) porgo porgiamo	(i più) cordiali saluti.	

SALUTARE RESTANDO IN ATTESA DI RISPOSTA			
... e frattanto	Vi La	saluto salutiamo	distintamente cordialmente.

FORMULA INIZIALE	COGLIERE L'OCCASIONE PER ...					
Spett. Ditta, Egr. Sig. Rossi, Gentile Sig.ra Bianchi,	... colgo ... cogliamo	l'occasione per	porgerVi porgerLe	i miei i nostri	più	distinti saluti. cordiali saluti.
	... (e) con l'occasione		porgo porgiamo		migliori saluti.	

FORMULA INIZIALE	PORGERE/PREGARE DI GRADIRE...			
Spett. Ditta,	... (e) Vi porgo ... (e) Vi porgiamo		(i miei più) (i nostri più)	distinti saluti. cordiali saluti.
	... (e) Vi prego di ... (e) Vi preghiamo di	gradire		
Egr. Sig. Rossi, Gentile Sig.ra Bianchi,	... (e) Le porgo ... (e) Le porgiamo		i (miei) i (nostri)	migliori saluti.
	... (e) La prego di ... (e) La preghiamo di	gradire		

l) Firma

La firma è seguita di solito dal nome e cognome dattiloscritti per facilitarne la lettura:

Alberto Dotti

Il nominativo può essere preceduto da un titolo professionale:

Dott. Alberto Dotti

La firma può anche indicare la mansione di chi scrive:

Alberto Dotti
Direttore

IL DIRETTORE
Alberto Dotti

Se la lettera è firmata da una persona diversa (es.: un segretario), si userà la dicitura seguente, dove "**p.**" indica "**per**":

Società A.M.A.S.
p. il Direttore

m) Allegati

Si indicano al margine di sinistra, con la dicitura:

Allegato

oppure, se più di uno,

Allegati

Per specificare la quantità di allegati si scriverà, ad esempio:

Allegati 2

Per specificare il tipo di allegati si scriverà, ad esempio:

Allegati: catalogo
listino prezzi

n) Sigle

Si collocano al margine di sinistra, come ultimo elemento della lettera. Contengono le iniziali maiuscole della persona che invia la lettera e le iniziali minuscole della persona che l'ha dattiloscritta, per esempio:

AD/mr

ESERCIZIO 4

Riscrivi questa lettera rispettando l'uso della maiuscola, la punteggiatura e il formato di una lettera commerciale (vedi sezioni seguenti).

spett. ditta enitcom via dei giullari 12 48100 ravenna spettabile ditta con riferimento alla vostra cortese lettera del 10 luglio scorso nella quale ci richiedete un listino prezzi e un catalogo dei nostri prodotti siamo lieti di inviarvi in allegato quanto richiesto come avrete modo di rilevare i nostri prezzi sono i migliori sul mercato ci auguriamo che le nostre condizioni siano di vostro gradimento e distintamente vi salutiamo carlo rossi direttore ufficio vendite allegati 2 cr/an

ESERCIZIO 5

Utilizza il seguente testo come corpo della lettera e aggiungi tutte le parti mancanti, dall'intestazione agli allegati.

Spettabile A.R.C.O.,

Vi inviamo in allegato assegno bancario n. 00-2-3167 del Banco di Roma per Lit. 1.850.000 a saldo della Vostra fattura n. 0135 del 2 settembre scorso.

Gradiremmo conferma della ricezione.

Con i migliori saluti.

ESERCIZIO 6

Lavorate in due. La ditta Prontomoda sta organizzando una sfilata di moda primaverile e ha richiesto la collaborazione di un videografo (il Sig. Roberto Pagni, della Ditta Marelli & C., Via Santa Reparata 90, CAP 50129 Firenze) e di un fotografo (Sig. Anselmo Marri, Laboratorio StudioArt, Piazza Colonna 32, CAP 00186 Roma). Detta alla tua segretaria una lettera in cui:

- scrivi all'attenzione del sig. Pagni, con una copia per conoscenza al sig. Marri;
- rispondi a una lettera del 7 ottobre scorso del sig. Pagni;
- richiedi il listino prezzi della Marelli & C. (vedi Appendice, lettere 1 e 2);
- comunichi la data e il luogo dove si svolgerà la sfilata.
- ti firmi come Direttore Ufficio Pubbliche Relazioni;
- alleghi un catalogo dei modelli che partecipano alla sfilata.

Inserisci i dati della lettera nello schema che segue, includendo tutti gli elementi mancanti (vedi Tavola 7.).

PRONTOMODAPRONTOMODAPRONTOMODAPRONTOMODAPRONTOMODAPRONTOMODAPRONTOMODA

VIA CASTELFIDARDO, 15
00185 ROMA
TEL. (06) 4875962 FAX (06) 4872323

PRONTOMODAPRONTOMODAPRONTOMODAPRONTOMODAPRONTOMODAPRONTOMODAPRONTOMODA

Roma, ______________

Alla cortese ______________

Spett. ______________

CORRISPONDENZA

Come intestare una busta

Lo smistamento della corrispondenza in Italia è meccanizzato. Per fare in modo che la corrispondenza si adatti alla meccanizzazione le buste devono essere compilate secondo il seguente schema:

ZONE DI POSIZIONAMENTO DELL'INDIRIZZO, DELL'AFFRANCATURA E DELLE ALTRE INDICAZIONI SUGLI INVII NORMALIZZATI (le misure sono espresse in millimetri)

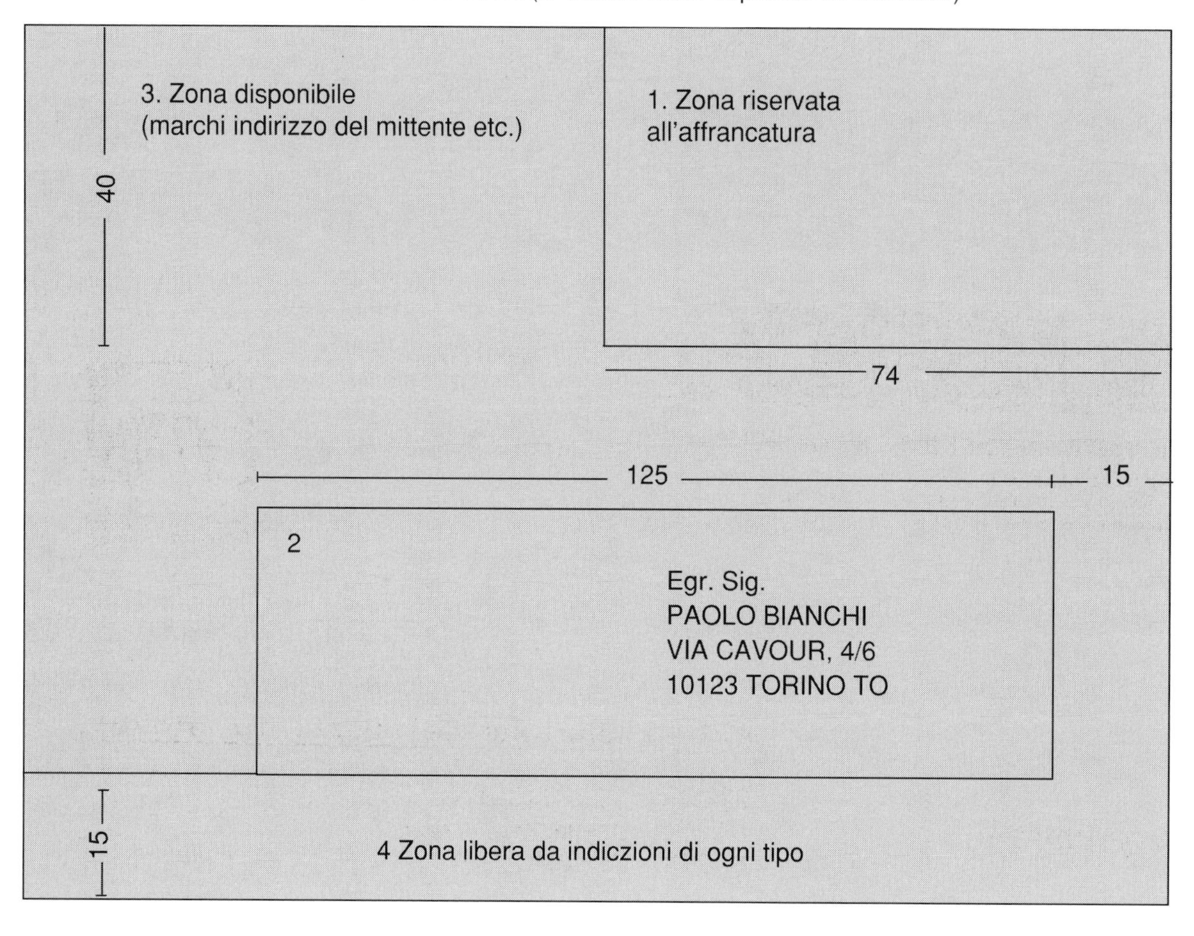

Cfr. Poste: istruzioni per l'uso, a cura di Danilo Cini Firenze, Centro stampa P.T., s.d.
Illustrazioni di Piero Acquaioli.

Gli ***invii normalizzati,*** cioè le buste che si adattano allo smistamento meccanizzato, hanno le seguenti dimensioni:

formato minimo: 90 x 140 mm.
formato massimo: 120 x 235 mm.

Gli altri tipi di buste vengono smistati manualmente, il che comporta un ritardo nella consegna ed anche una tariffa maggiorata.

La ***zona riservata all'affrancatura*** è in alto a destra.

La ***zona riservata all'indirizzo*** è in basso a destra. Per la scrittura dell'indirizzo sulla lettera commerciale valgono le indicazioni già studiate nel paragrafo precedente (vedi sezione c., "Indirizzo del destinatario"); tuttavia l'Amministrazione postale raccomanda che l'indirizzo venga scritto sulla busta nella maniera più chiara possibile, seguendo questi accorgimenti:
- scrivere la località a lettere maiuscole;
- far seguire alla località la sigla del suo capoluogo di provincia (nell'esempio: TO). Vedi lista delle "Sigle automobilistiche italiane", Tavola 12;

- fare uso della virgola per separare il nome della via dal numero civico, specialmente se la via contiene un numero romano:

Via Giovanni XXIII, 11

- non scrivere assolutamente niente al di sotto della località. Se ad esempio una lettera è indirizzata all'attenzione di una persona particolare, la relativa dicitura va scritta sopra, e non sotto, l'indirizzo:

All'attenzione del Sig. Paolo Bianchi

Spett. Torinofilm
Via Cavour, 4/6
10123 TORINO TO

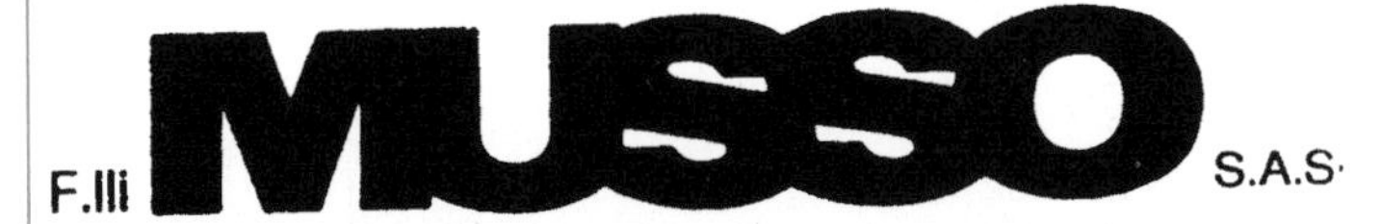

INDUSTRIE METALLURGICHE E MECCANICHE
DIREZIONE GENERALE: 10126 TORINO
C. BRAMANTE, 56 - TEL. 677.177 (4 LINEE) 670.517
TELEGRAMMI MUTOROFFICINA TORINO - TELEX 21397

All'attenzione del Dott. L. Micheli

RACCOMANDATA
A.R.

Spett. I.R.C.A.M
Viale Gramsci, 229
64100 TERAMO TE

La ***zona disponibile***, in alto a sinistra, può includere il mittente (nome e cognome/ragione sociale e indirizzo di chi invia la lettera), marchi di fabbrica già stampati, ecc.

Le ***menzioni*** "**Raccomandata**", "**Espresso**", "**Via aerea**", eccetera, vanno scritte a sinistra dell'indirizzo.

Uso della maiuscola

La maiuscola si usa per:

1. iniziare un periodo preceduto da un punto;
2. introdurre la prima parola di una citazione (dopo i due punti);
3. indicare i nomi propri di persona (nomi e cognomi), geografici (stati, località, fiumi, ecc.), la ragione sociale di un'azienda (es.: Italricambi), la sigla riferita alla ragione sociale di un'azienda (es.: F.A.M.), e alcune abbreviazioni commerciali (vedi Tavola 11);
4. scrivere i pronomi personali e gli aggettivi e pronomi possessivi riferiti al destinatario di una lettera commerciale.

N.B.: in italiano i giorni della settimana e i mesi dell'anno non si scrivono con la lettera maiuscola.

Punteggiatura

La punteggiatura serve a suddividere le idee in sequenze logiche a seconda della loro importanza.

Il punto (.) serve a indicare la fine di un periodo o di un'abbreviazione.

La virgola (,) serve a:

1. separare frasi:

   La nostra ditta è stata fondata nel 19..., ha sede a Milano, ha un capitale sociale di Lit. 100.000.000 e 120 impiegati.

2. separare serie di parole:

   La nostra azienda produce macchinari, pezzi di ricambio e accessori per automobili.

3. separare dal resto della frase una proposizione iniziale retta da un participio:

   Restando in attesa di un vostro cortese riscontro, Vi salutiamo distintamente.

4. isolare un'apposizione:

   La Ditta Rossi & C., nostra associata, ci ha comunicato il Vostro nominativo.

5. separare dal resto della frase una proposizione introdotta dal pronome relativo:

   Vi preghiamo cortesemente di rispedirci il Vostro fax, che ci è arrivato incompleto.

Il punto e virgola (;) serve a coordinare i maggiori elementi di un periodo:

> Abbiamo ricevuto la merce da Voi inviataci il 6 maggio scorso; siamo però contrariati di rilevare che metà del carico è stato danneggiato nel trasporto.

I due punti (:) servono per:

1. introdurre una citazione;
2. introdurre un'enumerazione dopo le espressioni "**seguente/i**", "**come segue**", e simili:

   Il montante della fattura è suddiviso come segue: ....

L'apostrofo (') si usa per indicare la caduta della vocale finale di una parola davanti a vocale iniziale di un'altra parola (elisione) es.: **l'indirizzo, dell'assegno.**
Si sta diffondendo sempre più l'uso dell'apostrofo a fine riga nel caso in cui si desideri giustificare il margine di destra; si potrà quindi scrivere, ad es., **dell'** (a capo) **assegno**, senza però usare il trattino.

Sillabazione

È molto importante rispettare le regole della divisione in sillabe, specialmente in una lettera commerciale, che dà un'immagine negativa o positiva di chi scrive anche in relazione alla forma in cui la lettera è scritta.

La parola è un insieme di suoni ed è costituita da sillabe. Può essere:
monosillaba, formata da una sola sillaba (su, giù)
bisillaba, formata da due sillabe (co-sa, fir-ma)
trisillaba, formata da tre sillabe (let-te-ra, as-se-gno)
quadrisillaba, formata da quattro sillabe (au-to-stra-da)
pentasillaba, formata da cinque sillabe (de-sti-na-ta-rio)
polisillaba, formata da più sillabe (pre-ci-pi-to-sa-men-te)

La sillaba è formata da un gruppo di suoni comprendenti una vocale e viene pronunciata con una sola emissione di voce. Può essere átona (senza accento) o tónica (con accento).

Le sillabe possono essere formate da:
- una sola vocale (**a**-zien-da)
- un dittongo (l**uo**-go)
- un trittongo (m**iei**)
- una vocale, un dittongo e un trittongo e una o più consonanti (**a**n-co-ra, g**ui**-da-re, s**uoi**).

Il dittongo è l'incontro nella stessa sillaba di una vocale molle átona (**i, u**) con una vocale tónica o átona (**á, é, ó,** oppure **a, e, o**), oppure l'incontro di due vocali molli (**i, u** con **i, u**). Possiamo dunque avere i seguenti dittonghi:
ai, au, ei, eu, oi, ou, ia, ua, ie, ue, io, uo, iu, ui.
(l**uo**-go, cam-b**ia**-le, f**ie**-ra).

Il trittongo è l'incontro nella stessa sillaba di una vocale dura tónica (**á, é, ó**) con due vocali molli (**i, u**): m**iei**, g**uai**.

L'iato consiste nell'incontro di due o più vocali che non formano dittongo:
- **a, e, o** seguite da **a, e, o** (p**a-e**se, p**a-u**ra)
- **a, e, o** seguite o precedute da **i, ú** tóniche (v**i-a**)
- **i, ú** tóniche seguite da **i, u (fu-i).**

Non sempre è facile distinguere il dittongo dallo iato, quindi nel dubbio è più prudente non separare le vocali alla fine della riga.

La sillabazione in italiano può essere così esemplificata:

1. Consonanti

- La consonante seguita da una vocale forma una sillaba con la vocale: ca-sa.
- Il digramma (gruppo di due consonanti: **gl, gn, sc**) seguito da vocale forma una sillaba con la vocale: fo-gli.
- Il trigramma (gruppo di tre consonanti, **scr, str, mpr, ltr**, ...) seguito da vocale forma una sillaba con la vocale: scri-va-ni-a.
- Le **doppie** consonanti vengono separate: pen-na, te-le-gram-ma.
- Le consonanti **cq** e **qq** vengono separate: ac-qua, soq-qua-dro.
- Le consonanti **l, r** precedute da una o due consonanti restano nella stessa sillaba: re-gres-so, bloc-co.
- Le consonanti **l, r, m, n** seguite da una o due consonanti formano una sillaba con la vocale precedente: al-ti, fer-mo, e-sem-pio, con-ta-re.
- Gruppi di consonanti meno comuni sono di solito sillabati separatamente: op-zio-ne.
- La consonante **s** seguita da una o più consonanti forma una sillaba con quelle consonanti: mi-ni-stro, stu-den-te.

- In generale: gruppi di due o più consonanti che appaiono anche all'inizio di altre parole formano una sillaba con la vocale che segue:
  fi-sco (sco-glio), in-gros-so (gros-si-sta). Mentre gruppi di consonanti che non appaiono all'inizio di altre parole (**bd, bs, cn, gm, ng, ntr**) formano sillabe diverse: en-tra-ta, in-ge-gne-re, ob-so-le-to.

2. Vocali

- Le vocali isolate in inizio di parola vanno sillabate a parte: o-pe-ra-io, a-zio-ne, u-ti-le.
- Le vocali che formano iato possono essere divise oppure no: pa-ese, oppure pae-se.
- I dittonghi e trittonghi rimangono nella stessa sillaba: gui-da-re, fi-gliuo-li.

3. Prefissi

Le parole formate con i prefissi **trans-**, **tras-**, **cis-**, **dis-**, **pos-**, **in-**, **ben-**, **mal-**, ecc. possono essere sillabate separando il prefisso oppure nel modo normale: trans-atlantico, oppure tran-sa-tlan-ti-co.

4. Numeri

I numeri scritti in cifre non devono essere divisi in fine riga.

5. Preposizioni articolate

Si possono dividere separando le due consonanti, oppure lasciando l'apostrofo in fine di riga: **del-** (a capo) **l'**impresa, oppure **dell'** (a capo) impresa.

I Cap dei capoluoghi di provincia

92100	Agrigento	03100	Frosinone	51100	Pistoia
15100	Alessandria	16100	Genova	33170	Pordenone
60100	Ancona	34170	Gorizia	85100	Potenza
11100	Aosta	58100	Grosseto	97100	Ragusa
52100	Arezzo	18100	Imperia	48100	Ravenna
63100	Ascoli Piceno	86170	Isernia	89100	Reggio Calabria
14100	Asti	67100	L'Aquila	42100	Reggio Emilia
83100	Avellino	19100	La Spezia	02100	Rieti
70100	Bari	04100	Latina	00100	Roma
32100	Belluno	73100	Lecce	45100	Rovigo
82100	Benevento	57100	Livorno	84100	Salerno
24100	Bergamo	55100	Lucca	07100	Sassari
40100	Bologna	62100	Macerata	17100	Savona
39100	Bolzano	46100	Mantova	53100	Siena
25100	Brescia	54100	Massa C.	96100	Siracusa
72100	Brindisi	75100	Matera	23100	Sondrio
09100	Cagliari	98100	Messina	74100	Taranto
93100	Caltanissetta	20100	Milano	64100	Teramo
86100	Campobasso	41100	Modena	05100	Terni
81100	Caserta	80100	Napoli	10100	Torino
95100	Catania	28100	Novara	91100	Trapani
88100	Catanzaro	08100	Nuoro	38100	Trento
66100	Chieti	09170	Oristano	31100	Treviso
22100	Como	35100	Padova	34100	Trieste
87100	Cosenza	90100	Palermo	33100	Udine
26100	Cremona	43100	Parma	21100	Varese
12100	Cuneo	27100	Pavia	30100	Venezia
94100	Enna	06100	Perugia	13100	Vercelli
44100	Ferrara	61100	Pesaro	37100	Verona
50100	Firenze	65100	Pescara	36100	Vicenza
71100	Foggia	29100	Piacenza	01100	Viterbo
47100	Forlì	56100	Pisa		

TAVOLA 10 - CAP

Abbreviazioni commerciali

a/F	a mezzo Ferrovia/per Ferrovia
A.R.	avviso/ricevuta di ritorno
a v.	a vista
art.	articolo
All.	allegato/i
c.	conto
ca.	circa
c.a.	corrente anno
c.m.	corrente mese
CAP/c.a.p.	codice di avviamento postale
c/c	
c.c.	conto corrente
c/c/p/	conto corrente postale
c.i.f.	
CIF	costo, assicurazione e nolo
c/o	presso
c.s.	come sopra
corr.	corrente
D/P	pagamento contro documenti
ecc.	eccetera
ECU	European Currency Unit
e.c.	estratto conto
F	Figlio
f.o.b.	franco a bordo
FF.SS.	Ferrovie dello Stato
fatt.	fattura
F.lli	Fratelli
f.to	firmato
L.	
Lit.	lire italiane
n.	
N.	numero
ns.	
n/	nostro

n/c	nostro conto
n/o	nostro ordine
pag.	pagina
pagg.	pagine
p.c.	per conoscenza
p.c.c.	per copia conforme
P.C.	polizza di carico
p.p.	
p/p	per procura
p.o. & c.	per ordine e conto
p.p	pacco postale
PP.TT.	Poste e Telegrafi
p.to f.co	porto franco
P.S.	Post Scriptum
racc.	raccomandata
RSVP	pregasi rispondere
S/	
S.	Suo
S.A.	Società Anonima
s.b.f.	salvo buon fine
seg.	seguente
segg.	seguenti
S.V.	Signoria Vostra
S.a.s.	Società in accomandita semplice
S.n.c.	Società in nome collettivo
S.p.a.	Società per azioni
S.r.l.	Società a responsabilità limitata
TX	telex
u.s.	ultimo scorso
V/	
Vs.	Vostro
V.c.	Vostro conto
V.o.	Vostro ordine

TAVOLA 11 - ABBREVIAZIONI

Sigle dei capoluoghi di provincia

Sigle automobilistiche italiane

Agrigento	AG	Forlì	FO	Pavia	PV
Alessandria	AL	Frosinone	FR	Potenza	PZ
Ancona	AN	Genova	GE	Ravenna	RA
Aosta	AO	Gorizia	GO	Reggio Cal.	RC
Ascoli Piceno	AP	Grosseto	GR	Reggio Emilia	RE
Aquila (L')	AQ	Imperia	IM	Ragusa	RG
Arezzo	AR	Isernia	IS	Rieti	RI
Asti	AT	Lecce	LE	Rovigo	RO
Avellino	AV	Livorno	LI	Roma	ROMA
Bari	BA	Latina	LT	Salerno	SA
Bergamo	BG	Lucca	LU	Siena	SI
Belluno	BL	Macerata	MC	Sondrio	SO
Benevento	BN	Messina	ME	Spezia (La)	SP
Bologna	BO	Milano	MI	Siracusa	SR
Brindisi	BR	Mantova	MN	Sassari	SS
Brescia	BS	Modena	MO	Savona	SV
Bolzano	BZ	Massa Carrara	MS	Taranto	TA
Cagliari	CA	Matera	MT	Teramo	TE
Campobasso	CB	Napoli	NA	Trento	TN
Caserta	CE	Novara	NO	Torino	TO
Chieti	CH	Nuoro	NU	Trapani	TP
Caltanissetta	CL	Oristano	OR	Terni	TR
Cuneo	CN	Palermo	PA	Trieste	TS
Como	CO	Piacenza	PC	Treviso	TV
Cremona	CR	Padova	PD	Udine	UD
Cosenza	CS	Pescara	PE	Varese	VA
Catania	CT	Perugia	PG	Vercelli	VC
Catanzaro	CZ	Pisa	PI	Venezia	VE
Enna	EN	Pordenone	PN	Vicenza	VI
Ferrara	FE	Parma	PR	Verona	VR
Foggia	FG	Pesaro	PS	Viterbo	VT
Firenze	FI	Pistoia	PT		

TAVOLA 12 - SIGLE

CULTURA D'AZIENDA

Purtroppo il servizio postale italiano non brilla per efficienza. È quindi necessaria la massima collaborazione da parte degli utenti, che conoscendo le regole del servizio e applicandole facilitano il compito delle Poste e si garantiscono un servizio più veloce.

La Direzione Compartimentale delle Poste ha stampato un divertente e utile libretto dal titolo *Poste: istruzioni per l'uso*, di cui seguono le sezioni più rilevanti seguite da un opuscolo CAIPOST.

IMPOSTAZIONE: MAI DOPO LE 18

Il viaggio della corrispondenza ordinaria comincia con l'impostazione nelle cassette stradali, che devono riportare gli orari di "levata". Nella città, generalmente, la posta si ritira dalle cassette tre volte al giorno e l'ultima levata è alle 18: quindi, se imbucata dopo tale ora, la lettera rimarrà nella cassetta tutta la notte con una perdita di tempo variabile dalle 13 alle 15 ore nelle grandi città e anche di più nei piccoli centri. Inoltre, di notte, non sono rari i furti di posta da parte dei soliti ignoti che cercano valori. Levate più frequenti si hanno nelle cassette dell'Ufficio postale principale e delle stazioni ferroviarie, dove si trovano anche le cosidette "buche" attraverso le quali la corrispondenza scivola direttamente sul tavolo degli addetti allo smistamento: il guadagno di tempo è notevole.

SEMPRE CON IL CAP E CORRETTA POSIZIONE DELLA AFFRANCATURA

Dopo essere stata raccolta dalle cassette stradali, la corrispondenza giunge all'ufficio smistamento dove è divisa in due categorie: quella destinata alla città e quella diretta ad altre località, che è trattata con sistemi meccanizzati. Per facilitare quest'ultimo trattamento è sempre bene scrivere l'indirizzo in basso a destra, con la città di destinazione in lettere maiuscole e il CAP preciso, tenendo presente che in Italia esistono otto località denominate Acquaviva, quattro Acquafredda e via dicendo e, perciò, il CAP serve, innanzi tutto, per l'identificazione certa e sollecita della destinazione. C'è poi da considerare che sono stati installati negli uffici di smistamento dei "lettori ottici" in grado di distinguere il numero del CAP e, quindi, di smistare la corrispondenza con esattezza e celerità. Altra circostanza da non trascurare è la posizione dell'affrancatura che deve essere apposta in alto a destra al di sopra dell'indirizzo. Tale posizionamento evita la bollatura a mano che ritarda il corso della corrispondenza.

INDICAZIONE DEL CONTENUTO

Sulle corrispondenze aperte è obbligatoria la specificazione della categoria alla quale appartengono cioè del contenuto (stampe, campioni, ecc.). Questo per la esatta applicazione della tariffa e per facilitare le eventuali operazioni di controllo.
(Art. 34 Regolamento Servizi Postali).

VANTAGGI ED INCONVENIENTI DI RACCOMANDATE ED ESPRESSI

Le raccomandate e gli espressi non viaggiano più velocemente delle lettere ordinarie ma, a differenza di queste, gli espressi sono recapitati anche di pomeriggio. Se si vuole che la raccomandata sia recapitata soltanto nelle mani del destinatario, bisogna scrivere sulla busta "lui solo", altrimenti si recapita al domicilio, ai conviventi ed anche al portiere del palazzo. Lo svantaggio degli espressi e delle raccomandate è che, se manca qualcuno a cui consegnarli, tornano all'ufficio postale e sono recapitate il giorno successivo. In qualche caso, inoltre, il postino si limita a lasciare un avviso con il quale ci si dovrà recare a ritirare la raccomandata presso l'ufficio postale di zona.

N.B. — La prestazione principale dell'accettazione, trasporto, e consegna di un oggetto di corrispondenza può essere integrata, a richiesta del mittente, con particolari servizi cosiddetti "accessori", per ottenere i quali bisogna pagare un corrispettivo in aggiunta all'affrancatura ordinaria. I servizi accessori offerti sono:

- la raccomandazione;
- l'assicurazione;
- l'avviso di ricevimento;
- il fermo posta;
- l'espresso: tutti gli oggetti di corrispondenza e i pacchi (appl.re mod. 24)*;
- l'assegno: possono essere gravati di assegno (fino al limite massimo di un milione di lire se il rimborso avverrà con vaglia o di due milioni di lire se verrà versato sul conto corrente postale del mittente). L'amministrazione subordinerà la consegna dell'oggetto al pagamento della somma indicata dal mittente, al quale verrà inviata lo stesso giorno e con il mezzo dallo stesso indicato;
- la posta aerea: gli oggetti e i pacchi usufruiranno del trasporto per via aerea (applicare mod. 24/R)*.

* I modd. 24 "ESPRESSO" e 24/R "POSTA AEREA" sono distribuiti gratuitamente.

MEGLIO L'ASSICURATA "CONVENZIONALE"

Se si vuole avere la certezza del recapito di una corrispondenza, la raccomandata neanche conviene, poichè viaggia indescritta e, in caso di smarrimento o di disguido della singola raccomandata, non è facile risalire al responsabile. Conviene, invece, l'assicurata "convenzionale" che costa 1.200 lire in più della raccomandata, **ma deve essere registrata singolarmente in ogni passaggio e,** quindi, **il responsabile** della perdita, del ritardo o del disguido **è facilmente rintracciabile.** Non succede mai che un'assicurata "convenzionale" (che a differenza di quella "ordinaria" non deve essere sigillata con la lacca) sia dimenticata su un tavolino, poichè in caso di smarrimento, **il responsabile, subito individuato,** è tenuto a rifondere all'Amministrazione l'eventuale indennità richiesta dall'utente.

PER LA SPEDIZIONE DI DOCUMENTI, CARTE ED OGGETTI DI SPECIALE IMPORTANZA SERVITEVI DELL'ASSICURAZIONE CONVENZIONALE CON SUGGELLATURA FACOLTATIVA E CON VALORE DICHIARATO FINO A L. 10.000.

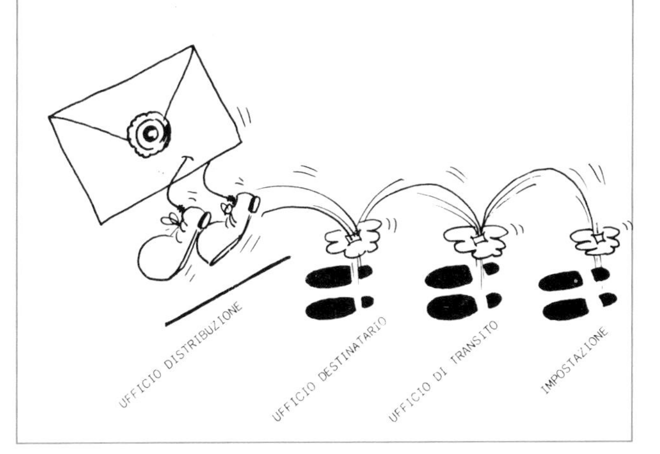

SERVIZI CELERI P.T.

L'Amministrazione delle poste, per venire incontro alle crescenti esigenze dei rapporti industriali, professionali e commerciali, che hanno uno dei loro principali supporti nelle comunicazioni, ha deciso l'istituzione di nuovi servizi che garantiscano l'inoltro delle corrispondenze e delle merci in tempi sicuri e rapidi.
Oltre alla celerità ed alla puntualità, l'Amministrazione garantisce la piena affidabilità, avendo valore giuridico pieno ed esclusivo sia le attestazioni di ricevuta da essa rilasciate che l'avviso di ricevimento che può corredare, a richiesta dell'utente, gli oggetti ammessi ai servizi in questione.

SERVIZIO POSTACELERE INTERNO

IL SERVIZIO POSTACELERE URBANO OFFRE ALL'UTENZA UN SISTEMA PARTICOLARMENTE CELERE PER IL RECAPITO DI CORRISPONDENZA ORDINARIA E RACCOMANDATA DIRETTA AD UTENTI RESIDENTI NELLA STESSA CITTA'. GLI INVII P.U.- POST IMPOSTATI FINO ALLE ORE 12 DEI GIORNI FERIALI SONO RECAPITATI NELLO STESSO GIORNO; QUELLI IMPOSTATI DOPO LE ORE 12 VENGONO DISTRIBUITI ENTRO IL GIORNO FERIALE SUCCESSIVO. ATTUALMENTE TALE SERVIZIO VIENE ATTUATO SOLTANTO NELLE CITTA' DI NAPOLI, ROMA E MILANO.

IL SERVIZIO POSTACELERE INTERNO OFFRE ALL'UTENZA UN SISTEMA PARTICOLARMENTE VELOCE, SICURO E CONVENIENTE PER L'ACCETTAZIONE, LA TRASMISSIONE ED IL RECAPITO DI EFFETTI POSTALI DIRETTI NELLE MAGGIORI CITTA' ITALIANE. LA CONSEGNA DEGLI OGGETTI E' GARANTITA ENTRO IL GIORNO FERIALE SUCCESSIVO A QUELLO DELL'ACCETTAZIONE. ATTUALMENTE TALE SERVIZIO VIENE ATTUATO SOLTANTO IN ALCUNE CITTA' ITALIANE.

CONTENUTO

Il contenuto degli invii può essere costituito, in unica categoria, da qualsiasi documento, corrispondenza od oggetto per il quale non sia specificatamente previsto il divieto da norme giuridiche vigenti. Non sono comunque ammessi al servizio postacelere interno oggetti postali contenenti monete, carte valori, titoli al portatore, oggetti d'oro, platino od argento, lavorati o meno, pietre preziose, gioielli ed ogni altro oggetto prezioso, nonchè armi di qualsiasi tipo o parti di esse, animali vivi e qualsiasi sostanza pericolosa.

PESO E DIMENSIONI

Il peso massimo ammesso è di Kg. 20. Le dimensioni minime per i plichi sono cm. 29,6 x cm 21. Le dimensioni massime non debbono superare una lunghezza di cm. 80; ed un giro massimo misurato in un senso che non sia quello della lunghezza di cm. 100.

CAPOLUOGHI ATTIVATI AL SERVIZIO

Postacelere Interno: Arezzo, Firenze, Livorno, Pisa e Prato in Toscana e Ancona, Bari, Bologna, Brescia, Cagliari, Catania, Como, Forlì, Genova, Milano, Modena, Napoli, Padova, Palermo, Parma, Pescara, Piacenza, Reggio Emilia, Roma, Sassari, Torino, Varese, Venezia, oltre a 250 comuni posti nell'hinterland dei capoluoghi citati.

TARIFFE EMS CAI POST 1992

FASCE TARIFFARIE	1	2	3	4
CLASSI DI PESO	EUROPA E BACINO MEDITERRANEO	AMERICA DEL NORD AFRICA ESCLUSO BACINO MEDITERRANEO	AMERICA CENTRALE E DEL SUD	OCEANIA ED ASIA ESCLUSO BACINO MEDITERRANEO
da gr. 0 a gr. 500	26.500	42.000	48.600	55.400
da gr. 500 a Kg. 1	30.200	51.200	58.700	72.100
da Kg 1 a Kg. 2	35.200	87.100	77.200	102.300
da Kg. 2 a Kg. 3	40.300	83.000	95.800	132.500
da Kg. 3 a Kg. 4	45.300	99.000	114.100	162.700
da Kg. 4 a Kg. 5	50.300	115.000	132.500	192.900
da Kg. 5 a Kg. 6	55.400	130.800	151.000	223.100
da Kg. 6 a Kg. 7	60.400	145.800	169.500	253.300
da Kg. 7 a Kg. 6	65.400	162.700	187.900	263.300
da Kg 8 a Kg. 9	70.500	178.700	206.400	313.700
da Kg. 9 a Kg. 10	75.500	194.600	224.800	343.900
da Kg. 10 a Kg. 12	84.300	221.000	255.000	383.000
da Kg. 12 a Kg. 14	96.100	256.300	295.300	458.400
da Kg. 14 a Kg. 16	107.800	291.500	335.500	523.900
da Kg. 16 a Kg. 18	119.600	324.700	375.800	583.300
da Kg. 16 a Kg. 20	131.300	362.000	416.100	654.800

Servizio postacelere urbano:
diritto fisso (oltre la tassa di francatura ordinaria ed i diritti postali dovuti per raccomandazione ed avviso di ricevimento se richiesti **L. 300**

Servizio postacelere interno:

	fino a 250 g.	**L. 12.000**
da oltre 250 g.	fino a 500 g.	**L. 18.000**
da oltre 500 g.	fino a 1 kg.	**L. 24.000**
da oltre 1 kg.	fino a 10 kg.	**L. 36.000**
da oltre 10 kg.	fino a 20 kg.	**L. 60.000**

Avviso di ricevimento L. 12.000
(Le tariffe sono comrpensive del diritto di raccomandazione)

sicurezza convenienza

LOCALITÀ DI ACCETTAZIONE
(1.08.90)

ANCONA	NAPOLI
AREZZO	PADOVA
BARI	PALERMO
BOLOGNA	PARMA
BRESCIA	PESCARA
CAGLIARI	PIACENZA
CARPI	PISA
CASALECCHIO DI RENO	PRATO
CASTENASO	REGGIO EMILIA
CATANIA	RIVOLI
COMO	ROMA
FIRENZE	ROZZANO
FORLÌ	SAN LAZZARO DI SAVENA
FUNO CENTERGROSS	SARROCH
GENOVA	SASSARI
LEGNANO	SEGRATE
LIVORNO	TORINO
MESTRE	VARESE
MILANO	VENEZIA
MODENA	VERONA
MONZA	ZOLA PREDOSA

***

Dimensioni:le dimensioni e i pesi variano a seconda del Paese di destinazione.
Per informazioni rivolgersi agli uffici EMS CAI-POST

TARIFFE CAI-POST: Le tariffe sono fissate indipendentemente dal contenuto e secondo l'area geografica ove si trova il Paese di destinazione. Le tariffe per l'anno 1990 sono esposte in dettaglio nel presente depliant.

TEMPI DI CONSEGNA: Normalmente gli oggetti impostati in Italia verranno recapitati, se diretti a Paesi europei, entro 24/48 ore dall'accettazione, se diretti a Paesi d'oltremare entro 48/96 ore.
Potranno aversi ritardi di ulteriori 24 ore rispetto ai tempi sopra previsti in casi eccezionali dipendenti dall'ora di impostazione e da formalità doganali.
Gli uffici EMS CAI-POST sono a disposizione per ogni informazione in merito.

RESPONSABILITÀ: L'Amministrazione delle poste risponde per la perdita o avaria totale del contenuto: l'indennità prevista è di L. 50.000 oltre al rimborso delle tasse pagate.
L'indennità è esclusa per la perdita od avaria totale causate da forza maggiore. È esclusa altresì l'avaria totale prodottasi a seguito del confezionamento inidoneo al contenuto.
Un indennizzo pari alla differenza tra la tassa percetta e la corrispondente tassa di spedizione di un pacco aereo di eguale peso, viene corrisposto in caso di consegna al destinatario oltre i tempi massimi sopra indicati. Nessun indennizzo è dovuto per ritardi prodotti da cause indipendenti dalle Amministrazioni postali (es. scioperi, condizioni meteorologiche che impediscono la partenza degli aerei, etc.).

SERVIZIO CAI – POST

ESTENSIONE DEL SERVIZIO AL 15/1/1990 - CONDIZIONI DI AMMISSIONE

PAESE	PESO MASSIMO KG.	PAESE	PESO MASSIMO
ANTILLE OL.	–	KENYA	20
ARABIA SAUDITA	10	KUWAIT	20
ARGENTINA	20	LIECHTENSTEIN	20
ARUBA	–	LUSSEMBURGO	20
AUSTRALIA	20	MACAO	20
AUSTRIA	20	MADAGASCAR	20
BARBADOS	20	MALI	20
BELGIO	20	MALTA	20
BRASILE	20	MAROCCO	15
BURKINA FASO	20	MAURITANIA	–
CANADA	20	NIGERIA	20
CECOSLOVACCHIA	15	NORVEGIA	20
CINA POPOLARE	15	NUOVA ZELANDA	20
CIPRO	20	OMAN	20
COLOMBIA	2	PAESI BASSI	20
COREA DEL SUD	20	PAKISTAN	20
COSTA D'AVORIO	20	PARAGUAI	20
COSTA RICA	–	PORTOGALLO	20
DANIMARCA	20	PRINC. DI MONACO	20
DJIBOUTI	20	QATAR	20
EGITTO	20	ROMANIA	20
EL SALVADOR	–	RWANDA	20
EMIRATI ARABI	20	SENEGAL	20
FINLANDIA	20	SINGAPORE	20
FRANCIA	20	SOMALIA	20
GABON	20	SPAGNA	20
GERMANIA FEDERALE	20	SUD AFRICA	20
GHANA	20	SVEZIA	20
GIAPPONE	20	SVIZZERA	20
GRAN BRETAGNA	20	TAILANDIA	20
GRECIA	20	TAIWAN	20
GUATEMALA	–	TCHAD	20
HONG KONG	20	TOGO	20
IRAQ	20	TUNISIA	15
IRLANDA	20	TURCHIA	20
ISLANDA	20	UGANDA	10
ISRAELE	15	UNGHERIA	20
JUGOSLAVIA	15	U.S.A.	20

ESERCIZIO 7

Dopo aver letto le informazioni sul servizio postale in Italia contenute negli opuscoli, rispondi alle seguenti domande:

	V	F
1. L'ultima levata della posta dalle cassette stradali è dopo le ore 18.00.	□	□
2. Il CAP si scrive dopo il nome della località.	□	□
3. L'affrancatura va applicata sulla busta in alto a destra.	□	□
4. Le raccomandate e gli espressi viaggiano più velocemente delle lettere ordinarie.	□	□
5. Il servizio di corriere CAIPOST recapita gli oggetti impostati entro 48/96 ore nei paesi d'oltremare.	□	□

ESERCIZIO 8

Rispondi alle seguenti domande:

1. La posta parte prima se è impostata
   a) alla stazione ferroviaria
   b) nelle cassette stradali

2. Se vogliamo la certezza che una corrispondenza arrivi a destinazione, è più sicura
   a) la raccomandata
   b) l'assicurata convenzionale

3. La corrispondenza inviata con Servizio Postacelere Interno arriva al destinatario della stessa città
   a) entro 36 ore
   b) entro 48 ore

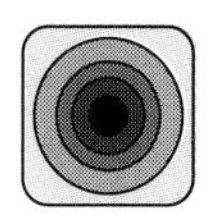

GRAMMATICA

PRONOMI PERSONALI

SOGGETTO **nominativo**	**OGGETTO DIRETTO** **accusativo**	**OGGETTO INDIRETTO** **dativo**
io	mi	mi
tu	ti	ti
lui (m.)	lo	gli
lei (f.)	la	le
Lei (m./f.) formale	La	Le
noi	ci	ci
voi	vi	vi
loro (m.)	li	gli/loro
loro (f.)	le	gli/loro
Loro (m.) formale	Li	Loro
Loro (f.) formale	Le	Loro

* Se i pronomi diretti precedono un passato prossimo, il participio passato si accorda con il genere e numero dei pronomi:

Ho letto **il telex**.	**L**'ho **letto**.
Ho trovato **gli indirizzi**.	**Li** ho **trovati**.
Hai scritto **la lettera**?	Sì, **l**'ho **scritta**.
Avete visto **le chiavi**?	No, non **le** abbiamo **viste**.

* I pronomi diretti e indiretti seguono l'infinito, il gerundio e il participio e formano una sola parola col verbo:

Conosce **la Signora Rossi**?	No, vorrei **conoscerla**.
Ha prenotato **il biglietto**?	Sto **prenotandolo**.
Hai chiamato **l'Eurocenter**?	Sto **per chiamarlo**.

AGGETTIVI E PRONOMI POSSESSIVI

il mio	la mia	i miei	le mie
il tuo	la tua	i tuoi	le tue
il suo	la sua	i suoi	le sue
il Suo (formale)	la Sua	i Suoi	le Sue
il nostro	la nostra	i nostri	le nostre
il vostro	la vostra	i vostri	le vostre
il loro	la loro	i loro	le loro
il Loro (formale)	la Loro	i Loro	le Loro

* I possessivi sono sempre preceduti dall'articolo.

La mia macchina da scrivere è guasta. E **la** tua?
La mia funziona bene.

* Non si usa l'articolo prima di **mio**, **tuo**, **suo**, **nostro**, **vostro**, se precedono nomi di parentela al singolare:

mio marito, tua moglie, sua sorella, nostro fratello, vostro zio

ATTENZIONE: **la loro** cugina, **i loro** genitori

* Se i nomi di parentela sono al plurale, si usa l'articolo:

le mie **sorelle**, **i** nostri **fratelli**, **i** vostri **zii**

* Se i nomi di parentela sono al singolare ma sono modificati, si usa l'articolo:

il mio **figlioletto**, **la** mia **sorella maggiore**, **il** mio **papà**

NUMERALI

UNITÀ	DECINE	CENTINAIA	MIGLIAIA
1 uno	10 dieci	100 cento	1000 mille
2 due	20 venti	200 duecento	2000 duemila
3 tre	30 trenta	300 trecento	3000 tremila
4 quattro	40 quaranta	400 quattrocento	4000 quattromila
5 cinque	50 cinquanta	500 cinquecento	5000 cinquemila
6 sei	60 sessanta	600 seicento	6000 seimila
7 sette	70 settanta	700 settecento	7000 settemila
8 otto	80 ottanta	800 ottocento	8000 ottomila
9 nove	90 novanta	900 novecento	9000 novemila

MIGLIAIA

1000 mille	10.000 diecimila	100.000 centomila	1.000.000 un milione
2000 duemila	20.000 ventimila	200.000 duecentomila	2.000.000 due milioni
...	...	...	...

MILIONI

1.000.000 un milione	10.000.000 dieci milioni	100.000.000 cento milioni
...	...	...

MILIARDI

1.000.000.000 un miliardo 10.000.000.000 dieci miliardi 100.000.000.000 cento miliardi
1.000.000.000.000 mille miliardi

* Il **punto** indica le migliaia:

10.850.500 diecimilioniottocentocinquantamilacinquecento

* La **virgola** indica i decimali:

10.850,50 diecimilaottocentocinquanta **virgola (e)** cinquanta

PERCENTUALI		
% per cento	10% **il** dieci per cento	100% **il** cento per cento
‰ per mille	1‰ **l'**uno per mille	
, %	10,8% **il** dieci virgola otto per cento	

* Le percentuali sono precedute dall'articolo:

Qual è la commissione di vendita?	È **il** 10%.
Che sconto potete applicare?	Uno sconto de**l** 9%.
Qual è il tasso di interesse?	È **il** 12,2%.
Qual è la commissione bancaria?	È **l'**1‰.

MODELLI DI LETTERE COMMERCIALI

1. **Richiesta di listini, cataloghi e campioni**
2. **Invio di listini, cataloghi e campioni**
3. **Ordinazioni**
4. **Ricevimento di ordinazioni**
5. **Ricevimento della merce**
6. **Ricevimento del pagamento**
7. **Richiesta di informazioni su un'azienda**
8. **Risposta con informazioni favorevoli**
9. **Risposta con informazioni sfavorevoli**
10. **Reclami per irregolarità nella fornitura**
11. **Reclami per ritardi di consegna**
12. **Richiesta di trasporti con noleggio**
13. **Richiesta di assicurazione della merce**
14. **Esecuzione dell'assicurazione**
15. **Domande di rappresentanza**
16. **Offerte di rappresentanza**

I seguenti modelli di lettere commerciali italiane permettono allo studente straniero di acquisire le basi del linguaggio della corrispondenza d'affari per ciò che riguarda il corpo della lettera (vedi punto "h" di questa unità).

Ciascun modello riflette un particolare bisogno comunicativo della lingua scritta commerciale di ogni giorno, e contiene un italiano tecnico moderno e sintetico, non semplificato, che potrà essere utilizzato con sicurezza e flessibilità anche come base per la redazione di lettere simili a quelle proposte, ma con opportune variazioni*.

Il lessico in grassetto nelle lettere mette in evidenza i tecnicismi tipici di ciascun modello di transazione commerciale.

Le lettere modello contenute in questa unità vanno ad aggiungersi a quelle incluse in altre unità della Parte prima:

Appuntamenti d'affari
Domande d'impiego
Referenze
Prenotazioni
Pagamenti commerciali

---

* Per una esaustiva fraseologia, si veda il testo di G. Sofia, *Corrispondenza commerciale in lingua italiana*, Milano, Cetim, 1989.

1. RICHIESTA DI LISTINI, CATALOGHI E CAMPIONI

La ditta compratrice richiede documentazione sulla merce alla ditta venditrice.

LETTERA N. 1

Londra, 1 marzo 19......

Vi preghiamo di farci pervenire al più presto un **catalogo** dei Vostri macchinari industriali indicandoci le Vostre **quotazioni minime** e **condizioni di pagamento.**

In attesa di Vostro cortese riscontro, porgiamo i migliori saluti.

La ditta compratrice richiede documentazione sulla merce alla ditta venditrice e menziona un possibile ordine di prova.

LETTERA N. 2

Vienna, 10 luglio 19......

Gradiremmo ricevere con cortese sollecitudine una scelta di **campioni** del Vostro vino rosso da tavola, con la Vostra **migliore offerta.**

Se il prodotto sarà di nostro gradimento, Vi conferiremo un **ordine di prova.**

Ringraziamenti e distinti saluti.

2. INVIO DI LISTINI, CATALOGHI E CAMPIONI

La ditta venditrice invia la documentazione richiesta e specifica le condizioni di pagamento.

LETTERA N. 3

Roma, 12 marzo 19......

Con riferimento alla Vostra gradita richiesta del 1 marzo u.s., della quale Vi ringraziamo, Vi abbiamo spedito il **catalogo** dei ns. macchinari industriali ed il ns. **listino prezzi.**

Le nostre **condizioni di pagamento** sono le seguenti: **sconto** del ...% per **pagamento alla consegna**, o del ...% per **pagamento con tratta** a 30 giorni.

Per la **prima ordinazione**, siamo disposti ad accordarVi uno **speciale sconto** del ...% sull'ammontare **netto** della **fattura**.

Nell'attesa di Vostri ordini, distintamente Vi salutiamo.

3. ORDINAZIONI

La ditta compratrice ordina la merce e specifica il tipo di trasporto desiderato.

LETTERA N. 4

Vienna, 3 settembre 19......

Abbiamo ricevuto i campioni da Voi speditici il 15 luglio u.s. e ci è gradito poterVi conferire un **ordine** per ... casse da 24 bottiglie di vino "Barbera", **art.** 22.

Ci interesserebbe anche l'art. 204, ma il prezzo da Voi quotato non è di nostra convenienza.

PregandoVi di spedirci con cortese urgenza a **mezzo ferrovia** la merce indicata, porgiamo i nostri più distinti saluti.

4. RICEVIMENTO DI ORDINAZIONI

La ditta venditrice spedisce la merce ordinata e invia a parte la documentazione di vendita.

LETTERA N. 5

Asti, 15 settembre 19......

Abbiamo ricevuto il Vs. gradito ordine del 3 settembre scorso e Ve ne ringraziamo.

Nell'intento di facilitare questo inizio di relazioni, abbiamo il piacere di offrirVi eccezionalmente uno sconto del ...... % sull'art. 204 che Vi interessa.

Abbiamo provveduto ad eseguire il Vostro ordine, e Vi rimettiamo in allegato la **fattura**.

Sicuri che sarete pienamente soddisfatti della merce speditaVi, ci auguriamo di essere favoriti ancora dai Vostri graditi ordini e distintamente Vi salutiamo.

5. RICEVIMENTO DELLA MERCE

La ditta compratrice manda un avviso di ricevimento della merce alla ditta venditrice e allega il pagamento.

LETTERA N. 6

Vienna, 20 settembre 19......

La merce da Voi speditaci il 10 settembre u.s. ci è **regolarmente pervenuta** in buone **condizioni.**

Troverete in allegato un **assegno** per l'importo della fattura da Voi rimessaci.

Con l'occasione porgiamo i migliori saluti.

6. RICEVIMENTO DEL PAGAMENTO

La ditta venditrice avvisa di aver ricevuto il pagamento e rispedisce la fattura quietanzata alla ditta compratrice.

LETTERA N. 7

Asti, 26 settembre 19......

Vi ringraziamo della Vostra lettera del 20 settembre scorso, con allegato **assegno della Banca** ...... **per Lit**. ...... **a saldo** della Vostra fattura n. ......, che Vi restituiamo **quietanzata**.

Con i migliori saluti.

7. RICHIESTA DI INFORMAZIONI SU UNA AZIENDA

La ditta "A" desidera entrare in affari con la ditta "B", che conosce poco, e chiede referenze su di essa alla ditta (o banca, o persona) "C".

LETTERA N. 8

Parigi, 16 aprile 19......

Vi saremmo grati se voleste fornirci **informazioni** dettagliate sulla **esperienza** commerciale e **solvibilità** della ditta indicata nell'accluso bollettino, la quale ci ha dato il Vs. nominativo come referenza.

Vi assicuriamo che le informazioni che vorrete farci avere saranno trattate con la massima **riservatezza**.

Ben lieti se un'occasione futura ci permetterà di **ricambiare**, porgiamo i nostri più distinti saluti.

8. RISPOSTA CON INFORMAZIONI FAVOREVOLI

La ditta “C” invia alla ditta “A” referenze positive sulla ditta “B”.

LETTERA N. 9

Roma, 12 maggio 19......

Siamo lieti di poterVi inviare le **informazioni** che ci avete richiesto sulla ditta indicata nella Vs. pregiata lettera del 16 aprile scorso.

Manteniamo ottimi **rapporti d’affari** con loro dal 19......, e ci risulta che dispongano di una vasta **organizzazione**. Si tratta di un’azienda di grande **esperienza** e di notevole **preparazione.**

Il titolare gode di un’ottima **considerazione** negli ambienti commerciali internazionali e riteniamo che disponga di un cospicuo **capitale**.

Fino ad oggi la **situazione finanziaria** dell’azienda in questione è stata ottima. Hanno sempre dimostrato estrema **puntualità** nel regolare i loro impegni.

Siamo del parere che possiate tranquillamente intraprendere relazioni d’affari con loro.

Vi comunichiamo queste informazioni **senza alcuna garanzia e responsabilità** da parte nostra, e facciamo affidamento sulla Vs. **discrezione**.

Distinti saluti.

9. RISPOSTA CON INFORMAZIONI SFAVOREVOLI

La ditta “C” invia alla ditta “A” referenze negative sulla ditta “B”.

LETTERA N. 10

Roma, 12 maggio 19......

Siamo spiacenti di doverVi comunicare **informazioni** negative sulla ditta che menzionate nella Vostra pregiata lettera del 16 aprile scorso.

Fino a qualche anno fa, la ditta in questione svolgeva attivamente un ampio **volume di affari**. Recentemente, però, è stata coinvolta in cattive **speculazioni** ed ha sofferto gravi perdite.

Gli **impegni** che la ditta si è assunta con noi ultimamente non sono stati rispettati in quanto a regolarità dei **pagamenti**. Spesso abbiamo dovuto ricorrere a **solleciti di pagamento**.

Vi consigliamo dunque estrema **prudenza** nelle operazioni a credito con questa ditta.

RaccomandandoVi un uso strettamente **confidenziale** di queste notizie, che Vi forniamo **senza alcuna garanzia e responsabilità** da parte nostra, distintamente Vi salutiamo.

10. RECLAMI PER IRREGOLARITÀ NELLA FORNITURA

La ditta compratrice invia un reclamo alla ditta venditrice.

LETTERA N. 11

New York, 10 ottobre 19......

Abbiamo ricevuto oggi la **merce** da Voi inviataci il 20 settembre u.s., Con nostro vivo disappunto abbiamo rilevato che il 25% della merce risulta **danneggiata.**

Riteniamo che questo sia dovuto senza dubbio all'imballaggio inadeguato della merce.

Vogliate pertanto farci pervenire una **fattura riveduta** per la sola merce pervenuta in buone condizioni o **accreditare** il ns. conto per la differenza.

Distinti saluti.

11. RECLAMI PER RITARDI DI CONSEGNA

La ditta compratrice invia un reclamo alla ditta venditrice perché la merce non è ancora pervenuta.

LETTERA N. 12

Napoli, 3 gennaio 19......

Gli **articoli** di cui alla Vostra **fattura** del 4 dicembre scorso non ci sono ancora pervenuti.

Vi facciamo notare che Vi eravate impegnati a farci avere la merce il 15 dicembre scorso, e che il Vostro **ritardo di consegna** ci sta creando notevoli **difficoltà** con la nostra clientela.

Vogliate quindi provvedere con urgenza all'**invio della merce**, tenendo conto che se gli articoli richiesti non ci perverranno entro il 10 gennaio corr., l'**ordine** che Vi abbiamo conferito è da considerarsi **annullato**.

Distinti saluti.

12. RICHIESTA DI TRASPORTI CON NOLEGGIO

La ditta compratrice richiede le tariffe di noleggio a una agenzia di noleggio.

LETTERA N. 13

Hong Kong, 26 luglio 19......

Vogliate comunicarci se sarete in grado di **noleggiare** per nostro conto una buona **nave** di circa ...... tonnellate di **stazza** per trasportare un **carico** di seta pregiata da Hong Kong a Genova.

In caso affermativo Vi preghiamo di volerci comunicare le Vostre **tariffe di noleggio** per detto carico.

Se le tariffe sono di nostro gradimento, contiamo di affidarVi la nostra **spedizione**.

Con i più distinti saluti.

13. RICHIESTA DI ASSICURAZIONE DELLA MERCE

La ditta compratrice richiede una polizza di assicurazione a una agenzia di assicurazioni.

LETTERA N. 14

Barcellona, 3 novembre 19......

Vogliate **assicurare** per nostro conto alle **condizioni** più favorevoli e **contro ogni rischio** per la **somma** di Lit. ...... la seguente merce:

100 casse da 24 bottiglie ciascuna di vino "Dolcetto" **in partenza il** 20 corr. **a mezzo** ferrovia **da** Asti **con destinazione** Barcellona.

Favorite inviarci con cortese sollecitudine la **polizza di assicurazione** e la **nota delle spese** da Voi sostenute.

In attesa di conferma porgiamo i migliori saluti.

14. ESECUZIONE DELL'ASSICURAZIONE

L'agenzia di assicurazioni conferma l'esecuzione dell'assicurazione e invia la polizza alla ditta compratrice.

LETTERA N. 15

Asti, 10 novembre 19......

Con riferimento alla Vostra cortese richiesta del 3 novembre u.s. Vi **confermiamo** che abbiamo provveduto ad **assicurare** la Vostra **merce** come da istruzioni ricevute.

Nel ringraziarVi per la preferenza accordataci, restiamo in attesa di Vostra cortese **rimessa** e con l'occasione porgiamo i migliori saluti.

Allegati: **lettera di assicurazione**
nota spese

15. DOMANDE DI RAPPRESENTANZA

Una società di importazioni richiede la rappresentanza esclusiva a una ditta.

LETTERA N. 16

Liverpool, 28 maggio 19......

Alla recente Fiera di Milano abbiamo preso visione dei Vostri nuovi modelli di dispositivi antifurto. Ci ha particolarmente interessati il modello "Safeway", che **vorremmo vendere** in Gran Bretagna.

Avendo appreso che non siete ancora **rappresentati** su questa piazza, ci permettiamo di chiederVi se siete disposti a nominarci **rappresentanti esclusivi**.

La nostra società di importazioni è **attiva dal** 19...... ed ha una profonda **conoscenza del settore** e una vasta **rete di relazioni** in tutto il mercato britannico.

Se accettate la nostra offerta, saremo lieti di fornirVi i nominativi di ditte alle quali potrete rivolgerVi per chiedere **referenze** sul nostro conto.

Vogliate inoltre comunicarci a quali **condizioni** siete disposti ad accordarci la **rappresentanza esclusiva**.

Con i migliori saluti.

16. OFFERTE DI RAPPRESENTANZA

La ditta offre la rappresentanza dei suoi prodotti alla società di importazioni e specifica le condizioni.

LETTERA N. 17

Milano, 6 giugno 19......

Vi ringraziamo della Vostra pregiata lettera del 28 maggio u.s. e abbiamo il piacere di comunicarVi che **accettiamo** la Vostra domanda di **rappresentanza esclusiva** in Gran Bretagna.

Siamo disposti a nominarVi **unici rappresentanti** dei nostri articoli alle seguenti **condizioni**: Vi concederemo una **commissione** del ......% su tutte le vendite da Voi effettuate ed una **somma extra** di Lit. ...... per **spese di ufficio**.

In attesa di Vostra sollecita **risposta per accettazione**, ci impegnamo fin d'ora a farVi avere un **contratto d'agenzia** per la firma, il **listino prezzi** ed i nostri più recenti **cataloghi** ed **opuscoli** promozionali.

Con i migliori saluti.

Chiavi degli esercizi

Unità 1 - OFFERTE D'IMPIEGO

ESERCIZIO 1

Ufficio esportazioni Milano città ricerca traduttore qualificato dall'inglese purché madrelingua per corrispondenza estero. Telefonare 02-87.65.43.

ESERCIZIO 2

Nota azienda metalmeccanica Torino cerca esperta pubbliche relazioni inglese perfetto disponibilità viaggi estero. Richiedesi dinamicità bella presenza. Offresi stipendio molto interessante. Telefonare 011-79.27.81.

ESERCIZIO 4

1. Si offre/Offresi inquadramento professionale ad ambosessi.
2. Si richiede/Richiedesi laurea (in) ingegneria.
3. Cercansi corrispondenti lingue estere.
4. Si richiede/Richiedesi volontà (e) precisione.
5. Cercasi stilista di moda tempo pieno militesente.
6. Si offre/Offresi stipendio molto interessante.
7. Si offre/Offresi addestramento computer (e) portafoglio clienti.

ESERCIZIO 5

Televisione privata New York ricerca DJ per programmi musicali lingua italiana. Richiedesi madrelingua italiana esperienza. Offresi ottimo stipendio garanzie carriera. Tel. (212) 678-9012 fax (212) 678-9010.

ESERCIZIO 6

Pers. femm.: n. 3; pers. masch.: n. 1, 5.

ESERCIZIO 10

1b; 2b; 3c; 4a.

ESERCIZIO 11

1V; 2V; 3V; 4F.

Unità 2 - DOMANDE D'IMPIEGO

ESERCIZIO 1

1. Lavoro dal 19.. presso le Officine Gauss, che intendo lasciare allo scopo di migliorare la mia posizione.
2. Ho acquisito una completa conoscenza del mercato perché ho ripetutamente viaggiato in Italia.
3. Nella speranza che la mia domanda venga accolta favorevolmente e che mi venga accordato un colloquio, porgo i miei migliori saluti.

ESERCIZIO 2

1. Leggo sul "Messaggero" di oggi che si è reso libero un posto di accompagnatrice turistica e mi permetto di porre la mia candidatura.
2. Sono cittadina giapponese, ma parlo e scrivo correttamente l'italiano e vivo a Roma da tre anni.
3. Mi sono diplomata in turismo e attualmente sto svolgendo il tirocinio presso un hotel di Roma.

ESERCIZIO 3

1. Sono stato informato che presso la Vostra filiale di Milano si è reso vacante un posto di software designer, per il quale mi permetto di presentare domanda.
2. Mi sono laureato in informatica e ho svolto un tirocinio di due anni; in seguito sono stato assunto dalla IBM.
3. Sto per lasciare il mio impiego allo scopo di trasferirmi in Italia.

ESERCIZIO 4

1. Sono esperta di tecnica bancaria italiana, avendo lavorato presso il Banco di Roma di Parigi per due anni.
2. Conosco perfettamente il settore della grafica pubblicitaria italiana, avendoci lavorato per cinque anni.
3. Ho una completa conoscenza della lingua e cultura italiana, essendo bilingue e biculturale.
4. Conosco perfettamente il Vostro settore, essendomi laureata in economia e commercio presso l'Università di Napoli.

ESERCIZIO 5

luglio
Spettabile Ufficio del Personale,

con riferimento
Vostro annuncio
sul “Corriere della Sera”
sono celibe
[il quarto paragrafo va spostato e inserito nel secondo paragrafo]
avendolo perfezionato
sei mesi
a Milano
curriculum
referenze
Augurandomi
Vi prego di gradire i miei migliori saluti
Allegato.

ESERCIZIO 9

1c; 2a; 3b; 4b.

UNITÀ 3 - CURRICULUM VITAE

ESERCIZIO 2

1. [risposta aperta]
2. No.
3. Interprete.
4. Tre.
5. Ha la laurea in lingue straniere.
6. La Pelletteria Rossi & C.
7. La Casa di Moda Ferraretti.
8. Sì.

ESERCIZIO 6

1. Vendite/Marketing, Ricerca e Sviluppo, Tecnologie informatiche.
2. Progettazione.
3. Amministrazione/Finanza.

ESERCIZIO 7

1. 70,8%; 2. 28,1%; 3. Inglese; 4. Tedesco.

UNITÀ 4 - REFERENZE

ESERCIZIO 1

1. Ci ha indicato il Vostro nominativo.
2. Nel ringraziarVi.
3. Vi saremmo grati di...
4. Ci risulta che...
5. Porgiamo i nostri più distinti saluti.
6. Possiamo assicurarVi che...

ESERCIZIO 2

1. Facendo seguito; 2. estremamente; 3. persona/elemento; 4. siamo lieti; 5. capace/dotata; 6. organico.

ESERCIZIO 3

1. cortese; 2. ci risulta che; 3. positivo; 4. del tutto; 5. non idoneo; 6. valutata.

ESERCIZIO 4

a)
1. Siamo lieti di informarLa che...
2. Ci dispiace informarLa che...
3. Ci sembra che... (+ congiuntivo).
4. Ci risulta che...

b)
1. Di grande professionalità, estremamente capace e dotata, prezioso elemento, diligenza, onestà.
2. Non... del tutto positivo, totalmente incapace di iniziativa, non idoneo.

ESERCIZIO 6

Soluzione: L'informazione industriale sulle imprese è un ingrediente degli affari.

UNITÀ 5 - COLLOQUIO SELETTIVO

ESERCIZIO 2

Egregia Dott.ssa Rosselli,

In riferimento alla Sua cortese lettera del (...) scorso con la quale mi annuncia di essere stata pre-selezionata per l'impiego di interprete che si è reso disponibile presso la Vostra spettabile Ditta, con la presente desidero confermare la mia partecipazione al colloquio selettivo che avrà luogo presso i Vostri uffici lunedì 15 aprile alle ore 17.30.

Con i migliori saluti.

ESERCIZIO 3

1. Pronto.
2. Bene/Molto bene.
3. Lo riferisco a...
4. Telefono per confermare che...

ESERCIZIO 6

1. Mi è stata data una promozione.
2. Non mi sono state ancora affidate le pubbliche relazioni.
3. Le è stata richiesta una lettera di referenze?

ESERCIZIO 7

1. Curavo; 2. accompagnavo; 3. assistevo; 4. ho svolto; 5. ho lavorato; 6. ha assunta.

ESERCIZIO 8

Svolto, ottenuto, assunto, affidato, assistito.

ESERCIZIO 9

1. No, anzi; non ho nulla in contrario; questo non è un problema; non mi dispiacerebbe; senz'altro.
2. Se la sentirebbe di...?; avrebbe problemi a...?
3. Purché ci si possa accordare; a patto che la ditta provveda...

ESERCIZIO 10

1. Affidiate; 2. possa cominciare; 3. discutiamo.

ESERCIZIO 11

1. Permetta; 2. parlasse; 3. paghi; 4. sapesse; 5. sia; 6. si siano.

ESERCIZIO 13

1-5; 2-4; 3-8; 4-9; 5-6; 6-2; 7-1; 8-3; 9-7.

ESERCIZIO 14

1a; 2a; 3c; 4a; 5a.

UNITÀ 6 - PRESENTAZIONI

ESERCIZIO 1

1. Sono l'avvocato Robert Randall; Mi chiamo Silvana De Masi.
2. Mi ripete il suo nome, per favore?; È lei l'avvocato Randall?
3. Sono la direttrice dell'Ufficio contabilità; Mi occupo delle negoziazioni con l'estero.
3. Sono Robert; Sono Emma.

ESERCIZIO 2

1b; 2a; 3a; 4a.

ESERCIZIO 5

1. Sono (...), il vice-direttore della Banca XY.
2. Mi chiamo (...), sono l'amministratore delegato della Società Jovanovic.

3. Piacere, (...). Sono il segretario della Dottoressa Rosati.
4. Mi chiamo (...). Lavoro al centralino.

ESERCIZIO 6

1. Wolfgang, che ne diresti di darci del tu?
2. Signora Ramirez, le andrebbe se ci dessimo del tu?
3. Jutta, perché non ci diamo del tu?
4. Christine, permette che ci diamo del tu?

ESERCIZIO 7

1. Signor Eberle, le presento l'ingegner Bianchi, il nostro direttore generale. Ingegner Bianchi, posso presentarle il Signor Luis Eberle, della ditta Lopez...
2. Signor Eberle, conosce Stelios Maurogianis, il mio socio in affari? Stelios, questo è Luis Eberle, è il direttore delle vendite della ditta Lopez.
3. Signor Eberle, questa è Judy Wilson, la mia segretaria. Judy, il signor Eberle, di Rio de Janeiro.

ESERCIZIO 8

1. Irina, ti presento il Signor Ivanov, nostro interprete. Signor Ivanov, l'architetto Irina Antonova, responsabile dell'Ufficio ricerca delle Officine Dniepr.
2. Irina, questo è Carlo, mio marito. Carlo, ti presento Irina, la mia collega di Kiev che lavora per le Officine Dniepr.
3. Ingegner Ossola, posso presentarle l'architetto Irina Antonova, responsabile dell'Ufficio ricerca delle Officine Dniepr di Kiev... Irina, questo è il mio capufficio, l'ingegner Ossola.

ESERCIZIO 9

1V; 2V; 3F; 4V; 5F; 6V.

Unità 7 - APPUNTAMENTI D'AFFARI

ESERCIZIO 1

Egregio Dott. [Cognome],
In risposta alla Sua lettera del 15 luglio scorso, vorrei richiederLe un appuntamento per il 3 settembre prossimo.
Con l'occasione, potremo discutere del progetto di joint venture che abbiamo lanciato durante il Suo recente viaggio a New York.
La prego di volermi confermare al più presto se la data Le risulta conveniente.
Con i migliori saluti.

ESERCIZIO 2

Garcia Pronto.
Mancini Buongiorno signora Garcia, sono Romeo Mancini, il direttore dell'Italricambi.
Garcia Ah, buongiorno. Ha ricevuto la mia lettera?
Mancini Certo. Le telefono per confermarle che siamo a sua disposizione per la dimostrazione il 21 marzo.
Garcia Quando possiamo incontrarci?
Mancini Le propongo di vederci alle 11.30 negli uffici della direzione, se per lei va bene.
Garcia Sì, certo, mi va bene. Ci sarà qualcuno ad incontrarmi all'aeroporto?
Mancini Le manderò un autista, d'accordo?
Garcia Molto bene, grazie. Arrivederla.
Mancini Arrivederla.

ESERCIZIO 3

Egregio Sig. Delhez,
ho il piacere di confermarLe che la data del 13 maggio prossimo concernente il nostro appuntamento a Bruxelles è di mia convenienza.
La pregherei, se possibile, di inviare un'auto a prendermi alla stazione, dove conto di arrivare alle ore 18.30.
Nel ringraziarLa, resto in attesa di incontrarLa.
Con i migliori saluti.

ESERCIZIO 5

1. Devo farlo approvare.
2. Devo farla aggiustare.
3. Devo farlo rinnovare.
4. Devo farlo pulire.

ESERCIZIO 6

1. L'ho già fatto spedire.
2. L'ho già fatta richiamare.
3. Le ho già fatte cercare.
4. Li ho già fatti venire.

ESERCIZIO 7

1. Il capufficio, da chi fa portare il caffè? Dal fattorino.
2. La segretaria, da chi fa pulire l'ufficio? Da un'impresa di pulizie.
3. L'ingegnere, da chi fa prendere i suoi appuntamenti? Da Carla.
4. L'amministratrice, da chi fa controllare il bilancio? Dal ragionier Bossi.

ESERCIZIO 8

1. Fallo/lo faccia venire domani.
2. Le faccia passare nel mio ufficio.
3. Falli/li faccia portare sulla mia scrivania.
4. Fallo/lo faccia aspettare nel salottino.

UNITÀ 8 - PRENOTAZIONI

ESERCIZIO 2

1. A nome della signora Cherubini.
2. Da Roma.
3. A New York.
4. È prevista per le 10.05.
5. Si tratta del volo numero 841.
6. Costa 1.236.000 lire.

ESERCIZIO 3

Tu	Buongiorno. Vorrei sapere se c'è ancora posto nel volo per Parigi di domani.
Agenzia	Sì. Le interessa prenotare?
Tu	Sì. A che ora parte il volo?
Agenzia	[Es.: alle 11.30].
Tu	Va bene. Mi chiamo (...)
Agenzia	Come si scrive il cognome?
Tu	[Scandisci il tuo cognome].
Agenzia	Desidera pagare con la carta di credito?
Tu	Sì. Resti in linea, per favore. Le passo la mia segretaria.

ESERCIZIO 4

1. Partiremmo; 2. farebbe; 3. tratterebbe; 4. ordineremmo; 5. prenoteremmo; 6. arriveremmo; 7. tratterremmo.

ESERCIZIO 5

1. Potremmo partire; 2. potrebbe trattarsi; 3. potremmo arrivare; 4. prenoteremmo; 5. potremmo trattenerci.

ESERCIZIO 6

1. Avrei ordinato; 2. avrei prenotato; 3. avrei confermata; 4. avrei chiamata; 5. avrei partecipato.

ESERCIZIO 9

Germaine, per favore mandi un telex a Eurodrive al n. 571274 e mi prenoti una [es.: Fiat Uno] dal 3 all'11 settembre. Il noleggio deve essere a chilometri illimitati. La tariffa per otto giorni è di Lit. 674.300. È urgente. Grazie.

UNITÀ 9 - INCONTRI D'AFFARI

ESERCIZIO 1

La Van Gerwen è stata fondata nel 1892.
La sua sede centrale è a Haarlem.
Sì, tre società industriali.
Produce cacao in polvere e cioccolato confezionato.
Dà lavoro a 200 persone.

ESERCIZIO 2

Direttore; gruppo; fatturato; 30; un; controllo; mercato; 20%; cliente; Wilson Corporation; produzione; potenziare; un interlocutore.

ESERCIZIO 4

1. Dallo Studio Mailander e dal Gruppo Shandwick.
2. Il Gruppo Shandwick ha un fatturato di 11 miliardi di lire in Italia e di 180 milioni di dollari nel mondo. In Italia lavorano settantacinque addetti del gruppo, che ha più di cento uffici in venti Paesi.
3. L'accordo prevede uno scambio di know-how e una collaborazione preferenziale per i clienti di entrambe le società.
4. Cinque anni fa.
5. Siamo specializzati in consulenza di relazioni pubbliche.
6. L'anno scorso abbiamo fatturato più di mezzo miliardo con cinque addetti.
7. Sì, opera a Torino.
8. Il nostro amministratore delegato è la dottoressa Mailander.

ESERCIZIO 5

Rafforzare/espandere; agire/funzionare; (contrad)distinto/reso famosa; attività; mettere in luce/mettere l'accento su; continuare; favorire; di distribuzione; piazzare/collocare; nel campo/nel settore; campo; alla nostra clientela.

ESERCIZIO 6

Schema A

Gruppo Rdb; 50 impianti; 130 centri di assistenza; 3.000 dipendenti; fatturato 270 miliardi; utile netto 20 miliardi.

Schema B

Edilizia tradizionale: fornisce componenti di elementi strutturali e servizi di consulenza; edilizia prefabbricata: fornisce sistemi strutturali e montaggio.

Schema C

Livello operativo: gestito da direttori di area le cui competenze sono: produzione, vendita, domanda locale.
Livello specialistico: gestito da responsabili di unità specialistiche le cui competenze includono lo sviluppo di risorse tecniche e tecnologiche, così suddivise: prodotti, sistemi e processi produttivi, formazione e aggiornamento, aree tecnico-produttive.
Livello strategico: gestito dall'alta direzione del Gruppo, le cui competenze sono: marketing, acquisti, gestione amministrativa, gestione del personale, gestione dell'informazione.

ESERCIZIO 8

1-3; 2-6; 3-4; 4-7; 5-1; 6-2; 7-5.

ESERCIZIO 12

1F; 2V; 3V; 4V; 5F; 6F; 7-V.

UNITÀ 10 - DESCRIZIONI DI PRODOTTI E PROCEDIMENTI

ESERCIZIO 1

1. Il responsabile ha precisato che quello non è un tessuto ma un loro filato elastico sintetico.
2. Il responsabile ha detto che lì realizzano diversi tipi di fibra.
3. Il responsabile ha affermato che ci sono quattro settori di applicazione del loro prodotto, e ha aggiunto che stanno studiando l'uso del prodotto anche in due nuovi settori.
4. Il responsabile ha annunciato che la produzione di quel prodotto non usa alcun tipo di componente dannoso all'ambiente.

ESERCIZIO 4

Speciale; affare; 1.190.000 lire; supplemento; prezzo; sconto.

ESERCIZIO 6

Parte b

Ha aumentato; più vendute; in linea con; crescita.

ESERCIZIO 7

1. N. 1: un profumo per uomo
   N. 2: pantaloni da uomo

2. N. 1: maschile; 30-40 anni; buona cultura
   N. 2: maschile; giovani; non connotabile

3. N. 1: padrone/padronanza di sé, mascolinità, amicizia
   N. 2: sportività, vita a contatto con gli animali

4. N. 1: opera d'arte
   N. 2: no

5. N. 1: armonia, amicizia, amore per il bello
   N. 2: comicità e giocondità (le frecce indicano quali tipi di pantalone e di cane "si armonizzano", ma forse anche quali tipi di pantalone ciascun cane "preferisce mordere"...)

6. N. 1: "Fendi Uomo. Non solo padrone"
   N. 2: "Fixmafra - i Pantaloni" (i pantaloni per antonomasia)
7. N. 1: gusto per le cose di classe, sensibilità dell'uomo per l'animale, ecc.
   N. 2: simpatia, gioco, risate, sport, caccia, ecc.

8. N. 1: sportiva o culturale
   N. 2: sportiva

ESERCIZIO 9

Primo, ogni giorno si preleva un campione del prodotto;
secondo, ogni settimana si verificano le caratteristiche dei campioni;
terzo, si registrano i dati su schede;
quarto, si inviano le schede all'Ufficio tecnico;
quinto, l'Ufficio tecnico controlla le informazioni e le compara ai parametri stabiliti;
sesto, l'Ufficio tecnico invia le informazioni al Centro Studi principale;
settimo, il Centro Studi certifica la veridicità delle informazioni;
ottavo, si rilascia un certificato di conformità.

ESERCIZIO 14

1V; 2F; 3V; 4V; 5V; 6F.

UNITÀ 11 - INTRODUZIONE ALLA CORRISPONDENZA COMMERCIALE

ESERCIZIO 1

1. Intestazione; 2. data; 3. indirizzo del destinatario; 4. formula iniziale; 5. frase di chiusura; 6. firma.

ESERCIZIO 2

1. Sig. Luigi Micheli; 2. Ing. Carla Bossi; Avv. Anselmo Neri; 4. Gentile Professoressa; 5. Gentile Ragioniere.

ESERCIZIO 3

1. Spett. Ditta Italmobile
   Piazza Galimberti 223
   10124 Torino

2. Spettabili Oreficerie Vicentine
   Via Roma 43
   36100 Vicenza

3. Alla cortese attenzione dell'Ing. Mauro Costi
   Spett. Società Industriale E.M.A.
   Largo Argentina 316
   00100 Roma

4. Egr. Avv. Mauro Torti
   Borgo Ognissanti, 2
   50100 Firenze

5. Spett. Cooperativa Agricola
   Viale Repubblica, 9
   85100 Potenza
6. Alla cortese attenzione della Prof.ssa Luisa Bini
   Ufficio Ricerca
   Casa Editrice Milani
   Via dei Miracoli, 11
   86170 Isernia

ESERCIZIO 4

Spett. Ditta Enitcom
Via dei Giuliari, 12
48100 Ravenna

Spettabile Ditta,

Con riferimento alla Vostra cortese lettera del 10 luglio scorso nella quale ci richiedete un listino prezzi e un catalogo dei nostri prodotti, siamo lieti di inviarVi in allegato quanto richiesto.

Come avrete modo di rilevare, i nostri prezzi sono i migliori sul mercato.

Ci auguriamo che le nostre condizioni siano di Vostro gradimento e distintamente Vi salutiamo.

Carlo Rossi
Direttore Ufficio vendite

Allegati 2
CR/an

ESERCIZIO 5

Esempio:

EDILMOBIL S.p.A.
Tel. (02) 67.89.01

VIALE ITALIA, 7
20100 MILANO

Milano, 15/7/19..

Alla cortese attenzione del Sig. XY

Società A.R.C.O.
Via Po, 16
10100 Torino

e, p.c.

Studio Legale Amodei
Via Cernaia, 82
10100 Torino

Spettabile A.R.C.O.,

Vi inviamo in allegato assegno bancario n. 00-2-3167 del Banco di Roma per Lit. 1.850.000 a saldo della Vostra fattura n. 0135 del 2 settembre scorso.

Gradiremmo conferma della ricezione.

Con i migliori saluti.

IL DIRETTORE
Luciano Moretti

Allegato: assegno
LM/an

ESERCIZIO 6

Esempio:

Roma, 12 dicembre 19..

Alla cortese attenzione del Sig. Pagni

Spett. Ditta Marelli & C.
Via Santa Reparata, 90
50129 Firenze

e, p.c.

Sig. Anselmo Marri
Laboratorio StudioArt
Piazza Colonna, 32
00186 Roma

V.S. Rif. 7/10/19..
Oggetto: richiesta di listino

Egregio Sig. Pagni,

in riferimento alla Sua lettera del 7 ottobre scorso, gradiremmo ricevere il Vostro listino prezzi per un servizio da realizzare durante la nostra sfilata primaverile.

La sfilata avrà luogo il 3 febbraio prossimo presso la nostra Casa di moda.

In attesa di un Suo cortese riscontro, porgiamo i migliori saluti.

Brunella Baudino
Direttore
Ufficio Pubbliche Relazioni

Allegato: catalogo
BB/rs

ESERCIZIO 7

1F; 2F; 3V; 4F; 5V.

ESERCIZIO 8

1a; 2b; 3a.

INDICI

INDICE GRAMMATICALE

INDICE DELLE TAVOLE

note

L'italiano per stranieri

Amato • ***Mondo italiano***
testi autentici sulla realtà sociale e culturale italiana
libro dello studente
quaderno degli esercizi

Ambroso e Stefancich • ***Parole***
10 percorsi nel lessico italiano - esercizi guidati

Avitabile • ***Italian for the English-speaking***

Battaglia •***Grammatica italiana per stranieri***

Battaglia • ***Gramática italiana para estudiantes de habla española***

Battaglia • ***Leggiamo e conversiamo***
letture italiane con esercizi per la conversazione

Battaglia e Varsi • ***Parole e immagini***
corso elementare di lingua italiana per principianti

Bettoni e Vicentini • ***Imparare dal vivo*****
lezioni di italiano - livello avanzato
manuale per l'allievo
chiavi per gli esercizi

Buttaroni • ***Letteratura al naturale***
autori italiani contemporanei con attività di analisi linguistica

Cherubini • ***L'italiano per gli affari***
corso comunicativo di lingua e cultura aziendale

Diadori • ***Senza parole***
100 gesti degli italiani

Gruppo META • ***Uno***
corso comunicativo di italiano per stranieri - primo livello
libro dello studente
libro degli esercizi e sintesi di grammatica
guida per l'insegnante
3 audiocassette

Gruppo META • ***Due***
corso comunicativo di italiano per stranieri - secondo livello
libro dello studente
libro degli esercizi e sintesi di grammatica
guida per l'insegnante
4 audiocassette

Gruppo NAVILE • ***Dire, fare, capire***
l'italiano come seconda lingua
libro dello studente
guida per l'insegnante
1 audiocassetta

Humphris, Luzi Catizone, Urbani • ***Comunicare meglio***
corso di italiano - livello intermedio-avanzato
manuale per l'allievo
manuale per l'insegnante
4 audiocassette

Marmini e Vicentini • ***Imparare dal vivo****
lezioni di italiano - livello intermedio
manuale per l'allievo
chiavi per gli esercizi

Marmini e Vicentini • ***Ascoltare dal vivo***
manuale di ascolto - livello intermedio
quaderno dello studente
libro dell'insegnante
3 audiocassette

Radicchi e Mezzedimi • ***Corso di lingua italiana***
livello elementare
manuale per l'allievo
1 audiocassetta

Radicchi • ***Corso di lingua italiana***
livello intermedio

Radicchi • ***In Italia***
modi di dire ed espressioni idiomatiche

Totaro e Zanardi • ***Quintetto italiano***
approccio tematico multimediale - livello avanzato
libro dello studente
quaderno degli esercizi
2 audiocassette
1 videocassetta

Urbani • ***Senta, scusi...***
programma di comprensione auditiva con spunti di produzione libera orale
manuale di lavoro
1 audiocassetta

Urbani • ***Le forme del verbo italiano***

Verri Menzel • ***La bottega dell'italiano***
antologia di scrittori italiani del Novecento

Vicentini e Zanardi • ***Tanto per parlare***
materiale per la conversazione - livello medio avanzato
libro dello studente
libro dell'insegnante

Bonacci editore

Finito di stampare
nel mese di settembre 1993
dalla TIBERGRAPH s.r.l.
Città di Castello (PG)